GARRA

GARRA

O PODER da PAIXÃO
e da PERSEVERANÇA

ANGELA DUCKWORTH

TRADUÇÃO DE DONALDSON M. GARSCHAGEN
E RENATA GUERRA

Copyright © 2016 by Angela L. Duckworth

TÍTULO ORIGINAL
Grit: The Power of Passion and Perseverance

PREPARAÇÃO
Isabela Fraga

REVISÃO
Carolina Rodrigues

DIAGRAMAÇÃO
ô de casa

DESIGN DE CAPA
Post Typography

ADAPTAÇÃO
Julio Moreira | Equatorium Design

CIP-BRASIL. CATALOGAÇÃO-NA-FONTE
SINDICATO NACIONAL DOS EDITORES DE LIVROS, RJ

D889g

Duckworth, Angela, 1970-
    Garra : o poder da força e da perseverança / Angela Duckworth ;
tradução Donaldson M. Garschagen, Renata Guerra. - 1. ed. - Rio de
Janeiro : Intrínseca, 2016.
    il. ; 23 cm.

    Tradução de: Grit: the power of passion and perseverance
    Inclui bibliografia e índice
    ISBN 978-85-510-0002-1

    1. Psicanálise e educação. 2. Psicologia educacional. I. Título.

16-33294   CDD: 370.15
                                  CDU: 37.015.3

[2016]
Todos os direitos desta edição reservados à
Editora Intrínseca Ltda.
Av. das Américas, 500, bloco 12, sala 303
22640-904 – Barra da Tijuca
Rio de Janeiro – RJ
Tel./Fax: (21) 3206-7400
www.intrinseca.com.br

Para Jason

SUMÁRIO

PREFÁCIO	9
PARTE I: O QUE É GARRA? POR QUE ELA É IMPORTANTE?	**13**
CAPÍTULO 1: SUPERAÇÃO	15
CAPÍTULO 2: ENGANADA PELO TALENTO	27
CAPÍTULO 3: O ESFORÇO CONTA EM DOBRO	47
CAPÍTULO 4: ATÉ ONDE VAI SUA GARRA?	65
CAPÍTULO 5: O CRESCIMENTO DA GARRA	91
PARTE II: CULTIVAR A GARRA DE DENTRO PARA FORA	**105**
CAPÍTULO 6: INTERESSE	107
CAPÍTULO 7: PRÁTICA	129
CAPÍTULO 8: PROPÓSITO	153
CAPÍTULO 9: ESPERANÇA	177
PARTE III: CULTIVAR A GARRA DE FORA PARA DENTRO	**203**
CAPÍTULO 10: EDUCAR PARA A GARRA	205
CAPÍTULO 11: AS ARENAS DA GARRA	229
CAPÍTULO 12: UMA CULTURA DE GARRA	249
CAPÍTULO 13: CONCLUSÃO	275
AGRADECIMENTOS	**285**
LEITURAS RECOMENDADAS	**289**
NOTAS	**291**
ÍNDICE	**323**

PREFÁCIO

Quando eu era mais nova, escutava a palavra *gênio* o tempo todo.

Era sempre meu pai quem a pronunciava. Ele gostava de dizer, sem qualquer motivo especial: "Você sabe que de gênio não tem nada!" E lançava essa declaração no meio do jantar, durante os comerciais do seriado *O Barco do Amor* ou depois de se jogar no sofá com seu exemplar do *The Wall Street Journal*.

Não lembro o que eu respondia. Talvez fingisse não escutar.

Meu pai sempre refletia sobre genialidade, talento e quem era mais genial e talentoso do que o outro. Ele se preocupava bastante com o próprio grau de inteligência. E também com a dos filhos.

Eu não era a única a lhe causar preocupação. Ele também não achava que meu irmão ou minha irmã fossem gênios. Pelos critérios dele, nenhum de nós podia ser comparado a Einstein e isso era uma grande decepção. Ele temia que esse obstáculo intelectual limitasse nosso sucesso na vida.

Em 2013, tive a alegria de ser agraciada com uma bolsa da Fundação Mac-Arthur, também conhecida como "auxílio-gênio". Ninguém se candidata a essa bolsa. Nem se pedem indicações de amigos ou colegas. Em vez disso, uma comissão secreta, da qual fazem parte os maiores nomes em uma determinada área de conhecimento, decide quem está realizando um trabalho importante e criativo.

Quando recebi o telefonema inesperado com essa notícia, minha primeira reação foi de gratidão e espanto. Em seguida, pensei no meu pai e em seus

GARRA

diagnósticos meio rudes sobre minha capacidade intelectual. Ele não estava enganado. Eu não tinha ganhado a Bolsa MacArthur por ser mil vezes mais inteligente do que meus colegas psicólogos. Na verdade, meu pai tinha a resposta certa ("Não, ela não é") para a pergunta errada ("Ela é um gênio?").

Cerca de um mês passou entre o telefonema da Fundação MacArthur e o anúncio oficial da concessão da bolsa. Eu não podia comentar o fato com ninguém, exceto meu marido. Isso me deu tempo para refletir a respeito da ironia da situação. Uma garota que ouve o tempo todo alguém dizer que ela não é um gênio acaba ganhando um prêmio por sê-lo. O prêmio lhe é concedido por ela ter descoberto que aquilo que conseguimos na vida talvez dependa mais de nossa paixão e perseverança do que de um talento inato. A essa altura, ela já coleciona títulos de algumas instituições de ensino bastante exigentes, mas no quarto ano do ensino fundamental não tirou nota alta o suficiente para entrar no programa de alunos superdotados. Seus pais são imigrantes chineses, mas não lhe fizeram sermões sobre a redenção proporcionada pelo esforço árduo. E, quebrando o estereótipo, ela é uma chinesa que não sabe tirar uma nota musical sequer do piano ou do violino.

Na manhã em que a Bolsa MacArthur foi anunciada, fui até o apartamento dos meus pais. Eles já tinham ouvido a notícia, assim como várias "tias" que não paravam de ligar para me dar parabéns. Por fim, quando o telefone parou de tocar, meu pai virou-se para mim e disse: "Estou orgulhoso de você."

Eu tinha tanto o que lhe dizer, mas apenas respondi: "Obrigada, papai."

Não faria sentido revirar o passado. Eu sabia que ele estava *mesmo* orgulhoso.

Ainda assim, parte de mim tinha vontade de voltar ao tempo em que eu era garota. Eu diria ao meu pai o que sei agora.

Falaria: "Papai, você diz que eu não tenho nada de gênio. Não vou discutir isso. O senhor conhece muitas pessoas que são mais inteligentes do que eu." Já o via balançando a cabeça, concordando sobriamente.

"Mas eu gostaria de lhe dizer uma coisa. Vou crescer e amar tanto o meu trabalho quanto o senhor ama o seu. Não vou apenas ter um emprego; terei

PREFÁCIO

uma vocação. Vou me desafiar todos os dias. Quando fracassar, vou me levantar outra vez. Posso não ser a aluna mais inteligente da minha turma, mas vou me esforçar para ser a mais determinada, a que tenha mais garra."

E se ele ainda estivesse me ouvindo, eu diria: "No fim das contas, pai, a garra pode valer mais do que o talento."

Hoje, tantos anos depois, disponho de dados científicos que corroboram meu argumento. Além disso, sei que a garra é mutável, não fixa, e minhas pesquisas me deram ideias de como fazê-la crescer.

Este livro resume tudo o que aprendi sobre garra.

Quando acabei de escrevê-lo, fui visitar meu pai. Durante dias, eu li o livro para ele, capítulo por capítulo, linha após linha. Ele vem lutando contra a doença de Parkinson há mais ou menos uma década, e não sei o quanto ele de fato compreendeu. Mas parecia estar prestando atenção e, quando terminei a leitura, ele olhou para mim. Depois do que pareceu uma eternidade, assentiu com a cabeça uma vez. E então, sorriu.

Parte 1

O QUE É A GARRA? POR QUE ELA É IMPORTANTE?

Capítulo 1

SUPERAÇÃO

Quando um cadete pisa no campus de West Point, a Academia Militar dos Estados Unidos, ele fez por merecer.

O processo de admissão para West Point é no mínimo tão rigoroso quanto o das universidades mais seletivas. São indispensáveis notas altíssimas nos exames SAT (Scholastic Aptitude Test) ou ACT (American College Testing), além de excelentes notas no ensino médio. Quando um jovem se candidata a Harvard, contudo, não precisa começar o processo já no ensino médio, nem garantir uma indicação por parte de um congressista, um senador ou um vice-presidente dos Estados Unidos. Também não precisa conseguir resultados extraordinários numa avaliação física que inclui corridas, flexões, abdominais e agachamentos.

A cada ano, no penúltimo ano do ensino médio, mais de catorze mil candidatos dão início ao processo de admissão.[1] Esse grupo logo se reduz aos quatro mil que conseguem a indicação necessária. Pouco mais de metade deles — cerca de 2.500 candidatos — cumpre as rigorosas exigências acadêmicas e físicas de West Point, e desse contingente seleto apenas 1.200 são aceitos e matriculados. Quase todos os jovens que chegam a West Point são atletas das principais equipes esportivas de seus colégios, e a maioria chegou a liderar algum desses times.

No entanto, um em cada cinco cadetes abandona o curso antes da formatura.[2] Ainda mais espantoso é o fato de que, historicamente, uma parcela substancial desses egressos deixa West Point logo no primeiro verão, durante um programa de treinamento intensivo de sete semanas chamado, mesmo em textos oficiais, de Beast Barracks, algo como "Quartel das Feras" — ou, simplesmente, Beast.

Por que alguém que passou dois anos tentando entrar numa instituição a abandona nos dois primeiros meses?

Entretanto, esses dois meses são singulares. As sete semanas do Beast Barracks são descritas no manual de West Point como "a parte mais desgastante, do ponto de vista físico e emocional, dos quatro anos em West Point, [...] destinadas a ajudá-lo na transição de novo cadete para soldado".[3]

Um dia típico durante o programa de treinamento Beast Barracks

5h00	Toque de despertar
5h30	Formação de alvorada
5h30 – 6h55	Treinamento físico
6h55 – 7h25	Cuidados pessoais
7h30 – 8h15	Café da manhã
8h30 – 12h45	Treinamento/Aulas
13h00 – 13h45	Almoço
14h00 – 15h45	Treinamento/Aulas
16h00 – 17h30	Atividades atléticas
17h30 – 17h55	Cuidados pessoais
18h00 – 18h45	Jantar
19h00 – 21h00	Treinamento/Aulas
21h00 – 22h00	Hora do Comandante
22h00	Recolher

O dia começa às cinco da manhã. Às cinco e meia, os cadetes estão de pé, em posição de sentido, para o hasteamento da bandeira dos Estados Unidos. Então começa uma dura série de exercícios físicos — corridas ou ginástica — e, em seguida, marchas em formação militar, aulas teóricas, treinamento de

SUPERAÇÃO

tiro e atividades atléticas. O toque de recolher, marcado por uma melancólica melodia de corneta, ocorre às dez da noite. E, no dia seguinte, a série recomeça. Não há fins de semana ou intervalos além das refeições e praticamente nenhum contato com parentes e amigos fora de West Point.

Um cadete descreveu o Beast da seguinte maneira: "Você é desafiado de vários modos, em todas as áreas de desenvolvimento — mental, físico, militar e social. O sistema descobre as suas fraquezas, mas aí é que está: West Point endurece você."[4]

Mas então quem chega ao fim do Beast?

Comecei a tentar responder a essa pergunta em 2004, no meu segundo ano de graduação em psicologia, mas fazia décadas que o Exército americano buscava a mesma resposta. Na verdade, em 1955 — quase cinquenta anos antes de eu começar a enfrentar esse quebra-cabeça — um jovem psicólogo chamado Jerry Kagan foi convocado para o Exército com a ordem de se apresentar em West Point e fazer alguns testes com os novos cadetes a fim de identificar aqueles que iriam até o fim do curso e os que o abandonariam.[5] Por acaso, Jerry não foi apenas o primeiro psicólogo a estudar os desistentes em West Point, mas também o primeiro psicólogo que conheci na faculdade. E acabei como funcionária de meio período em seu laboratório durante dois anos.

Jerry classificou como terrivelmente malsucedidas suas primeiras tentativas de separar o joio do trigo em West Point. Lembrava-se sobretudo de ter passado centenas de horas mostrando cartões com imagens aos cadetes e pedindo-lhes que criassem histórias a partir deles. Com o objetivo de desvendar motivações profundas e inconscientes, a ideia geral desse teste era que os cadetes que visualizassem ações nobres e feitos heroicos chegariam à formatura. Como muitas outras ideias que em princípio parecem boas, essa não deu certo na prática. As histórias que os cadetes contavam eram pitorescas e engraçadas, mas não tinham a menor relação com as decisões que eles tomavam na vida real.

Desde então, várias outras gerações de psicólogos dedicaram-se à questão da evasão, mas nenhum pesquisador foi capaz de afirmar com muita certeza

GARRA

por que alguns dos cadetes mais promissores costumavam desistir quando o treinamento estava só começando.

Pouco tempo depois de descobrir o Beast, entrei em contato com Mike Matthews, psicólogo militar que integra o corpo docente de West Point há anos. Mike explicou que o processo de admissão em West Point[6] identificava corretamente rapazes e moças com potencial para se desenvolverem ali. Em particular, os responsáveis pelo processo de seleção calculam para cada pretendente às vagas a chamada Pontuação Integral do Candidato, uma média ponderada de resultados dos exames de admissão para faculdades (SAT ou ACT), notas do ensino médio ajustadas para o número de estudantes na turma de formatura do candidato, avaliação do potencial de liderança conduzida por especialistas e desempenho em mensurações objetivas de aptidão física.

Pode-se considerar a Pontuação Integral do Candidato a melhor maneira de West Point julgar o nível de talento dos jovens para os diversos rigores de seu programa quadrienal. Em outras palavras, é uma estimativa da facilidade com que os candidatos dominarão as muitas qualificações exigidas de um líder militar.

Embora a Pontuação Integral fosse o fator mais importante para se conseguir ingressar em West Point, esse critério *não* costumava prever com segurança quem chegaria ao fim das sete semanas do Beast. Na realidade, os cadetes com as pontuações mais elevadas tinham tanta probabilidade de desistir no meio do programa quanto aqueles com as notas mais baixas.[7] E foi por isso que a porta de Mike se abriu para mim.

Com base na própria experiência de ter se alistado na força aérea quando jovem, Mike achava que tinha uma pista para o enigma. A rigidez de seu treinamento não havia sido tão implacável quanto a de West Point, mas possuía alguns elementos em comum. Um dos mais notáveis era a imposição de desafios que exigiam mais do que as habilidades dos jovens cadetes. Pela primeira vez na vida de cada um deles, Mike e os outros recrutas tinham que fazer coisas que ainda não conseguiam. "Depois de duas semanas", lembrava-se Mike, "eu estava cansado, solitário, frustrado e prestes a desistir... Como todos os meus colegas."[8]

SUPERAÇÃO

Alguns realmente desistiram, mas Mike não.

O que chamava sua atenção era que mostrar-se à altura da situação quase não tinha a ver com talento. Aqueles que abandonavam o treinamento raramente o faziam por falta de capacidade. Na verdade, o que importava, dizia Mike, era uma atitude de "nunca desistir".[9]

Por volta dessa época, não era apenas Mike Matthews que me falava sobre esse tipo de postura de perseverança frente a desafios. Como uma estudante de pós-graduação que começava a investigar a psicologia do sucesso, eu vinha entrevistando líderes nas mais diversas áreas — negócios, arte, atletismo, jornalismo, academia, medicina e direito —, perguntando-lhes: *Quem são as pessoas que mais se destacam na sua área? Como elas são? Em sua opinião, o que as torna especiais?*

Algumas características mencionadas nessas entrevistas eram muito específicas de cada área. Por exemplo, mais de um executivo do mundo dos negócios mencionou uma disposição a correr riscos financeiros: "Você tem que ser capaz de tomar decisões calculadas a respeito de milhões de dólares e conseguir dormir à noite." No entanto, essa capacidade parecia totalmente irrelevante no caso de artistas plásticos, que falavam sobre um impulso criativo: "Eu gosto de fazer coisas. Não sei por quê, mas gosto." Já os atletas citavam um tipo de motivação diferente, estimulados pela emoção da vitória: "Os vencedores adoram competir com outras pessoas. Eles odeiam perder."

Além desses aspectos específicos, surgiram alguns pontos em comum, e foram estes que mais me interessaram. Qualquer que fosse o campo de atuação do entrevistado, as pessoas mais bem-sucedidas tinham sorte e talento. Eu já ouvira essa afirmativa antes e não duvidava dela.

Mas a história do sucesso não terminava aí. Muitas pessoas com quem conversei também contavam casos de estrelas promissoras que, para surpresa de todos, desistiam ou perdiam o interesse antes de concretizarem seu potencial.

Tudo apontava para um elemento importantíssimo — e nada fácil — para que elas não desistissem depois de um fracasso: "Certas pessoas são dedi-

GARRA

cadas quando as coisas vão bem, mas desmoronam diante de uma situação adversa." Os exemplos muito bem-sucedidos descritos nessas entrevistas realmente iam até o fim: "No começo, esse sujeito não era um ótimo escritor. Quer dizer, a gente lia os contos dele e até achava graça, porque seu texto era... assim, meio desajeitado e melodramático. Mas ele foi melhorando e, no ano passado, ganhou uma bolsa Guggenheim." E essas pessoas procuravam melhorar o tempo todo: "Ela nunca está satisfeita. Seria de imaginar que a essa altura já estivesse, mas ela é sua crítica mais contundente." As pessoas de mais sucesso eram modelos de perseverança.

Por que os bem-sucedidos eram tão obstinados em seus objetivos? Para a maioria deles, não havia qualquer expectativa realista de concretizar suas ambições. Aos próprios olhos, nunca eram competentes o suficiente para tanto. Eram o oposto de satisfeitos consigo mesmos. Contudo, satisfaziam-se genuinamente com essa insatisfação. Cada uma dessas pessoas buscava algum objetivo de interesse e importância extraordinários, e era a busca que era gratificante — tanto quanto a conquista. Embora algumas coisas que precisassem fazer fossem enfadonhas, frustrantes ou mesmo árduas, elas nem sonhariam em desistir. A paixão que as movia era duradoura.

Ou seja: a despeito da área, as pessoas muito bem-sucedidas exibiam um tipo de perseverança feroz que se manifestava de duas formas. Em primeiro lugar, eram mais persistentes e esforçadas do que a média. Em segundo, sabiam lá no fundo de si mesmas o que desejavam. Tinham não só perseverança, como também *uma direção*.

Era essa combinação de paixão e perseverança que fazia com que as pessoas bem-sucedidas fossem especiais. Numa palavra, elas tinham garra.

Para mim, a pergunta que se impunha era a seguinte: como se avalia uma coisa tão intangível? Algo que durante décadas psicólogos militares não conseguiram quantificar; uma coisa que aquelas pessoas muito bem-sucedidas que entrevistei diziam ser capazes de reconhecer à primeira vista, mas não conseguiam imaginar um teste para identificá-la.

SUPERAÇÃO

Voltei a examinar as anotações que eu tinha feito durante as entrevistas. E comecei a escrever perguntas que registravam, às vezes palavra por palavra, descrições do que significa ter garra.

Metade das perguntas falava de perseverança. Procurava saber até que ponto o entrevistado concordava com afirmações como "já superei obstáculos para vencer uma grande dificuldade" e "eu termino tudo o que começo".

As demais perguntas tratavam de paixão. Indagavam se "seus interesses mudam de um ano para outro" e em que medida a pessoa "esteve obcecada com certa ideia ou projeto durante algum tempo, mas depois perdeu o interesse".

O resultado disso foi a Escala de Garra — um teste que, se respondido com honestidade, mede o nível de garra com que a pessoa enfrenta a vida.

Em julho de 2004, no segundo dia do Beast, 1.218 cadetes de West Point foram submetidos à Escala de Garra.

Na véspera, os cadetes haviam se despedido dos pais e das mães (um adeus para o qual a Academia de West Point reserva exatamente noventa segundos), tinham raspado a cabeça (só os rapazes), haviam trocado os trajes civis pelo famoso uniforme cinza e branco e tinham recebido suas maletas, seus capacetes e outros objetos. Depois, um cadete do quarto ano lhes ensinou a maneira correta de formar uma fila — embora eles talvez achassem, erroneamente, que já sabiam.

No começo, tentei verificar como as pontuações de garra se ajustavam à aptidão. Sabem o que descobri? As pontuações não tinham absolutamente nenhuma relação com as Pontuações Integrais dos Candidatos que haviam sido calculadas com tanta meticulosidade durante o processo de admissão. Em outras palavras, o grau de talento de um cadete nada dizia a respeito de sua garra, e vice-versa.

Embora a distinção entre talento e garra corroborasse as observações de Mike sobre o treinamento na força aérea, fiquei muito surpresa ao chegar a essa conclusão. Afinal, as pessoas talentosas não *deveriam* ter perseverança? Pela lógica, os talentosos deveriam insistir e se esforçar — porque, quando o fazem, alcançam resultados fenomenais. Em West Point, por exemplo, a Pontuação Integral de Candidato é um excelente indicador de todos os resultados que os cadetes que chegam ao final do Beast obterão na Academia. Ele prevê não só os resultados acadêmicos, como também as qualificações militares e os níveis de aptidão física.[10]

Era surpreendente, portanto, que o talento não fosse garantia de garra. Neste livro, vamos examinar os motivos disso.

Ao fim do Beast, 71 cadetes tinham desistido.[11]

A garra mostrou-se um indicador extremamente confiável para prever quem chegaria ao fim do treinamento e quem desistiria.

No ano seguinte, voltei a West Point para repetir o estudo. Desta vez, 62 cadetes desistiram durante o Beast, e mais uma vez o grau de garra previu quem iria até o fim.

Contudo, os que desistiram e os que foram até o fim apresentavam Pontuações Integrais indistinguíveis. Examinei com mais atenção cada um dos quesitos que compunham a Pontuação. Também não havia diferenças.

Então, o que é importante para se chegar até o fim do Beast?

Não são notas obtidas em provas, resultados excelentes ao longo do ensino médio nem ter experiência como líder ou capacidade atlética.

Tampouco a Pontuação Integral do Candidato.

O fundamental é a garra.

Será que a garra também era importante para além do treinamento em West Point? A fim de constatar isso, avaliei outras situações igualmente desafiadoras e que também levam muita gente a desistir. Eu queria saber se eram só os rigores do Beast que exigiam garra ou se, de modo geral, a garra ajudava as pessoas a irem até o fim em qualquer coisa que se propusessem a fazer.

Então resolvi testar o poder da garra na área de vendas, atividade em que se pode esperar rejeição dia após dia, ou mesmo hora após hora. Pedi a cen-

SUPERAÇÃO

tenas de homens e mulheres que trabalhavam numa mesma empresa de turismo que respondessem a uma série de questionários sobre personalidade, que incluíam a Escala de Garra. Seis meses depois, visitei a empresa de novo e constatei que 55% do pessoal de vendas não trabalhava mais ali.[12] O grau de garra previu aqueles que continuaram e os que tinham saído da empresa. Além disso, nenhum outro traço de personalidade que costuma ser avaliado — como extroversão, estabilidade emocional e dedicação — mostrou a mesma eficácia da garra quando se tratou de prever a permanência no emprego.

Por volta da mesma época, recebi um telefonema do sistema de escolas públicas de Chicago. Assim como os psicólogos de West Point, os pesquisadores de lá queriam saber determinar de maneira mais exata quem seriam os estudantes que receberiam o diploma de conclusão do ensino médio. Naquele ano, milhares de alunos do penúltimo ano do ensino médio foram submetidos a uma Escala de Garra resumida, juntamente com diversos outros questionários. Mais de um ano depois, 12% dos estudantes não conseguiram se formar. Os alunos que se formaram no tempo previsto eram mais determinados, e a garra foi um fator mais eficaz na previsão de sua formatura do que o interesse dos estudantes pela escola, a dedicação deles aos estudos e até mesmo quão seguros eles se sentiam na escola.

Da mesma forma, ao analisar duas amplas amostragens de cidadãos americanos, concluí que os adultos com mais garra tinham uma probabilidade maior de ir mais adiante na educação formal. Os adultos com um MBA, um título de mestrado, de doutorado ou qualquer outra pós-graduação tinham um grau de garra maior[13] do que aqueles que possuíam apenas o diploma de graduação. E estes últimos, por sua vez, apresentavam mais força de vontade do que aqueles que não chegavam a completar o curso universitário. É interessante notar que os adultos que se formavam em cursos universitários de dois anos tinham um grau de garra maior do que aqueles que se formavam em cursos de quatro anos. De início essa informação me intrigou, mas logo vim a saber que os índices de evasão em faculdades de dois anos podem chegar a 80%.[14] Aqueles que fogem à regra são particularmente determinados.

Ao mesmo tempo, comecei uma parceria com as Forças Especiais do Exército dos Estados Unidos, mais conhecidas como os Boinas-Verdes. São alguns dos soldados mais bem treinados do Exército, e a eles cabe executar missões militares mais difíceis e perigosas. O treinamento para ser um Boina-Verde envolve uma série de fases muito extenuantes. A fase que estudei vem *depois* de nove semanas de treinamento básico, quatro semanas de treinamento de infantaria, três semanas de treinamento de voo e quatro semanas de um curso preparatório focado em navegação terrestre. Todas essas fases de treinamento preliminar são muito, muito difíceis, e em cada uma delas alguns homens não conseguem chegar até o fim. No entanto, o Curso de Seleção para as Forças Especiais é ainda mais exigente. Como disse seu comandante, o general James Parker, é "ali que decidimos quem vai ou não"[15] entrar nas fases finais do treinamento para os Boinas-Verdes.

O Curso de Seleção faz com que o Beast Barracks pareça uma colônia de férias. Começa antes do nascer do sol, e os alunos exercitam-se até as nove da noite. Além das práticas de navegação diurna e noturna, há corridas e marchas de sete e dez quilômetros, às vezes carregando trinta quilos de equipamentos, e também uma prova de obstáculos chamada informalmente de "Nasty Nick", que obriga os soldados a rastejar em terrenos inundados e sob arame farpado, caminhar sobre troncos de árvores, transpor redes de carga e pendurar-se em escadas horizontais.

Simplesmente ser aceito no Curso de Seleção já representa uma façanha, mas ainda assim 42% dos candidatos que estudei abandonaram o treinamento antes do fim.[16] O que distinguia quem o completava? Garra.

O que mais, além do grau de garra, indica sucesso nas forças armadas, na educação e nos negócios?[17] Na área de vendas, descobri que ter experiência anterior ajuda, pois os novatos têm menos probabilidade de manter o emprego do que os vendedores com mais experiência. No sistema de escolas públicas de Chicago, a presença de um professor solidário aumentava a probabilidade de os estudantes se formarem. E, no caso dos candidatos a Boinas-Verdes, era essencial uma excelente preparação física já no começo do treinamento.

Em cada uma dessas áreas, porém, quando se comparam pessoas com níveis similares dessas características, a garra é o melhor indicador de sucesso. Independentemente de atributos e vantagens específicas que ajudem uma

SUPERAÇÃO

pessoa a ter êxito em cada um desses campos de atuação, a garra é importante em todos eles.

No ano em que comecei a pós-graduação em psicologia, foi lançado o documentário *Spellbound*, que acompanha três meninos e cinco meninas na preparação para as finais da Competição Nacional de Soletração promovida pela empresa de telecomunicações E. W. Scripps. Para chegar às finais — uma disputa de três dias, carregada de adrenalina, que acontece todos os anos em Washington, D.C. e é transmitida ao vivo pela ESPN —, esses jovens precisavam superar milhares de outros estudantes de centenas de escolas em todo o país. Para tanto, tinham que soletrar palavras cada vez mais obscuras sem um único erro, rodada após rodada, primeiro vencendo seus colegas de turma e, depois, os de sua série, de sua escola, de seu distrito e de sua região.

Esse documentário me fez pensar. Até que ponto soletrar sem erro palavras como *schottische* e *cymotrichous* é uma questão de talento verbal precoce e em que medida é um exemplo de garra?

Liguei para a diretora-executiva da competição: Paige Kimble, uma mulher dinâmica que tinha sido campeã de soletração. Ela desejava tanto quanto eu conhecer melhor a estrutura psicológica dos vencedores, então concordou em enviar questionários a todos os 273 competidores assim que se classificassem para as finais, que ocorreriam dali a vários meses.[18] Em troca da esplêndida recompensa de um vale-presente no valor de 25 dólares, cerca de dois terços dos competidores devolveram ao meu laboratório os questionários respondidos. O mais velho deles tinha quinze anos, a idade-limite segundo as regras da competição, enquanto o mais novo tinha apenas sete.

Além de responderem ao questionário da Escala de Garra, os competidores informaram quanto tempo dedicavam aos treinamentos de soletração. Em média, eles praticavam mais de uma hora nos dias úteis, e esse tempo aumentava para duas horas nos fins de semana. No entanto, essas médias variavam muito: alguns competidores praticamente não estudavam, enquanto outros chegavam a treinar nove horas todos os sábados!

GARRA

Enquanto isso, entrei em contato com uma subamostra de soletradores, que submeti a um teste de inteligência verbal. O grupo demonstrou uma capacidade verbal acima da média, mas seus integrantes obtiveram pontuações bem variadas. Alguns chegavam ao nível de prodígio verbal, enquanto outros não passavam da "média" esperada para sua idade.

Quando a ESPN transmitiu as rodadas finais da competição, assisti a todas, até os eletrizantes momentos finais, quando Anurag Kashyap, de treze anos, soletrou corretamente A-P-P-O-G-I-A-T-U-R-A (termo musical que designa uma nota ornamental) e venceu o campeonato.

Dispondo, então, das classificações finais, analisei meus dados.

Eis o que descobri: os testes de garra, feitos meses antes das rodadas finais, tinham previsto como os soletradores se sairiam. Em resumo: as crianças com maior grau de garra chegaram mais longe na competição. Como conseguiram isso? Estudando muitas horas mais e participando de mais competições de soletração.

Mas e o talento? A inteligência verbal também indicou resultados melhores na competição. Entretanto, não havia absolutamente nenhuma relação entre QI verbal e garra. Além disso, os participantes com maior talento verbal não estudaram mais do que os menos talentosos nem tinham maior histórico de participação em competições.

A separação entre garra e talento voltou a surgir em outro estudo que realizei, desta vez com estudantes das universidades de maior prestígio nos Estados Unidos, integrantes da chamada Ivy League. Nesse caso, as notas obtidas nos exames de admissão e as medidas de garra[19] mostraram, na verdade, uma correlação inversa. Os estudantes da amostra que tinham obtido as melhores notas nas provas eram, em média, um pouco menos determinados que seus colegas. Juntando essa constatação com os outros dados que eu havia reunido, tive um lampejo que orientaria meu trabalho futuro: *Nosso potencial é uma coisa. O que fazemos com ele é outra, bem diferente.*

Capítulo 2

ENGANADA PELO TALENTO

Antes de me tornar psicóloga, fui professora. Foi em sala de aula[1] — anos antes de ouvir falar em Beast Barracks — que comecei a perceber que talento não é suficiente para o sucesso.

Eu tinha 27 anos quando comecei a lecionar em tempo integral. No mês anterior, tinha deixado meu emprego na McKinsey, uma empresa de consultoria empresarial cuja sede em Nova York ocupava vários andares de um arranha-céu de vidros azuis no centro de Manhattan. Meus colegas ficaram meio surpresos com a minha decisão. Por que largar um emprego que era o sonho da maioria das pessoas da minha idade, numa empresa apontada como uma das melhores e mais influentes do mundo?

Meus conhecidos imaginaram que eu estivesse trocando oitenta horas de trabalho na semana por uma vida mais tranquila. Contudo, como bem sabe qualquer pessoa que já lecionou, não existe no mundo trabalho mais exaustivo que o magistério. Então, por que larguei o emprego? Em certos aspectos, o desvio na minha trajetória foi a consultoria, e não a sala de aula. Durante toda a minha formação universitária, eu tinha acompanhado e aconselhado alunos de escolas públicas da cidade. Depois de formada, criei um programa gratuito de reforço escolar, que dirigi por dois anos. Em seguida, fiz uma pós-graduação em neurociência em Oxford, onde estudei os mecanismos neurais da dislexia. Por isso, quando comecei a lecionar, senti-me de volta aos trilhos.

GARRA

Ainda assim, a transição foi abrupta. Em uma semana, meu salário passou de *Será verdade? Eu ganho isso tudo?* para *Epa! Como será que os professores nesta cidade conseguem pagar as contas?*. O jantar passou a ser um sanduíche comido às pressas enquanto eu corrigia trabalhos, e não um sushi pedido na despesa do cliente. Eu ia para o trabalho usando a mesma linha do metrô, mas agora percorria mais seis estações, descendo no Lower East Side de Manhattan. Em vez de sapatos de salto, pérolas e um tailleur sob medida, eu usava sapatos confortáveis que me permitissem ficar de pé o dia todo e vestidos que pudessem ficar sujos de giz sem que eu me importasse.

Meus alunos tinham doze ou treze anos. A maioria morava nos conjuntos habitacionais amontoados entre as avenidas A e D. Isso foi antes de surgirem cafés descolados em cada esquina do bairro. Na época em que comecei a dar aulas ali, nosso colégio foi escolhido como cenário de um filme sobre uma escola turbulenta num bairro degradado. Meu trabalho era ajudar os estudantes a aprender a ementa de matemática do sétimo ano: frações, decimais e álgebra e geometria básicas.

Já na primeira semana, ficou evidente que alguns alunos entendiam os conceitos matemáticos com mais facilidade do que seus colegas. Ensinar aos alunos mais talentosos da turma era uma alegria. Eles eram verdadeiros "crânios". Sem necessidade de muitas explicações, percebiam o padrão subjacente numa série de problemas de matemática que alunos menos capazes tinham dificuldade de dominar. Eles me viam resolver um único problema no quadro-negro, diziam "entendi!" e solucionavam o problema seguinte sem ajuda.

No entanto, ao fim do primeiro período de avaliação, fiquei surpresa ao constatar que alguns daqueles alunos mais capazes não estavam se saindo tão bem como eu esperava. Alguns foram muito bem, é claro. Contudo, um número considerável desses estudantes mais talentosos estavam obtendo notas medíocres, ou até abaixo disso.

Por outro lado, vários alunos que no início demonstraram ter mais dificuldade estavam se saindo melhor do que eu tinha esperado. Esses estudantes "extraordinários" iam para a aula todos os dias com todo o material necessário. Em vez de se distrair com brincadeiras ou olhar pela janela,

ENGANADA PELO TALENTO

tomavam notas e faziam perguntas. Quando não entendiam alguma coisa de primeira, tentavam de novo. Às vezes, até pediam ajuda na hora do almoço ou em horários de disciplinas eletivas, à tarde. Seus esforços se traduziam em boas notas.

Tudo indicava que aptidão *não* garantia sucesso. Talento para matemática era uma coisa; tirar boas notas em matemática era outra.

Isso foi uma surpresa. Afinal, segundo o senso comum, na matemática espera-se que os alunos mais talentosos se destaquem, superando os colegas que simplesmente não levam jeito com números. Para dizer a verdade, eu mesma comecei a lecionar com essa ideia em mente. Parecia óbvio que os alunos que aprendiam com facilidade continuariam a superar seus colegas. Na verdade, eu esperava que, com o passar do tempo, a distância entre os talentosos e o restante da turma só aumentasse.

O talento tinha me enganado.

Pouco a pouco, comecei a me questionar. Se eu ensinava uma coisa e alguns estudantes não assimilavam o conceito, será que esses alunos precisavam se esforçar um pouco mais? Ou eu precisava encontrar um meio diferente de explicar o que estava tentando transmitir? Antes de concluir, apressadamente, que o talento era algo definitivo, eu não deveria refletir sobre a importância do esforço? E, como professora, não caberia a mim descobrir como prolongar o esforço — o dos alunos e o meu — um pouco mais?

Ao mesmo tempo, comecei a pensar em como meus alunos pareciam inteligentes quando falavam do que realmente lhes interessava. Para mim, era quase impossível acompanhar essas conversas: estatísticas de jogos de basquete, letras de músicas de que gostavam, histórias confusas sobre quem não estava mais falando com quem e por quê. Quando vim a conhecê-los melhor, descobri que todos dominavam inúmeras ideias complicadas em suas vidas complicadíssimas. Honestamente, seria tão mais difícil assim calcular o valor de x numa equação de álgebra?

Nem todos os meus alunos tinham o mesmo talento. Entretanto, será que aprenderiam a ementa de matemática do sétimo ano se eles e eu nos esforçássemos? Era claro, pensava eu, que todos tinham talento *suficiente*.

GARRA

No fim do ano letivo, meu noivo tornou-se meu marido. Em prol da carreira dele pós-McKinsey, arrumamos as malas e nos mudamos de Nova York para São Francisco. Lá, arranjei um novo emprego como professora de matemática na Lowell High School.

Em comparação com minha turma no Lower East Side, a escola Lowell era outro universo.

Aninhada numa região sempre enevoada perto do oceano Pacífico, a Lowell é a única escola pública em São Francisco que aceita alunos com base no mérito escolar. De lá sai a maioria dos alunos da Universidade da Califórnia, e muitos egressos da Lowell matriculam-se também em várias das mais respeitadas universidades dos Estados Unidos.

Como eu tinha sido criada na Costa Leste do país, via a Lowell como um equivalente da Stuveysant High School — uma das escolas mais bem-conceituadas de Nova York — de São Francisco. Esse tipo de comparação pode nos levar a pensar em jovens gênios muitíssimo mais inteligentes do que aqueles que não conseguem as pontuações e as notas máximas para serem aceitos.

O que descobri foi que os estudantes da escola Lowell distinguiam-se mais pela ética de trabalho do que pela inteligência. Certa vez perguntei aos alunos de minha turma por quanto tempo eles estudavam. A resposta mais comum? Muitas horas. Não durante uma semana, mas num único dia.

Ainda assim, tal como em qualquer outra escola, havia uma enorme variação na dedicação dos alunos e nas notas que tiravam.

Assim como tinha acontecido em Nova York, alguns estudantes dos quais eu esperava excelentes resultados — já que aprendiam matemática com muita facilidade — não se saíam tão bem quanto seus colegas. Por outro lado, alguns de meus alunos mais esforçados eram os que obtinham as melhores notas nas provas e testes.

Um deles era David Luong.

David estava em minha turma de calouros em álgebra. Havia duas turmas de álgebra na Lowell: o curso acelerado, que levava à aula de Cálculo

ENGANADA PELO TALENTO

Especial Avançado no último ano do ensino médio; e o curso normal, que eu lecionava. Os alunos de minha turma não tinham conseguido notas altas o suficiente no exame de matemática da escola para entrar no curso acelerado.

De início, David não se destacou. Era um garoto quieto e preferia sentar-se mais no fundo da sala. Não levantava a mão com frequência e raramente se oferecia para resolver problemas no quadro-negro.

Mas, quando eu corrigia trabalhos da turma, percebi que o de David era sempre perfeito. Ele tirava a nota máxima nos exercícios e nas provas. Quando eu assinalava uma de suas respostas como incorreta, em geral o engano era meu, e não dele. E, nossa, ele ansiava por aprender. Durante as aulas, sua atenção era constante. Depois da aula, ele permanecia na sala e pedia, com educação, trabalhos mais difíceis.

Comecei a me perguntar o que aquele garoto estava fazendo na minha turma.

Assim que percebi o absurdo da situação, levei David à sala da diretora do departamento. Não demorei muito para explicar o que estava acontecendo. Por sorte, a diretora do departamento era uma mulher sensata e inteligente que dava mais valor aos alunos do que a regras burocráticas. Na mesma hora, ela deu entrada nos documentos para que David fosse transferido de minha turma para o curso acelerado.

Minha perda foi um ganho para a professora seguinte. Houve, é claro, altos e baixos, e nem sempre David gabaritava as provas de matemática.

— Quando saí da sua turma e passei para a mais avançada, eu estava um pouco atrasado — [2] contou David mais tarde. — E, no ano seguinte, a matemática... era geometria... Continuou difícil. Não tirei A. Tirei B. — Na turma seguinte, em sua primeira prova de matemática ele tirou D.

— E como você ficou depois disso? — perguntei.

— Eu me senti mal, é claro, mas não fiquei pensando nisso. Eu sabia que não tinha volta. Sabia que deveria me concentrar no que fazer em seguida. Por isso, procurei minha professora e pedi ajuda. Eu queria, principalmente, entender o que tinha feito errado. O que eu precisava fazer diferente.

No último ano do ensino médio, David fez o curso mais difícil das duas turmas de cálculo avançado e tirou nada menos que 5, a nota máxima, na prova do curso especial avançado.

Terminado o ensino médio, David estudou na Swarthmore College, onde se formou em engenharia e economia. Assisti à formatura ao lado de seus pais, lembrando-me do aluno caladão que se sentava no fundo da sala e que acabou provando que testes de aptidão podem não medir nada.

Em 2013, David terminou um doutorado em engenharia mecânica na Universidade da Califórnia, em Los Angeles. Sua tese foi sobre algoritmos de ótimo desempenho para os processos termodinâmicos em motores de caminhão. Em linguagem clara: David usou a matemática para fazer motores mais eficientes. Hoje, ele é engenheiro na Aerospace Corporation. Num sentido muito literal, o garoto que a escola um dia considerou "despreparado" para aulas de matemática mais avançadas hoje é um "cientista de foguetes".

Durante meus muitos anos de magistério, minha certeza de que o talento não predestinava ninguém ao sucesso só aumentou e passei a me interessar cada vez mais pelos benefícios obtidos por meio do esforço. Decidida a sondar as profundezas daquele mistério, acabei saindo das salas de aula para me tornar psicóloga.

Na pós-graduação em psicologia, descobri que os psicólogos já se perguntavam havia muito tempo por que certas pessoas têm sucesso e outras fracassam. Um dos primeiros foi Francis Galton, que debateu o assunto com um primo distante, Charles Darwin.

Pelo que se diz, Galton foi uma criança prodígio. Aos quatro anos, lia e escrevia. Aos seis, sabia latim, efetuava divisões longas e declamava trechos de Shakespeare de cor. Aprendia tudo com facilidade.[3]

Em 1869, Galton publicou seu primeiro estudo científico sobre as origens do alto desempenho. Ele preparou listas de figuras conhecidas da ciência, do atletismo, da música, da poesia e do direito, entre outras áreas, e reuniu sobre

ENGANADA PELO TALENTO

elas todas as informações biográficas possíveis. As pessoas mais eminentes, concluiu Galton, destacam-se em três aspectos: demonstram uma "aptidão" incomum, combinada com um "empenho" excepcional e "capacidade de trabalho árduo".[4]

Depois de ler as primeiras cinquenta páginas do livro de Galton, Darwin escreveu ao primo uma carta em que dizia estar surpreso pelo fato de o talento figurar na lista de qualidades essenciais.[5] "Em certo sentido, você transformou um adversário num convertido", escreveu Darwin. "Porque sempre insisti que, salvo os idiotas, os homens não diferem muito em intelecto, apenas em empenho e em trabalho duro; e ainda creio que esta seja uma diferença de *eminente* importância."

O próprio Darwin, é claro, pertencia ao grupo de pessoas extraordinárias que Galton procurava entender. Amplamente reconhecido como um dos cientistas mais influentes da história, Darwin foi o primeiro a explicar a diversidade das espécies vegetais e animais como consequência da seleção natural. Além disso, foi um observador perspicaz não só da flora e da fauna, como também das pessoas. De certa forma, seu dom era observar ligeiras diferenças que, em última análise, levam à sobrevivência.

Por isso, vale a pena fazermos uma pausa para analisar a opinião de Darwin sobre os determinantes do sucesso — ou seja, sua convicção de que o empenho e o trabalho árduo são, no fim das contas, mais importantes do que a capacidade intelectual.

De modo geral, os biógrafos de Darwin não dizem que ele tinha uma inteligência sobre-humana.[6] É claro que era inteligente, mas suas ideias não lhe atravessavam como um raio. Ele era, de certa forma, um trabalhador diligente. Sua própria autobiografia corrobora essa visão: "Não tenho a rapidez de apreensão [que] é tão notável em alguns homens inteligentes",[7] admite Darwin. "Minha capacidade de acompanhar uma argumentação prolongada e puramente abstrata é muito limitada." Ele não teria sido um bom matemático, acredita, nem um filósofo, e também sua memória era medíocre: "Em determinado aspecto minha memória é tão ruim que nunca fui capaz de reter uma única data ou um verso de poesia por mais do que alguns dias."

GARRA

Talvez Darwin fosse humilde demais. Mas não se furtava de modo algum a louvar seu poder de observação a persistência com que se dedicava à compreensão das leis da natureza: "Creio que estou acima da média das pessoas na percepção de elementos que escapam facilmente à nossa atenção e na observação atenta. Minha dedicação à observação e à coleta de dados é tão notável quanto possível. E o que é mais importante, minha paixão pela ciência natural tem sido constante e fervorosa."

Um biógrafo descreveu Darwin como uma pessoa que refletia sobre as mesmas questões por muito tempo depois que outros as tinham abandonado para se dedicar a problemas diferentes e, sem dúvida, mais simples:

A reação normal de uma pessoa ao se descobrir intrigada com alguma coisa é dizer "Depois eu penso nisso" e, na verdade, esquecer o problema. No caso de Darwin, percebe-se que ele deliberadamente não aceitava esse tipo de esquecimento semivoluntário. Ele mantinha todas as questões vivas no fundo da mente, prontas a serem retomadas quando surgia um dado relevante.[8]

Quarenta anos depois, do outro lado do Atlântico, um psicólogo de Harvard, William James, interessou-se pela questão de como as pessoas perseguem seus objetivos. Perto do fim de sua longa e notável carreira, James escreveu um artigo sobre o assunto para a *Science*, que era na época e ainda é a mais prestigiosa revista acadêmica não só no campo da psicologia, como de todas as ciências naturais e sociais. O texto intitulava-se "As energias dos homens".[9]

Refletindo sobre as vitórias e os fracassos de amigos e colegas, assim como sobre a qualidade de seus próprios esforços variava em dias bons e ruins, James observou:

Se formos pensar como deveríamos ser, percebemos que estamos apenas parcialmente despertos. Nossas fogueiras foram abafadas; nossas correntes de ar, limitadas. Utilizamos apenas uma pequena parte de nossos recursos mentais e físicos potenciais.

ENGANADA PELO TALENTO

Existe um hiato, escreveu James, entre o potencial e sua concretização. Sem negar que nossos talentos variam[10] — uma pessoa pode ser mais musical do que atlética ou mais empreendedora do que artística —, o psicólogo afirmou que "o homem costuma viver bastante abaixo de seus limites; possui poderes de vários tipos que raramente utiliza. Ele atua abaixo de seu máximo e se comporta abaixo do nível ótimo".

"É claro que existem, *sim*, limites", admitiu James. "As árvores não crescem até o céu." Mas esses limites exteriores além dos quais não podemos ir são irrelevantes para a maioria de nós: "O fato é que os homens detêm certos níveis de capacidade que só pessoas muito excepcionais utilizam ao máximo."

Essas palavras, escritas em 1907, são verdadeiras ainda hoje. Sendo assim, por que damos tanta ênfase ao talento? E por que nos prendemos aos limites extremos daquilo que podemos vir a alcançar quando, na realidade, a maioria de nós está apenas no começo de nossa jornada, tão distantes dessas fronteiras longínquas? E por que supomos que é o nosso talento, e não o nosso esforço, que decidirá aonde chegaremos no fim das contas?

Já faz anos que diversas pesquisas de âmbito nacional perguntam: o que é mais importante para o sucesso: talento ou esforço? Os americanos têm duas vezes mais probabilidade de optar pelo esforço.[11] O mesmo vale quando a pergunta é sobre capacidade atlética.[12] E quando perguntados "Se você fosse contratar um novo funcionário, qual dentre as qualidades seguintes consideraria mais importante?", os americanos optam por "ser esforçado" quase cinco vezes mais do que "ser inteligente".[13]

Os resultados dessas pesquisas coincidem com os questionários que a psicóloga Chia-Jung Tsay submeteu a especialistas em música: quando interrogados, estes consideraram a prática diligente mais importante do que o talento inato. Contudo, quando Chia analisa os comportamentos de maneira mais indireta, encontra uma tendência contrária: nós adoramos pessoas com talentos inatos.

Nos experimentos de Chia, ela apresenta a músicos profissionais as biografias de dois pianistas cujos currículos são idênticos. Os músicos então ouvem

GARRA

um breve trecho das duas pessoas tocando piano — sem saber que, na verdade, trata-se de um único pianista executando partes diferentes da mesma peça. O que diferencia os dois pianistas é que um é apresentado como "dotado de talento natural", com demonstrações precoces de dom inato. O outro é descrito como "esforçado", sendo conhecido pela motivação e pela perseverança. Numa clara contradição com o que os músicos antes afirmaram sobre o esforço ser mais importante que o talento, eles consideram mais provável que o pianista "talentoso" seja bem-sucedido e faça uma carreira.[14]

Num estudo complementar, Chia queria ver se essa mesma inconsistência se repetiria numa área bem diferente, na qual o trabalho árduo e o esforço são muito valorizados: o empreendedorismo. Ela recrutou centenas de adultos com níveis variados de experiência nos negócios e dividiu-os ao acaso em dois grupos. Metade dos entrevistados leu o perfil de um empreendedor "esforçado", que havia alcançado o sucesso mediante trabalho árduo, esforço e experiência. A outra metade leu o perfil de um empreendedor "naturalmente talentoso" que alcançara o sucesso graças a sua aptidão inata. Todos os entrevistados então ouviram a mesma gravação de uma proposta de negócio e foram informados de que o autor era a mesma pessoa sobre quem tinham lido.

Tal como ocorrera no estudo com os músicos, Chia verificou que os entrevistados atribuíram às pessoas "naturalmente talentosas" maior probabilidade de serem bem-sucedidas e fazerem carreira,[15] ao mesmo tempo em que suas propostas de negócios eram consideradas melhores. Num estudo correlato, Chia constatou que quando as pessoas eram levadas a apostar em um de dois empreendedores — o primeiro identificado como esforçado e o segundo, como talentoso — tendiam a favorecer este último.[16] Na verdade, o ponto de indiferença entre ambos só era alcançado quando o esforçado tinha mais quatro anos de experiência e mais quarenta mil dólares em capital inicial do que o talentoso.

A pesquisa de Chia revelou o que está por trás de nossa ambivalência em relação ao talento e ao esforço. Aquilo que *dizemos* valorizar talvez não corresponda ao que, no fundo, de fato *acreditamos* que seja mais valioso. É um pouco como dizer que não damos a mínima para a aparência física de um parceiro amoroso, mas depois escolher o mais bonito em vez do mais legal.

ENGANADA PELO TALENTO

O "viés do talento" é um preconceito oculto contra aqueles que chegaram aonde estão porque se esforçaram e uma preferência oculta por aqueles que, em nosso entender, conquistaram o que têm graças a um talento natural. Podemos não assumir abertamente essa preferência pelo talento inato; podemos mascará-la até para nós mesmos. No entanto, ela é evidente nas escolhas que fazemos.

A própria vida de Chia é um exemplo interessante do fenômeno talento *versus* esforço. Hoje professora na University College London, ela publica artigos nas revistas acadêmicas mais importantes do mundo. Quando criança, estudou na Escola de Música Juilliard, cujo programa pré-universitário convida estudantes "que demonstrem talento, potencial e propensão a fazer carreira em música" a experimentar "uma atmosfera que faz florescer os dotes artísticos e as aptidões técnicas".[17]

Chia possui vários diplomas de Harvard. O primeiro foi o de psicologia, curso no qual se formou *magna cum laude* com as maiores honrarias. Tem também dois títulos de mestre: um em história da ciência e outro em psicologia social. Por fim, enquanto ela completava o doutorado em comportamento organizacional e psicologia em Harvard, também fez um segundo doutorado em música.

Está impressionado? Se não, deixe-me acrescentar que Chia tem diplomas do Conservatório Peabody em piano e em pedagogia. Ah, sim, ela também já se apresentou em casas de espetáculo de enorme prestígio nos Estados Unidos, como o Carnegie Hall, o Lincoln Center e o Kennedy Center, além de ter participado do recital de comemoração à presidência da União Europeia.

Levando em conta apenas essas credenciais, você poderia pensar que Chia nasceu com mais talentos do que qualquer outra pessoa que conheça: "Meu Deus, que talento extraordinário tem essa moça!" E se a pesquisa de Chia estiver correta, essa explicação adornaria os feitos dela com mais *glamour*, mais mistério e mais admiração do que a alternativa: "Meu Deus! Que capacidade extraordinária de dedicação e de esforço tem essa moça!"

E aí, o que aconteceria? Há diversas pesquisas sobre o que ocorre quando acreditamos que uma pessoa tem um talento especial. Começamos a inundá-la

GARRA

de atenção e alimentar grandes esperanças em relação a ela. Esperamos que ela se destaque, e essa expectativa acaba se tornando uma profecia que se realiza.[18]

Perguntei a Chia como ela encara seus dotes musicais. "Bem, acho que talvez eu tenha algum talento", respondeu ela. "Mas é mais do que isso: eu gostava tanto de música que passei a infância inteira treinando de quatro a seis horas por dia." Durante a faculdade, apesar da rotina cansativa de aulas e outras atividades, Chia dava um jeito de praticar quase tanto quanto antes. Ou seja, ela tem uma dose de talento — mas também é uma batalhadora.

Então por que Chia estudava tanto? O que a obrigava? Seria alguma pressão externa?

"Ah, era coisa *minha*, mesmo. Era o que eu queria. Eu queria melhorar cada vez mais. Quando eu estudava piano, me via num palco, diante de uma plateia. Eu imaginava as pessoas aplaudindo."[19]

Quando saí da McKinsey para lecionar, três sócios da firma publicaram um relatório intitulado "The War for Talent" [A guerra pelo talento].[20] O trabalho, que circulou bastante e tornou-se um livro best-seller,[21] defendia o argumento de que, na economia moderna, a ascensão e a queda das empresas dependem de sua capacidade de atrair e reter "pessoas classe A".

"O que queremos dizer com *talento*?",[22] perguntam os autores no começo do livro. E eles respondem à própria pergunta: "No sentido mais geral, talento é a soma das aptidões de uma pessoa — de seus dotes intrínsecos, habilidades, experiência, inteligência, discernimento, atitude, caráter e motivação. Envolve também a capacidade de aprender e de se desenvolver." É uma lista extensa, o que revela a dificuldade que costumamos ter para definir talento com alguma precisão. Mas não causa surpresa que os "dotes intrínsecos" sejam mencionados em primeiro lugar.

Quando a revista *Fortune* publicou uma matéria de capa sobre a McKinsey, a reportagem principal começava assim: "Diante de um jovem sócio da McKinsey, tem-se a clara impressão de que, com uma ou duas doses a mais, ele bem poderia debruçar-se sobre a mesa e propor alguma coisa constrange-

ENGANADA PELO TALENTO

dora, como comparar as notas do SAT."[23] É quase impossível, observava o jornalista, superestimar "o valor que a cultura da McKinsey atribui à capacidade analítica ou, como se diz entre eles, ser 'brilhante'".[24]

A McKinsey é conhecida por contratar e recompensar homens e mulheres bastante inteligentes — alguns com MBAs de instituições como Harvard e Stanford, e outros, como eu, com credenciais que nos fazem parecer gênios.

O processo seletivo que me levou a ser contratada pela McKinsey desenrolou-se como a maioria dessas entrevistas, com uma série de charadas complicadas feitas para pôr à prova minha capacidade analítica. Um dos entrevistadores me ofereceu uma poltrona, apresentou-se e me perguntou:

— Quantas bolas de tênis são fabricadas nos Estados Unidos por ano?

— Entendo que há duas maneiras de resolver essa questão — respondi. — A primeira consiste em encontrar a pessoa certa, ou talvez uma entidade comercial capaz de oferecer a resposta.

O entrevistador assentiu, mas me olhou como se desejasse ouvir a outra solução.

— Ou poderíamos partir de pressupostos básicos e fazer algumas multiplicações para chegar à resposta.

O entrevistador abriu um sorriso largo, e eu lhe disse o que ele queria ouvir:

— Muito bem, vamos imaginar que os Estados Unidos tenham 250 milhões de habitantes. Digamos que os tenistas mais ativos tenham entre dez e trinta anos. Isso representa, mais ou menos, um quarto da população. Acho que isso dá um pouco mais de sessenta milhões de tenistas em potencial.

A essa altura, meu entrevistador estava muito empolgado. Continuamos esse jogo de lógica, fazendo multiplicações e divisões a partir das minhas estimativas totalmente desinformadas sobre quantas pessoas jogam tênis, com que frequência, quantas bolas utilizam numa partida e com que regularidade precisam substituir bolas estragadas ou perdidas.

Cheguei a um número qualquer que provavelmente não tinha nada a ver com a realidade, já que a cada passo eu fazia uma suposição que só poderia estar incorreta. Por fim, eu disse:

GARRA

— Esses cálculos não são muito complicados para mim. Estou ajudando uma menina a aprender frações, e fazemos muitos cálculos mentais juntas. Mas se o senhor quer saber o que eu faria *mesmo* se precisasse saber a resposta para essa pergunta, eu lhe digo: eu ligaria para alguém que realmente saiba.

Ele sorriu de novo, e tive certeza de que ele tinha ficado satisfeito com a nossa conversa. E também com o meu currículo — que incluía minhas notas no SAT, nas quais a McKinsey se baseia para realizar a seleção inicial dos candidatos a alguma vaga. Em outras palavras: se as empresas americanas querem criar uma cultura de valorização do talento acima de todo o resto, a McKinsey pratica o que prega.

Assim que aceitei a proposta de trabalhar no escritório da McKinsey em Nova York, disseram-me que eu passaria o primeiro mês num hotel de luxo em Clearwater, na Flórida. Ali estavam também cerca de trinta outros recém-contratados que, como eu, não tinham nenhuma experiência no mundo empresarial. Na verdade, o que cada um de nós havia conquistado era uma ou outra distinção acadêmica. Sentei-me ao lado de um cara que tinha doutorado em física, por exemplo. Do meu outro lado, havia um cirurgião e, atrás, dois advogados.

Nenhum de nós sabia muito de administração, tampouco sobre qualquer outro ramo de negócios. Mas isso estava prestes a mudar: em um único mês, faríamos um curso intensivo que chamavam de "mini-MBA". Já que éramos vistos como pessoas que aprendiam tudo muito depressa, a McKinsey partia do princípio de que dominaríamos uma imensa quantidade de informações em muito pouco tempo.

Munidos de conhecimentos superficiais sobre fluxo de caixa, diferença entre receita e lucro e alguns outros conceitos básicos relacionados àquilo que tínhamos aprendido a chamar de "setor privado", fomos despachados para nossos respectivos escritórios espalhados pelo mundo, onde nos juntaríamos a equipes de outros consultores para resolver todos os problemas que os clientes pusessem diante de nós.

ENGANADA PELO TALENTO

Logo descobri que o serviço básico da McKinsey nada tinha de complicado. Por uma astronômica quantia mensal, qualquer empresa pode contratar uma equipe da McKinsey com o objetivo de resolver problemas demasiado espinhosos para serem tratados pelos próprios funcionários da firma. No fim dessa "missão", como a chamávamos, deveríamos elaborar um relatório muito mais perspicaz do que qualquer coisa que eles mesmos poderiam ter gerado.

Enquanto eu preparava slides que sintetizavam recomendações ousadas e radicais para um conglomerado empresarial multibilionário de produtos médicos, ocorreu-me que, na realidade, eu não fazia ideia sobre o que estava falando. Havia na equipe consultores mais antigos que talvez soubessem mais do que eu, mas também havia consultores mais jovens que, recém-saídos da faculdade, com certeza sabiam menos ainda.

Então, por que nos contratar a um custo tão exorbitante? Bem, para começar, tínhamos a vantagem de sermos observadores externos imaculados pelas políticas internas das empresas. Tínhamos também um método para solucionar problemas empresariais com base em hipóteses e dados. Provavelmente havia muitas e excelentes razões para que diretores-presidentes de grandes empresas recorressem à McKinsey. Porém, entre elas, acredito, estava o fato de sermos considerados mais inteligentes do que as pessoas que já trabalhavam nessas empresas. Contratar a McKinsey significava contratar os "melhores e mais brilhantes" — como se sermos os mais brilhantes nos tornasse também os melhores.

Segundo o relatório "A guerra pelo talento",[25] as empresas que se destacam são aquelas que promovem agressivamente os funcionários mais talentosos, ao mesmo tempo em que, com a mesma energia, se desfazem daqueles menos aptos. Em tais empresas, enormes disparidades salariais não só se justificam como também são aconselháveis. Por quê? Porque um ambiente competitivo, no qual o vencedor fica com todos os louros, incentiva os *mais* talentosos a permanecer na empresa e os *menos* talentosos a buscar outro emprego.

Segundo o jornalista Duff McDonald, autor da pesquisa mais completa já realizada sobre a McKinsey, seria mais correto chamar essa filosofia empresarial de "A guerra contra o bom senso". McDonald observa que as empresas destacadas no relatório original da McKinsey como modelos de estratégia a serem seguidos não se saíram tão bem nos anos que se seguiram à publicação do relatório.

Outro jornalista, Malcolm Gladwell,[26] também criticou o relatório da McKinsey, observando que a empresa de energia Enron foi o símbolo máximo da "mentalidade do talento" na administração de empresas defendida pela McKinsey. E, como se sabe, a história da Enron não teve final feliz. Classificada pela revista *Fortune* como a empresa mais inovadora dos Estados Unidos por seis anos consecutivos, a Enron já foi a maior empresa de energia do mundo. No entanto, no fim de 2001, quando a companhia decretou falência, já era evidente que seus imensos lucros decorriam de fraudes contábeis generalizadas e sistemáticas. Com o colapso da Enron, milhares de funcionários que nada tinham a ver com os desmandos da companhia perderam o emprego, o seguro-saúde e a aposentadoria. Na época, a falência da Enron foi a maior na história dos Estados Unidos.[27]

Não se pode pôr a culpa pelo ocaso da Enron no excesso de QI nem na falta de garra. Entretanto, Gladwell mostra, de forma convincente, que o fato de a Enron exigir que seus funcionários provassem ser mais inteligentes do que todo mundo inadvertidamente contribuiu para uma cultura narcisista, com um excesso de trabalhadores presunçosos que, levados por uma profunda sensação de insegurança, se exibiam o tempo todo. Era uma cultura que incentivava o desempenho a curto prazo e desencorajava o aprendizado e o crescimento a longo prazo.

A mesma ideia transparece no documentário sobre a Enron lançado após a falência que recebeu um título bastante apropriado: *Enron: Os mais espertos da sala*. Durante o apogeu da empresa, seu CEO foi Jeff Skilling, um brilhante e arrogante ex-consultor da McKinsey. Skilling criou para a Enron um sistema de avaliação anual de desempenho, no qual os funcionários recebiam notas e os 15% com pontuações mais baixas eram sumariamente demitidos.[28] Em outras palavras: qualquer que fosse o nível absoluto de desempenho de um funcionário, ele era demitido se sua pontuação fosse inferior a de outros colegas. Dentro da empresa, essa prática era conhecida como "rank and yank", ou seja, "avaliar e demitir". Skilling considerava esse sistema uma das mais importantes estratégias da empresa. No fim das contas, porém, o sistema pode ter contribuído para um ambiente de trabalho que premiava a fraude e desencorajava a integridade.

Ser talentoso é ruim? Será que todos nós temos o mesmo nível de talento? A resposta para ambas as perguntas é não. É claro que é ótimo conseguir aprender qualquer habilidade com rapidez, e, queiramos ou não, algumas pessoas são melhores nisso do que outras.

Nesse caso, então, por que é ruim dar preferência a pessoas "naturalmente talentosas" em detrimento de pessoas "esforçadas"? Qual é o lado ruim de programas de televisão como *America's Got Talent*, *The X Factor* e *Child Genius*? Por que não devemos separar crianças de sete ou oito anos em dois grupos: o das poucas que têm "dotes naturais e talento" e o das muitas que não os têm? Aliás, que mal há em chamar um show de talentos de "show de talentos"?

Na minha opinião, a principal razão pela qual a valorização do talento pode ser nociva é simples: ao focarmos apenas no talento, nós arriscamos deixar tudo o mais fora do nosso campo de visão. Sem querer, passamos a mensagem de que esses outros fatores — como a garra — são menos importantes.

Vejamos, por exemplo, a história de Scott Barry Kaufman. Scott trabalha a duas salas de distância da minha e sua vida é bem parecida com a de outros psicólogos acadêmicos que conheço: ele passa a maior parte do dia lendo, pensando, reunindo dados, compilando estatísticas e escrevendo. Publica suas pesquisas em revistas científicas. Conhece um monte de palavras "complicadas". Tem diplomas das universidades Carnegie Mellon, Cambridge e Yale. Toca violoncelo *por diversão*.

No entanto, na infância diziam que Scott era um aluno lento — e era verdade. "O grande problema foi que tive muitas infecções de ouvido quando era criança", explica Scott. "E isso me causou uma dificuldade para transformar sons em informação em tempo real. Eu estava sempre um ou dois passos atrás das outras crianças da minha turma."[29] Na verdade, seu progresso escolar era tão vagaroso que ele foi inserido em turmas especiais. Repetiu a terceira série. Mais ou menos nessa época, foi levado a um psicólogo da escola para fazer um teste de QI. Numa sessão carregada de ansiedade que ele descreve como "angustiante", Scott se saiu tão mal que foi matriculado numa escola para crianças com dificuldades de aprendizado.

Scott precisou chegar aos catorze anos para um professor mais perspicaz se interessar pelo caso e querer saber por que ele não estava numa escola mais exigente. Até então, Scott nunca questionara sua classificação intelectual e aceitava a ideia de que sua falta de talento lhe impunha um horizonte muito reduzido para o que poderia fazer na vida.

Encontrar um professor que acreditou em seu potencial foi um divisor de águas: uma passagem de *Isso é tudo o que você consegue fazer* para *Quem sabe do que você é capaz?*. Naquele momento, Scott começou a pensar, pela primeira vez: *Quem eu sou? Sou um menino com dificuldade de aprendizado sem nenhum futuro real? Ou será que sou outra coisa?*

Então, para descobrir a verdade, Scott decidiu enfrentar todos os desafios que sua escola tinha a oferecer. Aulas de latim. Peça de teatro. Cantar no coro. Não se destacou em tudo, mas *aprendeu* em todas essas atividades. O que Scott descobriu foi que não era um caso perdido.

Nessa época, ele descobriu uma coisa que aprendia com facilidade: tocar violoncelo. Seu avô tinha sido violoncelista na Orquestra de Filadélfia durante quase cinquenta anos, por isso Scott teve a ideia de ter aulas com ele. Foi o que aconteceu e, no verão em que Scott se interessou pelo violoncelo, passou a estudar oito ou nove horas por dia. Estava obstinadamente decidido a aprender, e não só porque gostava de música: "Eu queria muito mostrar a alguém, a qualquer um, que eu era intelectualmente capaz de alguma coisa. Naquela altura, eu já nem me importava mais com o que seria essa coisa."[30]

No outono daquele ano, o esforço de Scott lhe proporcionou a conquista de um lugar na orquestra da escola. Se a história acabasse nesse ponto, talvez não tivesse nenhuma relação com garra. Mas vejamos o que aconteceu em seguida. Scott continuou a estudar, e até mais do que antes. Deixava de

ENGANADA PELO TALENTO

almoçar para praticar. Às vezes não ia às aulas para treinar. No último ano do ensino médio, tornou-se o concertino do naipe de violoncelos da orquestra — era considerado o segundo melhor violoncelista do grupo — e também participava do coro, conquistando todos os prêmios do departamento de música da escola.

Além disso, também começou a tirar notas boas nas aulas, muitas das quais eram agora em turmas especiais. Quase todos os seus amigos estavam no programa para estudantes talentosos, e Scott quis juntar-se a eles. Queria conversar sobre Platão, resolver quebra-cabeças mentais e aprender ainda mais do que já estava aprendendo. No entanto, é claro que suas pontuações de QI da infância tornavam isso impossível. Scott se lembra do psicólogo da escola desenhando uma curva em forma de sino num guardanapo e apontando para o ápice da curva, dizendo "esta é a média"; depois movendo o dedo para a direita, "aqui é onde você teria de estar para ter aulas em turmas especiais"; depois apontando para a esquerda, "e é aqui onde você está."

— Em que ponto as conquistas superam o potencial? — perguntou Scott.[31]

O psicólogo balançou a cabeça e levou Scott à porta.

Naquele outono, Scott decidiu que queria estudar aquilo que chamavam de "inteligência" para chegar às próprias conclusões. Candidatou-se ao programa de ciência cognitiva da Carnegie Mellon University. E foi rejeitado. A carta de rejeição não especificava o motivo, é claro, mas tendo em vista suas notas excelentes e seus feitos extracurriculares, Scott só podia concluir que o problema era sua pontuação baixa no SAT.

— Eu estava determinado — lembra Scott. — E decidi: Vou estudar isso. Não importa. Vou dar um jeito de estudar o que eu quero.[32]

Foi então que Scott fez um teste para entrar no curso de ópera da Carnegie Mellon. Por quê? Porque o curso de ópera não dava muito valor às notas do SAT, mas prestigiava a aptidão e a expressão musical. No primeiro ano, Scott inscreveu-se numa aula de psicologia como disciplina eletiva. Pouco tempo depois, escolheu a área como especialização secundária na faculdade. Em seguida, psicologia se tornou sua especialização principal. Até que Scott formou-se como membro da sociedade Phi Beta Kappa.

GARRA

Tal como Scott, fiz um teste de QI ainda na escola e fui considerada pouco inteligente para participar de turmas especiais.[33] Por algum motivo que desconheço — talvez um professor tenha pedido que eu fizesse o teste de novo —, fui avaliada outra vez no ano seguinte e alcancei os requisitos necessários. Talvez eu estivesse na fronteira entre normal e superdotada.

Uma forma de interpretar essas histórias é dizer que o talento é uma coisa ótima, mas que os *testes* de talento não prestam. Com certeza é possível afirmar que os testes de talento — e de qualquer coisa que os psicólogos estudam, inclusive o grau de garra — são bastante imperfeitos.

Outra conclusão, porém, é que o foco no talento nos desvia de uma coisa que tem pelo menos a mesma importância: o esforço. No capítulo seguinte, mostrarei que, por mais que o talento seja valioso, o esforço conta em dobro.

➡ *Capítulo 3*

O ESFORÇO CONTA EM DOBRO

Não passa um dia sem que eu ouça ou leia a palavra *talento*. Em todas as seções do jornal, desde as páginas de esportes até as colunas sobre economia, desde os perfis de atores e músicos, na revista de domingo, até as reportagens sobre estrelas em ascensão na política, a mídia está repleta de referências ao talento. Ao que parece, quando alguém realiza alguma coisa que mereça ser mencionada em um texto, nós nos apressamos a ungir essa pessoa como extraordinariamente "talentosa".

Se supervalorizamos o talento, subestimamos todo o resto. Num grau extremo, é como se, no fundo, acreditássemos no seguinte:

Por exemplo, há pouco tempo ouvi no rádio um comentarista fazer uma comparação entre Hillary e Bill Clinton. Ele observou que ambos eram comunicadores acima da média. Mas, embora o marido, Bill, seja um político talentoso, Hillary precisa fazer malabarismos para desempenhar esse papel.

GARRA

Bill tem um dote natural; Hillary não passa de uma pessoa esforçada. O que não foi dito, mas fica óbvio, é que ela jamais chegará ao nível dele.

Já me peguei pensando dessa maneira. Se alguém me impressiona *de verdade*, reajo assim: *Que gênio!* Eu deveria saber que isso não é correto. E eu sei. Mas então o que está acontecendo? Por que essa tendência a valorizar mais o talento persiste?

Há alguns anos, li um estudo sobre natação competitiva intitulado "A trivialidade da excelência".[1] O título do artigo resume sua conclusão principal: as mais impressionantes façanhas humanas são, na realidade, o agregado de inumeráveis elementos isolados e cada um dos quais, em certo sentido, nada tem de extraordinário.

O sociólogo Dan Chambliss, que realizou o estudo, observou: "Um desempenho superlativo é, na verdade, uma confluência de dezenas de pequenas qualificações ou atividades, cada uma delas aprendidas pela prática ou por acaso, que foram cuidadosamente transformadas em hábito e, mais tarde, reunidas num conjunto. Não existe nada de extraordinário ou sobre-humano em qualquer desses atos; o que produz excelência é o mero fato de serem realizados de forma sistemática, correta e ao mesmo tempo."[2]

No entanto, é difícil "vender" a trivialidade. Ao encerrar suas análises, Dan mostrou alguns capítulos a um colega, que lhe disse: "Você precisa embelezar isso um pouco, Dan. Precisa tornar essas pessoas mais interessantes..."[3]

Quando liguei para Dan a fim de conversar sobre algumas de suas observações, descobri que ele tinha ficado fascinado pela ideia de talento — e com o que a palavra de fato significa para nós — porque ele mesmo era nadador e, depois de parar de competir, trabalhara durante vários anos como treinador. Na época um jovem professor-assistente universitário, Dan resolveu realizar um estudo minucioso sobre nadadores. Para tal, passou seis anos entrevistando, observando e, às vezes, convivendo e viajando com nadadores e treinadores em todos os níveis, desde os de um pequeno clube municipal até a equipe de elite que geraria atletas para Jogos Olímpicos.

O ESFORÇO CONTA EM DOBRO

"O talento talvez seja a explicação leiga mais comum para o êxito nos esportes",[4] escreveu ele. É como se o talento fosse uma "substância invisível por trás da realidade superficial do desempenho, que, no fim das contas, distingue os melhores dentre nossos atletas".[5] E esses grandes atletas parecem abençoados "com um dom especial, quase uma 'coisa' dentro deles, que os outros não têm — uma coisa que talvez seja física, genética, psicológica ou fisiológica. Alguns a possuem, outros não. Alguns são 'atletas inatos', e outros não".

Acho que Dan está absolutamente certo. Se não sabemos explicar como um atleta, um músico ou qualquer outra pessoa faz alguma coisa que nos deixa de queixo caído, nós costumamos erguer as mãos e dizer: "É um dom! Ninguém pode ensinar isso!" Em outras palavras, quando não conseguimos ver com clareza como a experiência e o treinamento levaram uma pessoa a um nível de excelência que esteja nitidamente acima da média, nossa reação automática é declarar que essa pessoa tem um "dom inato".

Dan observa que as biografias de excelentes nadadores revelam um grande número de fatores que contribuem para o sucesso deles. Por exemplo, quase sempre os nadadores de maior projeção tinham pais que se interessavam pelo esporte e dispunham de recursos para pagar treinadores, viagens para competições de natação e, não menos importante, acesso a uma piscina. Também há, é claro, as milhares de horas de treinamento na piscina durante muitos anos — todos dedicados a refinar os muitos elementos isolados cuja soma cria um desempenho sem falhas.

Embora pareça errado supor que o talento seja uma explicação completa para um desempenho extraordinário, essa atitude também é compreensível. "É fácil chegar a essa conclusão",[6] afirma Dan. "Sobretudo se uma pessoa só vê atletas de ponta de quatro em quatro anos, ao assistir às provas olímpicas pela televisão, ou se só os vê em competições e não nos treinamentos diários."

Outro ponto que ele destaca é que o talento mínimo necessário para ser bem-sucedido na natação é menor do que costumamos pensar.

— Você não quer dizer que qualquer um pode se tornar um Michael Phelps, certo? — perguntei.

GARRA

— Não, claro que não — respondeu Dan. — Para começo de conversa, existem certas vantagens anatômicas que o treinamento não proporciona.[7]

— E você não diria que alguns nadadores conseguem progredir mais do que outros, mesmo que todos se esforcem no mesmo grau e recebam o mesmo treinamento?

— Sim, mas o mais importante é que a grandeza é alcançável. Chega-se a ela por meio de diversas conquistas isoladas, e cada uma delas pode ser alcançada.

O argumento de Dan é que, se assistíssemos a um filme em *time-lapse* das horas, dias, semanas e anos de treinamento que levam um nadador à perfeição, entenderíamos o que ele quer dizer: que um alto nível de desempenho é, na verdade, um somatório de atos isolados que nada têm de excepcionais. Ainda assim, pensei: será que o domínio progressivo de componentes isolados e triviais explica tudo? É só isso?

— Bem, todos nós gostamos de mistério e de magia — respondeu Dan. — Eu também.

Em seguida, Dan me contou que um dia tinha visto os nadadores Rowdy Gaines e Mark Spitz treinando juntos na piscina.

— Spitz ganhou sete medalhas de ouro nos Jogos Olímpicos de 1972 e foi o grande nome antes de Michael Phelps — recordou ele. — Em 1984, doze anos depois de se aposentar das competições, Spitz apareceu. Estava com mais ou menos 35 anos. E saltou na piscina junto com Rowdy Gaines, que naquela época era o recordista mundial dos cem metros livres. Eles disputaram algumas nadadas de cinquenta metros, ou seja, idas e voltas na piscina. Gaines ganhou quase todas, mas houve um momento em que a equipe toda ficou à beira da piscina só para ver Spitz nadar.

Todos os integrantes da equipe treinavam com Gaines e sabiam que ele era bom. Sabiam que ele estava cotado para ganhar o ouro olímpico. Contudo, por causa da diferença de idade, ninguém ali tinha nadado com Spitz.

Um dos nadadores virou-se para Dan e disse, apontando para Spitz.

— Meu Deus, ele é um peixe.

Percebi o assombro na voz de Dan. Ao que parece, até mesmo um estudioso da trivialidade pode ser seduzido por explicações baseadas em talento.

O ESFORÇO CONTA EM DOBRO

Eu o pressionei um pouco. Será que aquele tipo de desempenho espetacular teria algo de divino?

Dan me disse para ler Nietzsche.

Nietzsche? O *filósofo*? O que um filósofo alemão do século XIX teria a dizer para explicar o caso de Mark Spitz? Mas o fato é que o próprio Nietzsche refletiu bastante sobre essas mesmas questões.

"Diante de tudo o que é perfeito", escreveu Nietzsche, "estamos acostumados a omitir a questão do vir a ser."[8] Em vez disso, desfrutamos "sua presença como se aquilo tivesse brotado magicamente do chão".[9]

Ao ler essa passagem, lembrei-me dos jovens nadadores contemplando o ídolo Spitz exibir uma forma que quase não parecia humana.

"Mas na obra do artista não se pode notar como ela *veio a ser*", disse Nietzsche. "Essa é a vantagem dele, pois quando podemos presenciar o devir ficamos algo frios."[10] Em outras palavras, nós *queremos* acreditar que Mark Spitz nasceu para nadar de um modo que nós nunca conseguiríamos. Não queremos nos empoleirar à beira da piscina e vê-lo progredir de amador para especialista. Preferimos a perfeição já totalmente formada. Preferimos o mistério à trivialidade.

Mas por quê? Por que razão nos iludimos e somos levados a pensar que Mark Spitz não *conquistou* sua destreza?

"É assim que nossa vaidade, nosso amor-próprio, favorece o culto ao gênio",[11] escreveu Nietzsche. "Pois só quando é pensado como algo distante de nós, como um *miraculum*, o gênio não fere. [...] Chamar alguém de 'divino' significa dizer: 'aqui não precisamos competir'."

Em outras palavras, mitologizar o talento nato nos livra de responsabilidade. Faz com que possamos relaxar e aceitar o status quo. Sem dúvida foi isso que ocorreu no começo de minha carreira como professora, quando erroneamente julguei que talento e sucesso fossem a mesma coisa, tirando o esforço — tanto o de meus alunos quanto o meu — da equação.

Nesse caso, em que de fato consiste a grandeza? Nietzsche chegou à mesma conclusão que Dan Chambliss. Grandes feitos são realizados por "indiví-

GARRA

duos cujo pensamento atua *numa só* direção, que tudo utilizam como matéria-prima, que observam com zelo a sua vida interior e a dos outros, que em toda parte enxergam modelos e estímulos, que jamais se cansam de combinar os meios de que dispõem".[12]

E o talento? Nietzsche nos pede que vejamos os indivíduos exemplares sobretudo como artesãos: "Só não falem de dons e talentos inatos! Podemos nomear grandes homens de toda espécie que foram pouco dotados. Mas adquiriram grandeza, tornaram-se "gênios" (como se diz) [...] todos tiveram a diligente seriedade do artesão, que primeiro aprende a construir perfeitamente as partes, antes de ousar fazer um grande todo; permitiram-se tempo para isso, porque tinham mais prazer em fazer bem o pequeno e secundário do que no efeito de um todo deslumbrante.[13]

Certo dia do meu segundo ano na pós-graduação, fui a uma reunião semanal com meu orientador, Marty Seligman. Eu estava mais do que um pouco nervosa. Marty exercia esse efeito sobre as pessoas, principalmente em seus alunos.

Então com sessenta anos, Marty tinha conquistado praticamente todas as honras que a psicologia podia oferecer. Suas primeiras pesquisas levaram a uma compreensão inédita da depressão clínica. Mais tarde, na posição de presidente da Associação Psicológica Americana, deu nome à área da Psicologia Positiva, disciplina que aplica o método científico a questões do desenvolvimento humano.[14]

Marty tem o tórax forte e voz de barítono. Ele estuda felicidade e bem-estar, mas *alegre* não é um adjetivo que eu aplicaria a ele.

No meio de alguma coisa que eu estava dizendo — o que tinha feito na semana anterior, ou os próximos passos em uma de nossas pesquisas —, Marty me interrompeu:

— Você não tem uma ideia boa há dois anos.

Olhei para ele, boquiaberta. Queria entender o que ele tinha acabado de dizer. Então pestanejei. Dois anos? Não fazia nem dois anos que eu estava na pós-graduação!

O ESFORÇO CONTA EM DOBRO

Silêncio.

Ele cruzou os braços, franziu a testa e disse:

— Você pode reunir todas estatísticas pomposas que quiser. De algum jeito, consegue fazer com que todos os pais numa escola assinem os formulários de consentimento. Até faz algumas observações interessantes. Mas não tem uma teoria. Você não tem uma teoria para a psicologia do sucesso.

Silêncio.

— O que é uma teoria? — perguntei, enfim, sem ter a menor noção do que ele estava falando.

Silêncio.

— Pare de ler tanto e comece a pensar.

Saí da sala de Marty, fui para a minha e chorei. Em casa, com meu marido, chorei mais. Xingava meu orientador baixinho (e em voz alta também) por ser tão babaca. Por que ele estava me repreendendo pelo que eu tinha feito de errado? Por que não me elogiava pelo que eu estava fazendo certo?

Você não tem uma teoria...

Essas palavras martelaram a minha cabeça durante vários dias. Por fim, sequei as lágrimas, parei de reclamar e sentei-me diante do computador. Abri o editor de texto e fiquei olhando para o cursor, percebendo que não tinha avançado muito na minha pesquisa além da observação básica de que o talento não bastava para vencer na vida. Eu não tinha mostrado como o talento, o esforço, a aptidão e o sucesso interagem entre si.

Uma teoria é uma explicação. Parte de uma enxurrada de fatos e observações explica, nos termos mais básicos, que diabo está acontecendo. Uma teoria é, necessariamente, incompleta. Simplifica demais as coisas. Mas, com isso, nos ajuda a compreender.

Se o talento não basta para explicar o sucesso, o que está faltando?

Tenho trabalhado numa teoria da psicologia do sucesso desde que Marty me repreendeu por não ter uma. Tenho páginas e mais páginas e diagramas, que enchem mais de dez cadernos de pesquisas. Depois de pensar durante mais de uma década sobre essa questão, às vezes sozinha e às vezes com colegas, enfim publiquei um artigo no qual exponho duas equações simples que mostram como se caminha do talento para o êxito.

Ei-las:

O talento é a rapidez com que as habilidades de uma pessoa aumentam quando ela se esforça.[15] Êxito é o que acontece quando essa pessoa utiliza as habilidades adquiridas. É claro que as oportunidades dessa pessoa — por exemplo, ter um excelente treinador ou professor — também são de enorme importância, talvez mais do que qualquer característica individual. Minha teoria não leva em conta essas forças externas, nem a sorte: ela trata da psicologia do êxito. Contudo, como psicologia não é tudo o que importa, minha teoria é incompleta.

Ainda assim, creio que seja útil. Segundo essa teoria, quando consideramos pessoas em circunstâncias idênticas, o resultado obtido por cada uma delas depende somente de duas coisas — talento e esforço. É claro que o talento (a rapidez com que melhoramos nossas habilidades) é importante. No entanto, o esforço entra nesses cálculos *duas vezes*, e não apenas uma. O esforço constrói a habilidade. Ao mesmo tempo, o esforço torna a habilidade *produtiva*. Vou dar alguns exemplos.

Warren MacKenzie é um célebre ceramista que mora no estado americano de Minnesota. Hoje com 92 anos, Warren exerceu seu ofício, sem interrupção, durante quase toda a vida adulta. No começo, ele e sua falecida mulher, também artista, arriscaram várias atividades diferentes. "Sabe como é, quando somos jovens achamos que podemos fazer qualquer coisa. E a gente pensava: 'Ah, vamos ser ceramistas, vamos ser pintores, vamos ser designers de tecidos, vamos ser joalheiros, vamos ser um pouco disso, um pouco daquilo.' Queríamos ser como as pessoas do Renascimento."[16]

Logo ficou claro que focar em uma só atividade e aprimorá-la poderia trazer mais satisfação do que ser amador em várias coisas. "Por fim, deixamos de lado o desenho e a pintura, largamos o *silk-screen*, o design de tecidos e nos concentramos na cerâmica, porque era nela que estava o nosso verdadeiro interesse."[17]

MacKenzie me disse que "um bom ceramista consegue fazer quarenta ou cinquenta cerâmicas em um dia".[18] Destas, "algumas são boas, algumas são medianas e algumas são ruins". Só umas poucas valerão a pena ser vendidas, e, entre estas, um número ainda menor "continuará a mexer com os nossos sentidos após o uso diário".[19]

É claro que não foi apenas o número de boas cerâmicas feitas por MacKenzie que levou o mundo da arte à sua porta. Foi a beleza e a forma dos utensílios. "Eu me esforço para produzir as coisas mais interessantes de que sou capaz para ornar a casa das pessoas."[20] No entanto, para simplificar, pode-se dizer que o número total de cerâmicas de beleza duradoura, úteis e refinadas que MacKenzie é capaz de produzir será aquilo que ele realiza como artista. Ele não se satisfaria com o fato de ser considerado um dos maiores ceramistas do planeta, mas produzir, digamos, apenas uma ou duas peças ao longo da vida.

MacKenzie ainda manipula argila no torno todos os dias e, com o esforço, sua habilidade aumentou. Conta ele:

— Lembro-me de alguns objetos que produzimos quando começamos a fazer cerâmica, e eram bem ruins. Na época nós os achávamos bons. Eram o melhor que conseguíamos fazer, mas nossas concepções eram tão rudimentares que os vasos também o eram, e por isso eles não têm a riqueza que procuro infundir em meu trabalho hoje em dia.[21] — E afirmou MacKenzie certa vez: — Os primeiros dez mil vasos são difíceis, mas depois vai ficando mais fácil.[22]

GARRA

À medida que as coisas ficaram mais fáceis, e à medida que a habilidade de MacKenzie aumentava, ele passou a produzir mais boas cerâmicas:

talento x *esforço* = habilidade

Ao mesmo tempo, o número de boas cerâmicas que ele pôs no mundo aumentou:

habilidade x *esforço* = êxito

Com o esforço, MacKenzie tornou-se cada vez melhor na produção "das coisas mais interessantes de que sou capaz para ornar a casa das pessoas". Ao mesmo tempo, e com o mesmo esforço investido, ele se tornou mais bem-sucedido.

"Garp era um contador de histórias nato."[23]

Essa é uma frase do quarto romance de John Irving, *O mundo segundo Garp*. Tal como o protagonista do romance, Irving sabe contar histórias como ninguém. Já foi considerado "o maior narrador da literatura americana contemporânea".[24] Já escreveu mais de dez romances — cuja maioria se tornou best-seller e metade se transformou em filme. *O mundo segundo Garp* conquistou o National Book Award, e o roteiro de Irving para o filme *Regras da vida* ganhou um Oscar.

Entretanto, ao contrário de Garp, Irving não tinha um talento nato. Enquanto Garp "era capaz de inventar coisas, uma atrás da outra, e elas pareciam se ajustar",[25] Irving escreve várias versões de seus romances. Ao falar sobre suas primeiras investidas literárias, Irving disse o seguinte: "E o principal é que eu reescrevia tudo [...] Comecei a levar a sério minha falta de talento."[26]

Irving se lembra de ter tirado uma nota bem baixa em inglês no ensino médio. No SAT, sua pontuação verbal foi de 475 num total de 800, o que significa que quase dois terços dos estudantes que fizeram a prova saíram-se melhor do que ele.[27] Além disso, ele precisou cursar mais um ano no ensino médio a fim de conseguir créditos suficientes para se formar. O autor recorda que seus professores o consideravam "preguiçoso" e "burro".[28]

Irving não era nem uma coisa nem outra, mas sofria de uma grave dislexia: "Eu era um dos mais atrasados da turma [...]. Meus colegas conseguiam ler a lição de história em uma hora, mas eu precisava de duas ou três. Como eu não conseguia aprender ortografia, fazia uma lista das palavras que eu mais costumava errar."[29] Quando o próprio filho foi diagnosticado com dislexia, Irving enfim entendeu por que ele mesmo tirava notas tão baixas. Seu filho lia bem mais devagar do que os colegas, "acompanhando a frase com o dedo, do mesmo jeito que eu lia, como eu leio *até hoje*. A menos que eu mesmo tenha escrito um determinado texto, eu o leio muito devagar. E acompanhando com o dedo."[30]

Como ler e escrever não eram tarefas fáceis para Irving, ele descobriu que "para fazer uma coisa realmente bem, você tem que se desdobrar.[31] [...] No meu caso, percebi que eu precisava prestar o dobro da atenção. Comecei a entender que, ao fazer alguma coisa várias vezes seguidas, o que nunca tinha sido simples se tornava quase uma segunda natureza. Você descobre que tem capacidade para aquilo, e isso não acontece da noite para o dia."

Será que as pessoas de talento nato aprendem essa lição? Será que descobrem que a capacidade de fazer alguma coisa várias vezes seguidas, o esforço, a paciência, tudo isso pode ser dominado, mas não da noite para o dia?

Alguns, talvez. Mas aqueles que começam a se esforçar cedo podem aprender isso melhor. "Um dos motivos pelos quais tenho segurança para escrever o tipo de romance que escrevo é que confio na minha persistência para revisar alguma coisa mil vezes, por mais difícil que seja",[32] disse Irving. Depois de seu décimo romance, ele comentou: "Reescrever é o que eu faço melhor como escritor. Passo mais tempo revisando um romance ou um roteiro do que escrevendo a primeira versão."[33]

"Isso se transformou numa vantagem", disse Irving a respeito de sua incapacidade de ler e escrever com a mesma fluência das outras pessoas. "Para escrever um romance, não faz mal que o autor tenha de trabalhar devagar. Não atrapalha que tenha que refazer o mesmo trecho várias vezes."[34]

Com esforço diário, Irving tornou-se um dos mais hábeis e prolíficos escritores do mundo. Com esforço, tornou-se um mestre e, com esforço, sua maestria produziu histórias que comoveram milhões de pessoas, como eu.

O músico e ator Will Smith, já agraciado com o Grammy e indicado para o Oscar, tem pensado muito sobre a questão do talento, do esforço e do sucesso. "Nunca me vi como uma pessoa particularmente talentosa", disse ele certa vez. "Se há uma coisa em que me destaco é na minha ética de trabalho exagerada e cansativa."[35]

Para Will, sucesso significa ir até o fim. Quando lhe pediram que explicasse sua ascensão à elite do entretenimento americano, ele disse:

> Para mim, a única coisa que tenho de especial é o seguinte: não tenho medo de morrer na esteira ergométrica. Não vou ser superado e ponto final. Você pode ter mais talento do que eu, pode ser mais inteligente do que eu, pode ser mais sexy do que eu. Você pode ser tudo isso. Você me supera em nove categorias. Mas, se subirmos numa esteira juntos, duas coisas poderão acontecer: ou você desiste primeiro, ou eu morro. É simples assim.[36]

Em 1940, pesquisadores da Universidade Harvard tiveram a mesma ideia. Num estudo realizado para apontar as "características de rapazes saudáveis"[37] a fim de "ajudar as pessoas a serem mais felizes e terem mais sucesso", pediram a 130 universitários que se exercitassem numa esteira durante cinco minutos no máximo. A esteira foi ajustada num ângulo tão íngreme e numa velocidade tal que um homem médio desistiria em quatro minutos.[38] Alguns não passavam de um minuto e meio.

O Teste da Esteira era propositalmente exaustivo. Não só do ponto de vista físico, mas também mental. A partir de medições e ajustes com base em parâmetros de aptidão física, os pesquisadores projetaram o teste da esteira de modo a avaliar "a resistência e a força de vontade".[39] Os pesquisadores sabiam que uma corrida pesada como aquela não dependia apenas da capacidade aeróbica e da força muscular, mas também do quanto "uma pessoa se esforça ou tende a desistir antes que o sofrimento se torne intenso demais".[40]

Décadas depois, um psiquiatra chamado George Vaillant começou a acompanhar os jovens que tinham participado daquele Teste da Esteira. Esses homens, agora sexagenários, tinham sido procurados por pesquisadores a intervalos de dois anos desde a formatura na faculdade, e para cada um deles havia em Harvard uma pasta recheada de questionários, cartas e anotações de entrevistas minuciosas. Para cada um deles, por exemplo, os pesquisadores registravam a renda, a progressão profissional, as licenças médicas, as atividades sociais, a satisfação que declaravam em relação ao trabalho e ao casamento, as consultas a psiquiatras e a utilização de medicamentos psicotrópicos, como tranquilizantes. Todas essas informações geravam estimativas do equilíbrio psicológico geral daqueles homens na vida adulta.

Verificou-se que o tempo de corrida no Teste da Esteira aos vinte anos era um indicador surpreendentemente confiável do equilíbrio psicológico na vida adulta. George Vaillant e sua equipe chegaram a pensar que o tempo na esteira refletia também a aptidão física daqueles homens na juventude e que esse dado apenas sugeria a saúde física como prognóstico do bem-estar psicológico posterior. No entanto, eles concluíram que os ajustes de acordo com valores de referência para aptidão física "tinham pouco efeito na correlação entre o tempo na esteira e a saúde mental".[41]

Em outras palavras, Will Smith está certo. O esforço conta, e muito, quando se trata de medir o quanto percorremos na maratona da vida.

"Durante quanto tempo *você* teria aguentado na esteira?", perguntei a George pouco tempo atrás. Eu queria saber porque, em minha opinião, o próprio George é um exemplo de garra. No começo de sua careira, não muito depois de terminar a residência em psiquiatria, ele descobriu os dados da pesquisa da esteira, junto com as demais informações sobre os indivíduos analisados até aquela data. Como um bastão numa corrida de revezamento,

GARRA

o estudo tinha passado de uma equipe de pesquisa para outra, com cada vez menos interesse e energia. Até chegar a ele.

George fez o estudo ganhar vida nova. Retomou contato com os homens por cartas e telefone e também entrevistou cada um deles pessoalmente — viajando aos quatro cantos do mundo para encontrá-los. Hoje, com mais de oitenta anos, ele sobreviveu à maioria dos participantes do estudo original. No momento, está escrevendo seu quarto livro sobre o estudo, que hoje é a mais longa pesquisa contínua sobre desenvolvimento humano já realizada.

Sobre a minha pergunta sobre o quanto aguentaria na esteira, George respondeu:

— Ah, eu não sou muito persistente. Quando faço palavras cruzadas no avião, sempre olho as respostas no final se fico um pouco frustrado.[42]

Ou seja, pouca garra quando se trata de palavras cruzadas.

— E, se alguma coisa dá defeito aqui em casa, passo o problema para a minha esposa, e ela resolve.

— Então o senhor não considera que tenha garra? — perguntei.

— O estudo de Harvard funciona porque venho trabalhando nele com persistência e constância. É a única coisa da qual não desvio a atenção. E isso porque o estudo me fascina. Não existe nada mais interessante do que acompanhar o desenvolvimento das pessoas.

Após uma breve pausa, George lembrou-se de quando participava de competições de salto com vara no ensino médio. Para melhorar o preparo físico, ele e os outros saltadores faziam puxadas na barra — que eles chamavam de "queixadas" porque começavam pendurando-se na barra, depois elevavam o corpo até o queixo, baixavam e repetiam o movimento.

— Eu conseguia fazer mais "queixadas" do que qualquer outro atleta. E não era por ser muito forte, nada disso. O segredo é que eu fazia um monte de vezes. Eu treinava.

Certa vez, quando perguntaram ao prolífico cineasta e roteirista Woody Allen qual conselho daria a jovens artistas, ele respondeu:

O ESFORÇO CONTA EM DOBRO

O que percebo é que, quando uma pessoa realmente termina de escrever uma peça ou um romance, já está bem à frente no caminho para que a obra seja montada ou publicada — ao contrário da imensa maioria de pessoas que me dizem que querem escrever, mas desistem logo no começo e nunca escrevem de fato a peça ou o livro.[43]

Ou, como Allen também afirma de maneira mais mordaz: "Oitenta por cento do sucesso na vida é dar as caras."[44]

Na década de 1980, George H. W. Bush e Mario Cuomo repetiam o tempo todo esse conselho, discurso após discurso, quase o transformando num meme. Ou seja: embora os líderes políticos americanos dos partidos Republicano e Democrata divergissem quanto a muitas coisas, estavam de pleno acordo em relação à importância de se levar até o fim aquilo que se começou.

Comentei com George Vaillant que, se eu tivesse participado da pesquisa de Harvard em 1940, teria feito uma sugestão. Teria permitido que os rapazes voltassem no dia seguinte, se quisessem, e se submetessem de novo ao Teste da Esteira. Acho que alguns teriam voltado para ver se aguentariam um pouco mais, enquanto outros se contentariam com a primeira tentativa. Talvez alguns consultassem os pesquisadores sobre alguma estratégia, física ou mental, para que resistissem por mais tempo. E talvez esses rapazes quisessem tentar uma terceira vez, ou uma quarta... E então eu criaria uma pontuação de garra com base nas vezes em que os rapazes tinham voltado voluntariamente para tentar melhorar seus tempos.

Uma coisa é continuar na esteira, e realmente acredito que isso tenha a ver com nossa fidelidade a compromissos, mesmo quando não estamos confortáveis. Para mim, contudo, retornar à esteira no dia seguinte, ansioso por tentar de novo, diz muito mais sobre garra. Isso porque, se você não volta no dia seguinte — se vira as costas de vez para um compromisso —, seu esforço cai para zero. Com isso, suas habilidades deixam de melhorar e, ao mesmo tempo, você para de produzir qualquer coisa com as habilidades que possui.

Na verdade, a esteira ergométrica é uma boa metáfora. Segundo algumas estimativas, mais ou menos 40% das pessoas que compram equipamentos de exercícios físicos dirão depois que acabaram os usando menos do que esperavam.[45] O esforço que dedicamos ao exercício é importante, é claro, mas acho que o principal obstáculo ao progresso está no fato de que às vezes paramos completamente de nos exercitar. Como qualquer treinador ou atleta dirá, a constância do esforço a longo prazo faz toda a diferença.

Quantas vezes as pessoas começam um percurso e depois o abandonam por completo? Quantas esteiras, bicicletas ergométricas e halteres estão juntando poeira, neste exato momento, em casas de todo o país? Quantas crianças começam a praticar um esporte e depois o abandonam da noite para o dia? Quantos de nós decidimos tricotar suéteres para parentes e amigos e não passamos da metade de uma manga antes de largarmos as agulhas? A mesma coisa vale para hortas domésticas, compostagens e dietas. Quantos de nós começamos alguma coisa, cheios de entusiasmo e boas intenções, para depois parar — de vez — assim que encontramos o primeiro obstáculo real, o primeiro grande empecilho no progresso?

Parece comum abandonarmos o que começamos logo no início e com demasiada frequência. O esforço que uma pessoa dotada de garra dedica em um dia é importante, mas ainda mais importante é ela acordar no outro dia, e no outro, disposta a subir naquela esteira e continuar a correr.

Se meus cálculos estão corretos, uma pessoa com o dobro do talento mas metade da garra de outra pode alcançar o mesmo nível de habilidade, mas mesmo assim produzir muito menos no decorrer do tempo. Isso acontece porque à medida que os esforçados aprimoram sua habilidade, estão também *empregando* essa habilidade — para fazer cerâmica, escrever livros, dirigir filmes, dar concertos. Se o que conta é a qualidade e a quantidade dessas cerâmicas, livros, filmes e concertos, o esforçado que se equiparar ao talentoso vai produzir mais coisas ao longo do tempo.

Como afirma Will Smith: "A separação entre talento e habilidade é um dos maiores equívocos cometidos pelas pessoas que tentam se destacar, que têm sonhos, que querem realizar coisas. Talento é um dom inato. A habilidade é desenvolvida durante horas e horas de treinamento em seu ofício."[46]

O ESFORÇO CONTA EM DOBRO

Eu acrescentaria que habilidade não é o mesmo que sucesso. Sem esforço, seu talento não passa de potencial não concretizado. Sem esforço, sua habilidade não passa do que você poderia ter feito, mas não fez. Com esforço, o talento se transforma em habilidade e, ao mesmo tempo, o esforço torna a habilidade *produtiva*.

Capítulo 4

ATÉ ONDE VAI SUA GARRA?

Recentemente, dei uma palestra sobre garra para estudantes da Escola de Administração Wharton, na Universidade da Pensilvânia. Quando terminei, antes mesmo de pegar minhas anotações no púlpito, um rapaz aspirante a empreendedor correu para falar comigo.

Ele era encantador, cheio da energia e do entusiasmo que fazem com que lecionar para jovens seja tão gratificante. Quase sem fôlego, ele me contou uma história para ilustrar a própria garra, que considerava extraordinária. Naquele mesmo ano, o rapaz tinha arrecadado milhares de dólares para sua *start-up*, algo que exigiu um sacrifício heroico e muitas noites sem dormir.

Aquilo me impressionou, e eu disse isso a ele. No entanto, logo acrescentei que a garra tem mais a ver com resistência do que com intensidade:

— Por isso, se você estiver trabalhando nesse projeto com a mesma energia daqui a um ano ou dois, mande-me um e-mail. Aí eu vou poder falar mais sobre a sua garra.

— Bem, talvez eu não esteja trabalhando com a mesma coisa daqui a alguns anos. — Ele se mostrou intrigado.

É verdade. Muitos empreendimentos que parecem promissores no começo acabam mal. Inúmeros de planos de negócios otimistas terminam no cesto de lixo.

— Tudo bem, no futuro talvez você não esteja nessa empresa *específica*. Mas, se não estiver trabalhando na mesma área, se estiver envolvido numa profissão *totalmente diferente*, nesse caso não tenho certeza de que sua história mostre garra.

— O que você quer dizer? Que devo ficar na mesma empresa? — perguntou ele.

— Não necessariamente. Mas pular de uma profissão para outra, de uma área para outra totalmente diferente... Não é isso o que as pessoas que têm garra fazem.

— Mas e se eu mudar de atividade várias vezes e me dedicar muito nesse percurso?

— Garra não é *só* se dedicar muito. Isso é apenas uma parte.

Silêncio.

— Por quê?

— Bem, para começar, não há atalhos para a perfeição. Especializar-se de fato em alguma coisa, solucionar problemas realmente espinhosos, tudo isso leva tempo. Mais do que a maioria das pessoas imagina. E depois você precisa aplicar essas habilidades e produzir bens ou serviços importantes para as pessoas. Roma não foi feita em um dia.

Como ele estava ouvindo, prossegui:

— E vou lhe dizer o que é realmente importante. Garra tem a ver com você trabalhar em algo que valoriza tanto a ponto de querer permanecer leal a essa atividade.

— Fazer o que você ama. Entendi.

— Certo, é fazer o que você ama, mas não só se apaixonar por aquilo. Mas sim *continuar* apaixonado.

Até onde vai a sua garra? Apresento a seguir uma versão da Escala de Garra[1] que criei para meu estudo em West Point e que utilizei em outras pesquisas descritas neste livro. Leia cada frase e, à direita, marque o retângulo que lhe pareça mais indicado. Não reflita demais sobre as frases. Em vez disso, compare a si mesmo com as "pessoas em geral"[2] — e não somente com colegas de trabalho, amigos ou parentes.

ATÉ ONDE VAI SUA GARRA?

	Nada a ver comigo	Não muito a ver comigo	Um pouco a ver comigo	Bastante a ver comigo	Totalmente a ver comigo
1 Novas ideias e novos projetos às vezes me distraem dos anteriores.	5	4	3	2	1
2 Obstáculos não me desestimulam. Eu não desisto com facilidade.	1	2	3	4	5
3 Muitas vezes eu defino um objetivo, mas depois prefiro buscar outro.	5	4	3	2	1
4 Sou um trabalhador esforçado.	1	2	3	4	5
5 Tenho dificuldade para manter o foco em projetos que exigem mais de alguns meses para terminar	5	4	3	2	1
6 Eu termino tudo o que começo.	1	2	3	4	5
7 Meus interesses mudam de ano para ano.	5	4	3	2	1
8 Sou dedicado. Nunca desisto.	1	2	3	4	5
9 Já estive obcecado durante algum tempo por certa ideia ou projeto, mas depois perdi o interesse.	5	4	3	2	1
10 Já superei obstáculos para conquistar um objetivo importante.	1	2	3	4	5

GARRA

Para calcular sua pontuação total de garra, some todos os pontos dos retângulos que você marcou e divida por dez. A pontuação máxima nessa escala é cinco (com muita garra); a mais baixa é um (sem garra).

Você pode usar o quadro a seguir a fim de verificar como sua pontuação se compara com uma grande amostra de adultos americanos.*

Percentual	Pontuação de garra
10%	2,5
20%	3,0
30%	3,3
40%	3,5
50%	3,8
60%	3,9
70%	4,1
80%	4,3
90%	4,5
95%	4,7
99%	4,9

Tenha em mente que sua pontuação é um reflexo de como você se vê agora. Seu grau de garra neste momento da vida pode ser diferente de quando você era mais jovem. E se você fizer o teste de novo mais tarde, talvez obtenha uma pontuação diferente. Como este livro vai demonstrar, são muitas as razões para se crer que a determinação pode mudar.

A garra tem dois componentes: paixão e perseverança. Se você quiser ir um pouco mais fundo, poderá calcular pontuações separadas para cada um des-

---

* Por exemplo, se sua pontuação é de 4,1, você tem mais garra do que 70% dos adultos em nossa amostra.

ses componentes. Para a pontuação de paixão, some os pontos referentes aos quesitos ímpares e divida o total por cinco. Para a pontuação de perseverança, some os pontos dos quesitos pares e divida o total por cinco.

Se você obteve uma pontuação alta em paixão, é provável que tenha tirado uma nota semelhante em perseverança. E vice-versa. Mesmo assim, vou arriscar a dizer que sua pontuação em perseverança foi um pouquinho mais alta do que a nota em paixão. Isso não vale para todo mundo, mas aconteceu com a maioria das pessoas que estudei. Por exemplo, fiz o teste enquanto escrevia este capítulo e minha pontuação geral foi de 4,6. Minha pontuação em perseverança foi 5; e em paixão, apenas 4,2. Por mais estranho que pareça, manter-me focada nos mesmos objetivos ao longo do tempo é mais difícil para mim do que trabalhar duro e superar obstáculos.

Essa tendência — de a pontuação em perseverança ser, em geral, superior à de paixão — indica que paixão e perseverança não são exatamente a mesma coisa. No restante deste capítulo, explicarei em que elas diferem e como devemos entender essas qualidades como duas partes de um todo.

Ao fazer o teste da Escala de Garra, talvez você tenha observado que nenhum dos quesitos referentes à paixão avalia a *intensidade* com que você se empenha em suas metas. Isso pode parecer estranho, uma vez que o termo *paixão* costuma ser usado para descrever emoções intensas. Para muita gente, paixão é sinônimo de fervor ou obsessão. Entretanto, em entrevistas sobre o que é necessário para se ter sucesso, os vencedores muitas vezes se referem a um tipo diferente de dedicação. Em vez de intensidade, o que eles mais mencionam em seus comentários é a ideia de *consistência ao longo do tempo*.

Por exemplo, já ouvi falar de *chefs* que cresceram assistindo a Julia Child na televisão e, na vida adulta, continuaram fascinados pela culinária. Já ouvi falar de investidores cuja curiosidade pelos mercados financeiros continua tão viva em sua quarta ou quinta década de trabalho como foi no primeiro dia de negócios. Já ouvi falar de matemáticos que trabalham num problema — o *mesmo* problema — dia e noite, durante anos, sem jamais pensar: "Ah, que

GARRA

se dane este teorema! Vou fazer outra coisa." E é por isso que os quesitos que medem a sua paixão fazem você refletir sobre a *consistência* com que se dedica às suas metas ao longo do tempo. Seria *paixão* a melhor palavra para nos referirmos a essa devoção prolongada e duradoura? Há quem diga que eu deveria encontrar uma palavra melhor. Talvez. O importante, porém, é a ideia em si. Entusiasmo é comum. Já tenacidade, não.

Vejamos, por exemplo, Jeffrey Gettleman. Faz uma década que Jeff ocupa o cargo de chefe de redação do *The New York Times* na África Oriental. Em 2012, ele ganhou o prêmio Pulitzer de Reportagem Internacional por sua cobertura de conflitos nessa região. Jeff é visto como uma celebridade no mundo do jornalismo internacional, admirado pela coragem de realizar reportagens arriscadas e também pela disposição inquebrantável de noticiar fatos inacreditavelmente horrendos.

Conheci Jeff quando ambos estávamos com vinte e poucos anos. Na época, cursávamos mestrado na Universidade de Oxford. No meu caso, isso foi antes da McKinsey, antes de lecionar e antes de me tornar psicóloga. No caso de Jeff, foi antes de ele escrever sua primeira reportagem. Creio que posso dizer que, nessa época, nenhum de nós sabia muito bem o que queríamos ser, e estávamos desesperados para descobrir.

Recentemente, conversei com Jeff por telefone. Ele estava em Nairóbi, sua base quando não está viajando por outras partes da África. Precisávamos o tempo todo perguntar se o outro estava escutando bem. Depois de falarmos sobre antigos colegas de turma e trocar informações sobre nossos filhos, pedi a Jeff que refletisse sobre a ideia de paixão e do papel que ela desempenhara em sua vida.

— Durante muito tempo, eu tive uma ideia muito clara sobre onde eu queria estar — disse Jeff. — E essa paixão é viver e trabalhar na África Oriental.[3]

— Ah, eu não sabia... Imaginei que sua paixão fosse o jornalismo, e não uma parte específica do mundo. Se você pudesse apenas ser jornalista ou apenas morar na África Oriental, o que escolheria?

Eu esperava que Jeff fosse escolher o jornalismo. Mas não foi o que ele fez.

— Olha, o jornalismo foi ótimo para mim. Sempre fui atraído pela escrita. Sempre me virei bem em situações novas. Até mesmo o lado confrontador

ATÉ ONDE VAI SUA GARRA?

do jornalismo combina bem com minha personalidade. Eu gosto de desafiar a autoridade. Mas entendo que o jornalismo tem sido, em certo sentido, um meio para determinado fim.

A paixão de Jeff veio à tona ao longo de um período de vários anos. E não foi apenas um processo de descoberta passiva — desenterrar uma pequenina gema no fundo de sua psique —, mas sim de construção ativa. Jeff não se limitou a sair em busca de sua paixão: ele ajudou a criá-la.

Com dezoito anos, ao trocar a cidade de Evanston, Illinois, por Ithaca, no estado de Nova York, não havia como Jeff prever a carreira que iria construir. Na Universidade Cornell, ele escolheu formar-se em filosofia, em parte porque "era mais fácil cumprir os requisitos nesse curso".[4] No segundo ano de faculdade, ele visitou a África Oriental. E isso foi o começo do começo. "Não sei como explicar. O lugar simplesmente me deixou de queixo caído. Havia aqui um espírito com o qual eu queria me conectar, e eu queria que ele fizesse parte da minha vida."[5]

Assim que voltou para Cornell, Jeff começou a fazer um curso de suaíli e, quando o calendário de aulas daquele ano terminou, ele tirou doze meses de férias para zanzar pelo mundo. Durante esse período, voltou à África Oriental e teve a mesma sensação de assombro da primeira vez.

No entanto, ainda não estava claro como Jeff poderia ganhar a vida ali. Como ele chegou ao jornalismo? Foi uma sugestão de um professor que admirava os textos de Jeff, que se lembra de ter pensado: "Essa é a ideia mais idiota que já ouvi... Quem é que quer trabalhar para um jornal chato?"[6] (Lembro-me de ter pensado a mesma coisa uma vez sobre a carreira de professor: *Quem é que pode querer a chatice de dar aulas?*) Por fim, Jeff começou a trabalhar para o jornal da universidade, o *Cornell Daily Sun* — mas como fotógrafo, não como redator.

— Quando fui para Oxford, estava muito perdido do ponto de vista acadêmico.[7] Os professores de lá achavam chocante o fato de eu não saber o que queria fazer. Eles estavam tipo "O que você está fazendo aqui? Este é um lugar sério. Você deveria ter uma ideia clara do que deseja estudar ou não deveria estar aqui".

Na época, eu achava que Jeff se dedicaria ao fotojornalismo. Ele me lembrava Robert Kincaid, o experiente e sábio fotógrafo protagonizado por Clint Eastwood no filme *As pontes de Madison*, lançado mais ou menos na época em que nos torna-

GARRA

mos amigos. Na verdade, ainda me lembro de fotos que Jeff me mostrou em 1995. Eu achava que eram da revista *National Geographic*, mas eram dele mesmo.

Em seu segundo ano em Oxford, ele percebeu que o jornalismo seria uma saída ainda melhor. "Assim que entendi melhor o que era ser jornalista e como isso poderia me levar de volta à África, o quanto isso seria legal e que eu poderia escrever de forma mais criativa do que tinha imaginado antes, comecei a pensar 'Dane-se, é isso o que eu vou fazer'. Tracei uma rota muito cuidadosa, mas possível, isso porque o jornalismo era uma atividade muito hierárquica e estava claro como ir de A para B, depois para C, para D etc."

O passo A consistiu em escrever para o *Cherwell*, o jornal estudantil de Oxford. O B foi um estágio de verão num pequeno jornal em Wisconsin, nos Estados Unidos. O C foi o *St. Petersburg Times*, da Flórida, na editoria de cidade. O D foi o *Los Angeles Times*. O E foi o *New York Times*, como correspondente nacional em Atlanta. O passo F foi ser enviado ao exterior para fazer reportagens de guerra e, em 2006 — pouco mais de dez anos depois de estabelecer sua meta —, Jeff finalmente chegou ao passo G: tornar-se chefe do escritório do *The New York Times* na África Oriental.

— Foi um caminho muito sinuoso que me levou a lugares de todos os tipos. E foi um caminho difícil, exaustivo, desanimador, apavorante e todo o resto. No entanto, por fim eu cheguei aqui. Cheguei exatamente aonde queria estar.

Tal como no caso de muitos outros modelos de garra, a metáfora comum da paixão como fogos de artifício não faz sentido quando se pensa no que esse sentimento significa para Jeff Gettleman. Os fogos de artifício irrompem num fulgor glorioso, mas logo se apagam, deixando apenas fumaça e uma lembrança do que foi antes espetacular. O que o percurso de Jeff indica, entretanto, é a paixão como uma *bússola* — um aparelho que você demora a construir, a aprimorar e aperfeiçoar e que, por fim, o orienta em sua longa e tortuosa viagem rumo a seu objetivo final.

Pete Carroll, técnico do time de futebol americano Seattle Seahawks, costuma fazer a seguinte pergunta: "Você tem uma filosofia de vida?"[8]

ATÉ ONDE VAI SUA GARRA?

Para muita gente, essa pergunta não faz sentido. Essas pessoas podem dizer: *Bem, estou em busca de muitas coisas. Um monte de objetivos. Um monte de projetos. A que você se refere?*

Outras pessoas, entretanto, não veem dificuldade em responder com convicção: *O que eu quero é isto.*

Tudo se torna um pouco mais claro quando se compreende o nível da meta a que Pete se refere. O que ele está perguntando não é o que você quer fazer hoje, especificamente, ou mesmo este ano. Ele está querendo saber o que você pretende fazer com a sua vida. Em termos de garra, ele está perguntando qual é a sua paixão.

A filosofia de Pete é: *Faça as coisas sempre de uma maneira melhor do que já foram feitas.*[9] Assim como Jeff, ele levou certo tempo para definir um objetivo, no sentido mais amplo do termo. O momento-chave se deu num período ruim de sua carreira como treinador: pouco depois de ser demitido do cargo de treinador principal do New England Patriots. Esse foi o primeiro e único ano de sua vida que Pete não passou jogando futebol americano ou treinando um time. Naquele momento, um de seus amigos insistiu em que ele pensasse em alguma coisa mais abstrata do que o emprego que conseguiria a seguir: "Você precisa ter uma filosofia."

Pete se deu conta de que não tinha uma filosofia e precisava disso. "Se eu um dia tivesse uma nova oportunidade de comandar uma organização, teria que estar preparado com uma filosofia que norteasse todos os meus atos."[10] Pete pensou e refletiu muito. "Nas semanas e meses que se seguiram, não parei de fazer anotações e encher pastas."[11] Ao mesmo tempo, devorava os livros de John Wooden, o lendário treinador de basquete da Universidade da Califórnia em Los Angeles, que conquistou um recorde de dez campeonatos nacionais.

Como vários outros treinadores, Pete já tinha lido Wooden. Dessa vez, porém, estava lendo Wooden e absorvendo o que aquele ícone tinha a dizer num nível bem mais profundo. E a coisa mais importante que Wooden dizia era que, embora um time precise executar bem um milhão de coisas, o mais importante de tudo é definir o panorama geral.

Peter entendeu naquele momento que as metas isoladas — ganhar uma partida específica ou um campeonato, definir a tática da sua linha de ataque ou a forma de conversar com os jogadores — precisavam de coordenação, de um propósito. "Uma filosofia clara e bem definida dá ao treinador as diretrizes e os limites que o mantêm no caminho certo", afirmou ele.

Uma forma de compreender o que Pete está dizendo consiste em visualizar as metas numa hierarquia.[12]

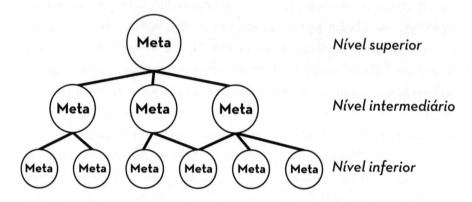

Na parte de baixo dessa hierarquia estão as nossas metas mais concretas e específicas, as tarefas que figuram em nossa lista de afazeres imediatos: quero sair de casa hoje às oito da manhã, quero retornar a ligação do meu sócio, quero terminar de escrever o e-mail que comecei ontem. Essas metas de baixo nível existem apenas como *meios para fins*. Só precisamos cumpri-las porque elas levarão a *outra* coisa que desejamos. Por outro lado, quanto mais alta for a meta nessa hierarquia, mais abstrata, geral e importante ela é. Quanto mais alta for a meta, mais ela é um objetivo em si, e menos será apenas um *meio* para um fim.

No diagrama que esbocei aqui, há apenas três níveis. Isso é uma simplificação exagerada. Entre o nível inferior e o superior pode haver várias camadas de metas intermediárias. Por exemplo, sair de casa às oito da manhã é uma meta de baixo nível. Ela só importa por causa de uma meta intermediária: chegar ao trabalho no horário certo. Por que você se importa com isso? Porque quer ser pontual. Por que você se importa com isso? Porque a pontualidade

ATÉ ONDE VAI SUA GARRA?

demonstra respeito pelas pessoas com quem você trabalha. Por que isso é importante? Porque você se esforça por ser um bom líder.

Ao fazer a si mesmo essas perguntas, qual é a sua resposta? Se for apenas "Porque sim!", você saberá que chegou ao topo de uma hierarquia de metas. A meta de nível superior não é um meio para algum outro fim. Ela é, na verdade, um *fim em si*. Alguns psicólogos preferem se referir a ela como o "interese supremo".[13] Eu penso nessa meta como uma bússola que confere direção e significado a todos os outros objetivos abaixo dela.

Vejamos o caso do arremessador de beisebol Tom Seaver, eleito para o Hall da Fama. Ao se aposentar em 1987,[14] aos 42 anos, Seaver tinha reunido 311 vitórias, 3.640 *strikeouts*, 61 *shutouts* e uma média de 2,86 corridas limpas. Em 1992, quando foi eleito para o Hall da Fama, ele recebeu a maior votação porcentual da história: 98,8%. Durante uma carreira de 22 anos no beisebol profissional, Seaver se esforçou para arremessar "o melhor que eu puder dia após dia, anos após ano".[15] Eis como essa intenção deu significado e estrutura a todas as suas metas inferiores:

Arremessar [...] determina o que eu como, a que horas vou dormir, o que faço quando estou acordado. Determina como levo a vida quando não estou arremessando. Se isso significa viajar à Flórida mas não poder me bronzear porque eu posso me queimar e ficar impossibilitado de arremessar durante alguns dias, então nunca saio ao sol sem camisa. [...] Se isso significa que não posso me esquecer de só brincar com cachorros com a mão esquerda, então é o que eu faço. Se isso significa que no inverno devo comer queijo cottage em vez de biscoitos de chocolate para não ganhar peso, então como eu queijo cottage.[16]

A vida descrita por Seaver parece sem graça. Mas não era o que ele achava: "Arremessar é o que me faz feliz. Dediquei minha vida a isso. [...] Decidi o que quero fazer. Como fico feliz quando arremesso bem, só faço coisas que me ajudam a ser feliz."[17]

O que estou chamando de paixão não é apenas cultivar algo importante para você. O que paixão significa é valorizar a *mesma* meta definitiva de uma maneira firme, leal e constante. É não ser volúvel. É acordar todos os dias pensando nas questões que martelavam sua cabeça antes de dormir. É, de certa maneira, apontar sempre para a mesma direção, mais ansioso para dar um passo mínimo para a frente do que para o lado, saindo do rumo. É, em nível radical, ouvir alguém dizer que esse foco é obsessivo. É basear a maioria dos seus atos na dedicação a um objetivo fundamental — a sua filosofia de vida.

É organizar suas prioridades.

Garra tem a ver com manter a mesma meta definitiva durante muito, muito tempo. Além disso, essa "filosofia de vida", como Pete Carroll poderia chamá-la, é tão interessante e importante que norteia grande parte das suas atividades diárias. No caso de pessoas com muita garra, a maior parte das metas de nível intermediário e inferior estão, de uma forma ou de outra, relacionadas àquela meta definitiva. Por outro lado, uma ausência de garra pode decorrer do fato de se ter menos estruturas de metas coerentes.

A falta de garra pode se manifestar de várias maneiras. Já vi muitos jovens que são capazes de articular um sonho — por exemplo, ser médico ou jogar basquete na NBA — e imaginar vividamente como isso seria maravilhoso, mas que ao mesmo tempo não conseguem definir as metas nos níveis intermediário e inferior que lhes permitiriam alcançar esse sonho. A hierarquia de metas desses jovens tem uma meta de nível superior, mas nenhuma nos graus mais baixos:

É o que minha amiga e colega de ramo Gabriele Oettingen chama de "fantasia positiva".[18] A pesquisa de Gabrielle mostra que entregar-se a visões de um futuro positivo sem definir como chegar lá — sobretudo levando-se em conta os obstáculos no caminho — tem compensações imediatas, mas custos a longo prazo. No curto prazo, você se sente ótimo com seu sonho de ser médico; no longo prazo, carrega a decepção de não ter alcançado sua meta.

Mais comum ainda, acho, é ter várias metas de nível intermediário que não correspondem a nenhuma meta superior unificadora:

Ou ter hierarquias de metas conflitantes que não têm nenhuma ligação entre si:

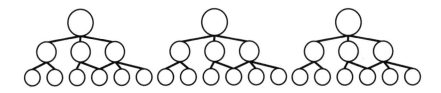

Até certo ponto, o conflito entre metas é um aspecto intrínseco à existência humana. Eu, por exemplo, tenho uma hierarquia de metas ligadas à minha profissão e outra ligada à maternidade. Até Tom Seaver admite que as viagens e os treinamentos de um jogador de beisebol profissional prejudicavam o tempo que ele passava com a mulher e os filhos como ele gostaria. Assim, embora o beisebol fosse sua paixão profissional, havia outras hierarquias de metas que obviamente ele julgava importantes.

Tal como Seaver, tenho apenas uma hierarquia de metas para o trabalho: *Usar a psicologia para ajudar as crianças a florescerem*. Entretanto, tenho uma hierarquia de metas independente que envolve ser a melhor mãe possível para as minhas duas filhas. Como bem sabe todo pai ou mãe que trabalha fora, não é fácil ter dois "interesses supremos". Parece nunca haver tempo, energia ou atenção suficientes. Resolvi viver com essa tensão. Na juventude, avaliei as alternativas — não ter uma carreira ou não ter filhos — e resolvi que, moralmente, não existia uma "decisão correta", mas apenas uma decisão que era correta para mim.

Por isso, a ideia de que todos os momentos de nossa vida devem ser guiados por uma única meta de nível superior é uma situação radical e idealizada

GARRA

que pode não ser desejável nem para a pessoa com mais garra no mundo. Ainda assim, eu diria que é possível reduzir longas listas de metas de nível intermediário e inferior de acordo com a forma como elas contribuem para uma meta mais definitiva. E creio que, no caso da vida *profissional, uma* meta de nível superior é o ideal.

Em suma, quanto mais unificadas, alinhadas e coordenadas forem nossas hierarquias de metas, melhor.

Diz-se que Warren Buffett — o multibilionário cuja fortuna ele mesmo acumulou ao longo da vida e representa quase o dobro da dotação da Universidade Harvard — apresentou a seu piloto de avião um processo simples de três passos para estabelecer prioridades.[19]

A história é a seguinte: Buffett vira-se para seu fiel piloto e diz que ele deve ter sonhos maiores do que levar a ele, Buffet, aonde precisar ir. O piloto confessa que sim, é verdade. E então Buffett lhe apresenta três passos.

Primeiro, prepare uma lista de 25 metas de carreira.

Em segundo lugar, faça um exame de consciência e circule as cinco metas de maior prioridade. Só cinco.

Terceiro, examine bem as vinte metas que não circulou. Estas você deverá evitar a todo custo. São elas que desviam sua atenção; consomem tempo e energia, afastando sua atenção das metas mais importantes.

Quando escutei essa história, pensei: *Quem poderia ter 25 metas de carreira diferentes? Isso é meio ridículo, não é?* Então comecei a anotar numa folha de papel pautado todos os projetos em que estava trabalhando na época. Quando cheguei ao número trinta e dois, percebi que aquele exercício poderia me fazer bem.

É interessante observar que a maioria das metas em que pensei espontaneamente eram metas de nível intermediário. Em geral as pessoas recorrem a esse nível de meta quando são solicitadas a listar várias metas, e não somente uma.

Para me ajudar na definição de prioridades, acrescentei colunas que me permitissem classificar esses projetos por interesse e importância. Atribuí a cada meta uma pontuação entre 1 e 10, em ordem crescente de interesse; e depois fiz o mesmo em ordem crescente de importância. Multipliquei esses números para chegar a um resultado de 1 a 100. Nenhuma de minhas metas tinha uma pontuação de "interesse x importância" que chegasse a 100, mas também nenhuma era igual a 1.

Em seguida, tentei seguir o conselho de Buffett e circular apenas algumas metas mais interessantes e importantes, relegando as demais à categoria das que deveriam ser evitadas a todo custo.

Tentei, mas não consegui.

Depois de mais de um dia pensando em quem tinha razão — eu ou Warren Buffett —, percebi que, na verdade, muitas de minhas metas eram inter-relacionadas. Quase todas, inclusive, eram meios para fins e me permitiam avançar rumo à minha meta definitiva: ajudar crianças a alcançarem seus potenciais e a florescerem. Havia apenas algumas metas profissionais que fugiam a essa regra. Com relutância, decidi lançá-las na lista das metas a serem evitadas.

Ora, se eu pudesse algum dia me sentar com Buffett e repassar minha lista com ele (o que é improvável, pois duvido que minhas necessidades ocupem algum lugar em sua hierarquia de metas), sem dúvida ouviria que o objetivo desse exercício é encarar o fato de que tempo e energia são limitados. Toda pessoa bem-sucedida decide o que vai fazer em parte ao decidir o que *não* vai fazer. Eu entendo isso. E ainda tenho um bom caminho a percorrer nessa seara.

Mas eu diria também que a maneira convencional de fixar prioridades não basta. Quando uma pessoa precisa dividir suas ações entre várias metas de carreira muito diferentes, cria para si um conflito drástico. Precisa de *uma* bússola interior, e não de duas, três, quatro ou cinco.

Por isso, eu acrescentaria um passo ao exercício de Buffett. Pergunte a si mesmo: *Em que medida essas metas atendem a um objetivo comum?* Quanto mais elas fizerem parte da mesma hierarquia de metas — o que é importante porque assim contribuem para o mesmo interesse definitivo —, mais focada será a sua paixão.

Mas será que seguir esse método de priorização fará de alguém um arremessador de beisebol com nome no Hall da Fama ou a pessoa mais rica do

GARRA

Frank Modell, *The New Yorker*, 7 de julho de 1962, The New Yorker Collection/The Cartoon Bank.

mundo? Provavelmente não. Mas terá maior chance de chegar aonde quer, de chegar mais perto de onde *deseja* estar.

Ao ver suas metas organizadas numa hierarquia, você percebe que garra não tem nada a ver com uma busca obstinada — a todo custo e até o infinito — de *todas* as metas de nível inferior na sua lista. Na verdade, é provável que você abandone algumas coisas a que está se dedicando com afinco neste momento. Nem todas darão certo. Sem dúvida, você deve se esforçar pelo que quer, até durante um pouco mais de tempo do que julga necessário. Mas não dê murros em ponta de faca na tentativa de levar a cabo uma coisa que não passa de um meio para um fim mais importante.

Pensei sobre a importância de saber como as metas de nível inferior se encaixam na hierarquia geral quando assisti a uma palestra de Roz Chast, a conhecida cartunista da revista semanal *The New Yorker*. Ela contou que, naquele ponto de sua carreira, o índice de rejeição de seus cartuns era da ordem de 90%. E que no passado era muito mais alto.[20]

Liguei para Bob Mankoff, editor dos cartuns da revista, para lhe perguntar se um índice como esse era normal. Para mim, o número parecia alto demais. Bob me disse que o caso de Roz de fato era uma anomalia. *Ufa!*, pensei. Eu achava horrível imaginar o quanto todos os cartunistas do mundo sofriam ao ter nove entre dez cartuns rejeitados. Mas então Bob me disse que a maioria dos cartunistas enfrentava uma rejeição *ainda maior*. Em sua revista, os "cartunistas contratados", que têm uma chance muito maior de ver seus trabalhos publicados, submetiam ao todo cerca de quinhentos cartuns a cada semana. Numa determinada edição, só há espaço, em média, para cerca de dezessete cartuns. Fiz a conta: isso representa uma rejeição superior a 96%.

— Puxa vida! Que pessoa continuaria insistindo numa atividade com uma taxa de rejeição tão alta?

Bem: o próprio Bob, por exemplo.

A história de Bob ilustra bem como uma perseverança obstinada na busca de uma meta de nível superior requer, talvez de maneira contraditória, certa flexibilidade em metas de níveis mais baixos. É como escrever a meta definitiva a tinta e, depois de viver e refletir o bastante para defini-la, anotar as metas inferiores a lápis para que se possa revisá-las e, às vezes, até apagá-las e substituí-las por objetivos diferentes.

Esse é um desenho que fiz (e nem chega perto dos cartuns da *The New Yorker*) para mostrar o que quero dizer:

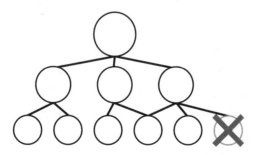

A meta de nível inferior marcada com um X foi bloqueada. É uma carta de rejeição, uma rejeição, um revés, um obstáculo, um fracasso. A pessoa que tenha garra ficará frustrada ou até desolada, mas não por muito tempo.

Não demorará muito para que ela identifique uma nova meta de nível inferior — desenhar outro cartum, por exemplo — que cumpra a mesma finalidade.

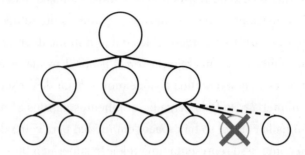

Um dos lemas dos Boinas-Verdes é "improvise, adapte, supere"[21]. É comum os adultos dizerem às crianças: "Se você não conseguir da primeira vez, tente de novo." É um bom conselho, mas melhor ainda seria "tente, tente de novo, depois tente uma coisa diferente". Nos níveis inferiores de uma hierarquia de metas, essa é a atitude ideal.

Eis a história de Bob Mankoff:

Assim como Jeff Gettleman, chefe do escritório do *The New York Times* na África Oriental, Bob demorou a definir uma paixão. Quando criança, ele gostava de desenhar e, em vez de estudar na escola de ensino médio do Bronx, onde morava, foi matriculado na La Guardia High School of Music and Art, que mais tarde seria retratada no filme *Fama*. No entanto, ao ver ali como o mundo profissional era competitivo, ele se intimidou.

— O contato com desenhistas realmente talentosos — lembra-se Bob — fez murchar qualquer talento que eu tivesse. Depois de me formar, passei três anos sem tocar numa pena, num lápis ou num pincel.[22]

Ele preferiu matricular-se na Universidade de Syracuse, onde estudou filosofia e psicologia. Em seu último ano da faculdade, comprou um livro intitulado *Learning to Cartoon*, do lendário Syd Hoff, cumpridor da máxima "o esforço conta em dobro". Em sua carreira, Hoff contribuiu com 571 cartuns para a *The New Yorker*, escreveu e ilustrou mais de sessenta livros infantis, desenhou duas séries de tirinhas para jornais e revistas e produziu milhares de

ATÉ ONDE VAI SUA GARRA?

desenhos e cartuns para outras publicações. O livro de Hoff começa com as seguintes frases de incentivo: "É difícil uma pessoa se tornar cartunista? Não, não é. E foi para provar isso que escrevi este livro. [...]."[23] A obra termina com um capítulo chamado "Como sobreviver a cartas de rejeição" e é recheada por lições de composição, perspectiva, figura humana, expressões faciais etc.

Bob se baseou nos conselhos de Hoff para criar 27 cartuns. Na tentativa de vender um deles, bateu na porta de diversas revistas — mas não na *The New Yorker*, que não atendia a cartunistas ao vivo. É claro que foi sumariamente rejeitado por todos os editores. A maioria lhe pedia que tentasse de novo, com mais cartuns, na semana seguinte. "Mais?", perguntava Bob, espantado. "Como alguém poderia fazer mais de 27 cartuns?"[24]

Antes de ler o último capítulo do livro de Hoff, sobre as cartas de rejeição, Bob foi avisado de que poderia ser convocado para a guerra do Vietnã. Não estava muito a fim de ir; na verdade, tudo o que ele queria era *não* ir. Por isso, adaptou-se rapidamente e matriculou-se na pós-graduação em psicologia experimental. Nos anos seguintes, quando não estava observando ratos correrem por labirintos, tentava desenhar. Pouco antes de terminar o doutorado, Bob se deu conta de que a psicologia experimental não era a sua vocação. "Lembro-me de pensar que a característica definidora da minha personalidade era outra coisa. Eu sou a pessoa mais engraçada que você já viu... É assim que eu me vejo. Eu sou *engraçado*."[25]

Durante algum tempo, Bob cogitou dois caminhos para fazer uma carreira em humor. "Eu pensei: ok, vou fazer *stand-up comedy* ou ser cartunista."[26] Mergulhou nas duas atividades com entusiasmo. "Eu passava o dia todo escrevendo esquetes cômicas e à noite desenhava cartuns." Com o tempo, porém, uma dessas metas intermediárias tornou-se mais atraente que a outra. "A *stand-up comedy* era diferente nessa época. Não existiam ainda os clubes do gênero. Eu teria que me apresentar nos resorts de verão das Montanhas Catskill, em Nova York, mas não queria fazer isso... Eu sabia que meu tipo de humor não daria certo com aquelas pessoas."

Assim, Bob abandonou a *stand-up comedy* e dedicou todas as suas energias aos cartuns. "Depois de dois anos tentando vender meu trabalho, eu tinha car-

GARRA

tas de rejeição da *The New Yorker* suficientes para revestir meu banheiro."[27] Havia pequenas vitórias — cartuns vendidos a outras revistas —, mas àquela altura a meta máxima de Bob tinha se tornado bem mais específica e ambiciosa. Ele não queria apenas ganhar a vida com o humor; queria figurar entre os melhores cartunistas do mundo. "A *The New Yorker* era para o cartum o que o New York Yankees era para o beisebol: o melhor time", explica Bob. "Se você conseguisse participar daquela equipe, então você também era um dos melhores."[28]

As pilhas de cartas de rejeição levaram Bob a concluir que o "tente de novo" não estava dando certo. Ele resolveu fazer uma coisa diferente. "Fui à Biblioteca Pública de Nova York e examinei todos os cartuns que tinham sido publicados na *The New Yorker* desde 1925."[29] No começo, ele pensou que talvez não desenhasse bem o bastante, mas era visível que alguns cartunistas muito bem-sucedidos na *The New Yorker* eram desenhistas de terceira. Bob pensou então que poderia haver algo errado com a extensão de suas legendas — ou muito curtas ou muito longas —, mas essa ideia também não se sustentava. Em geral as legendas eram breves, mas nem sempre, e de qualquer forma as de Bob não pareciam infringir as normas nesse aspecto. Por fim, Bob conjecturou que talvez estivesse errando o alvo com seu *tipo* de humor. Mas, mais uma vez, não era o caso: alguns cartuns eram fantasiosos; outros, satíricos; havia os filosóficos e alguns apenas interessantes.

A única coisa que todos os cartuns tinham em comum era o seguinte: eles faziam o leitor *pensar*.

E havia outra característica comum: cada um dos cartunistas tinha um estilo pessoal que o distinguia dos demais. Não existia um estilo que pudesse ser chamado de "melhor". Pelo contrário, notava-se que o estilo era, de uma maneira muito profunda e idiossincrática, a expressão de cada um dos cartunistas.

Folheando, literalmente, todos os cartuns já publicados pela revista, Bob se deu conta de que podia produzir trabalhos tão bons quanto aqueles. Ou melhores. "Eu consigo fazer isso, pensei. Fui tomado por uma confiança absoluta."[30] Ele sabia que seria capaz de desenhar cartuns que levassem as pessoas a pensar, e sabia também que poderia criar seu próprio estilo. "Experimentei diversos estilos. Por fim cheguei a meu estilo de pontinhos." Hoje conhecido por esse estilo chamado de "pontilhista", Bob experimentou essa técnica ainda no ensino médio, quando conheceu o trabalho do impressionista francês Georges Seurat.

Depois de ter seus trabalhos rejeitados pela *The New Yorker* cerca de duas mil vezes entre 1974 e 1977, Bob enviou à revista o cartum abaixo, que foi aceito.

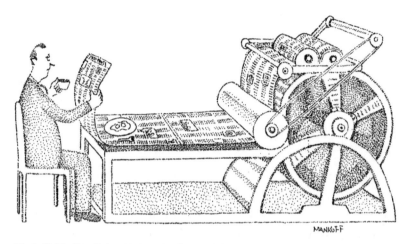

Robert Mankoff, *The New Yorker*, 20 de junho de 1977, The New Yorker Collection/The Cartoon Bank.

No ano seguinte, ele vendeu treze cartuns à *The New Yorker*. Em 1979, vendeu 25 e, no ano seguinte, 27. Em 1981, recebeu uma carta da revista perguntando se ele gostaria de ser um cartunista contratado. Bob aceitou a proposta.

Em seu papel de editor e mentor, Bob aconselha os aspirantes a cartunistas a submeterem seus desenhos em grupos de dez, "porque nessa área, como na vida, nove coisas entre dez nunca dão certo".[31]

Na verdade, desistir de metas de nível inferior não só é algo perdoável como às vezes é absolutamente necessário. Deve-se desistir quando uma meta de nível inferior possa ser trocada por outra mais viável. Também faz sentido alterar seu caminho quando uma meta de nível inferior diferente —

GARRA

um meio diferente para o mesmo fim — for mais eficiente, mais divertida, ou quando, por qualquer razão, fizer mais sentido do que o plano original.

Em qualquer viagem longa, é de se esperar que haja desvios.

Contudo, quanto mais alto for o nível da meta, mais sentido fará ser obstinado. Pessoalmente, procuro não ficar abalada demais quando recebo uma rejeição de um pedido de bolsa ou de um artigo acadêmico; ou quando um experimento não dá certo. O sofrimento causado por esses reveses é real, mas não penso neles durante muito tempo. Prefiro seguir adiante. Por outro lado, não é com a mesma facilidade que abro mão de metas de nível intermediário. E, para ser honesta, não consigo imaginar alguma coisa que seja capaz de alterar minha meta definitiva — minha filosofia de vida, como diria Pete. Minha bússola, depois que encontrei todas as peças e as reuni, continua apontando para a mesma direção, com o passar das semanas, dos meses e dos anos.

Muito antes de realizar as primeiras entrevistas que me puseram na trilha da garra, uma psicóloga de Stanford chamada Catharine Cox já listava as características dos grandes nomes de sucesso.

Em 1926, Cox publicou suas conclusões, baseadas em aspectos biográficos de 301 figuras históricas exponenciais.[32] Esse grupo incluía poetas, líderes políticos e religiosos, cientistas, militares, filósofos, artistas plásticos e músicos. Todos tinham vivido e morrido nos quatro séculos que antecederam a pesquisa, e todos deixaram registros de suas realizações documentados em seis enciclopédias bem conhecidas.

O objetivo inicial de Cox consistia em avaliar o grau de inteligência desses indivíduos, tanto em relação uns aos outros como também em relação ao restante da humanidade. Para produzir tais estimativas, ela esquadrinhou os dados disponíveis em busca de sinais de inteligência precoce. A partir da idade em que essas pessoas realizaram seus grandes feitos e do nível desses feitos, Cox avaliou o QI de cada uma na infância. O resumo publicado desse estudo (se é que se pode chamar de resumo um livro com mais de oitocentas páginas) inclui um histórico de cada uma das 301 figuras estudadas, em ordem crescente de inteligência.

ATÉ ONDE VAI SUA GARRA?

Segundo Cox, a pessoa mais inteligente do grupo era o filósofo John Stuart Mill. Este recebeu um QI de 190 na infância por aprender grego aos três anos, escrever a história de Roma aos seis e ajudar o pai a revisar as provas de um livro sobre a história da Índia aos doze. Entre os menos inteligentes na lista — pessoas cujo QI estimado na infância, entre 100 e 110, superam em quase nada a média da humanidade — estavam o fundador da astronomia moderna, Nicolau Copérnico, o químico e físico Michael Faraday e o poeta e romancista espanhol Miguel de Cervantes. Isaac Newton aparece no meio do grupo, com um QI de 130 — o mínimo de que uma criança precisa para entrar em diversas turmas especiais para alunos superdotados.

Com base nessas estimativas de QI, Cox concluiu que, como grupo, essas figuras históricas bem-sucedidas eram mais inteligentes que a maioria de nós. Quanto a isso, nenhuma surpresa.

Uma observação mais inesperada dizia respeito à pouca importância do QI para separar as figuras mais eminentes das que se destacavam menos. Os gênios mais eminentes, que Cox classificou como os "Dez Primeiros", tinham um QI infantil médio de 146; os menos eminentes, chamados de os "Dez Últimos", pontuavam 143 — uma diferença ínfima. Em outras palavras, a relação entre inteligência e eminência na amostragem de Cox era *extremamente pequena*.

Os Dez Primeiros de Cox (Gênios mais eminentes)[33]

Sir Francis Bacon

Napoleão Bonaparte

Edmund Burke

Johann Wolfgang von Goethe

Martinho Lutero

John Milton

Isaac Newton

William Pitt

Voltaire

George Washington

Os Dez Últimos de Cox (Gênios menos eminentes)

Christian K. J. von Bunsen
Thomas Chalmers
Thomas Chatterton
Richard Cobden
Samuel Taylor Coleridge
Georges J. Danton
Joseph Haydn
Hugues-Félicité-Robert de Lamennais
Giuseppe Mazzini
Joachim Murat

Se a capacidade intelectual não era o fator determinante para que uma pessoa fosse incluída entre os Dez Primeiros ou relegada aos Dez Últimos, qual seria o elemento de distinção? Examinando milhares de páginas de dados biográficos, Cox e seu assistente também avaliaram 67 traços de personalidade para um subconjunto de cem gênios. Cox escolheu uma gama de características — na verdade, ela escolheu todas que os psicólogos modernos consideram importantes — a fim de permitir a exploração mais ampla possível das diferenças que distinguem os eminentes do restante da humanidade e, além disso, os Dez Primeiros dos Dez Últimos.

No caso de a maior parte dos 67 indicadores, Cox só encontrou diferenças banais entre as figuras mais eminentes e a população em geral. Por exemplo, a eminência tinha pouco a ver com extroversão, jovialidade ou senso de humor. E nem todas as pessoas muito bem-sucedidas tiravam notas altas na vida escolar. Em vez disso, o que distinguia em definitivo os eminentes do resto da humanidade era um conjunto de quatro indicadores. Em particular, eles também separavam os Dez Primeiros dos Dez Últimos — os supereminentes dos simplesmente eminentes. Cox reuniu esses indicadores num grupo que denominou "persistência de motivação".

Dois indicadores poderiam ser facilmente reformulados como itens referentes a paixão para a Escala de Garra.

ATÉ ONDE VAI SUA GARRA?

O grau em que ele trabalha tendo em vista objetivos distantes (em contraposição a uma vida pragmática). Preparação ativa para o período posterior da vida. Trabalhar na direção de uma meta definida.

Tendência a não abandonar tarefas por mera volatilidade. Não buscar coisas novas pela novidade. Não "buscar uma mudança".

E os outros dois indicadores poderiam ser facilmente reformulados como itens de perseverança para a Escala de Garra.

Grau de força de vontade ou de perseverança. A determinação serena de se manter no mesmo rumo definido anteriormente.

Tendência a não abandonar tarefas diante de obstáculos. Perseverança, tenacidade, obstinação.

Em seus comentários finais, Cox conclui que "um nível alto de inteligência, mas não o maior de todos, combinado com o mais alto grau de persistência alcançará maior eminência do que o mais alto grau de inteligência com menos persistência".[34]

Qualquer que tenha sido a sua pontuação na Escala de Garra, espero que ela tenha provocado um exame de consciência. O simples fato de definir metas, assim como o grau em que elas estão (ou não estão) alinhadas com uma única paixão de importância máxima, já representa um progresso. Também é um avanço entender melhor até que ponto você hoje é capaz de perseverar frente às cartas de rejeição da vida.

É um começo. Veremos, no próximo capítulo, que a garra pode mudar — e como. E depois, no restante do livro, aprenderemos a acelerar esse crescimento.

➡ *Capítulo 5*

O CRESCIMENTO DA GARRA

"Em que medida a garra está em nossos genes?"

Em quase todas as minhas palestras sobre o assunto, escuto alguma variação dessa pergunta. A importância das características inatas *versus* adquiridas é uma questão fundamental. Por intuição, sabemos que algumas características nossas (por exemplo, nossa estatura) são determinadas pela loteria genética, enquanto outras coisas (por exemplo, o fato de falarmos inglês ou francês) são resultado de nossa criação e de nossas experiências. A expressão "não existe treinamento para um jogador ficar mais alto" é bastante repetida por técnicos de basquete, e muitas pessoas que se interessam pelo que estou chamando de garra querem saber se ela está mais próxima da estatura ou da língua.

Para o questionamento de que se a garra está ou não no nosso DNA existem duas respostas, uma curta e outra longa. A curta é "em parte". A resposta mais longa é mais complicada, mas entendo que ela mereça nossa atenção.[1] A ciência fez muitos progressos no sentido de explicar como os genes, a experiência e a interação entre ambos nos tornam o que somos. Pelo que tenho observado, a complexidade inerente desses fatos científicos infelizmente fez com que eles fossem sempre mal compreendidos.

Para começar, posso dizer com absoluta convicção que todo traço humano é influenciado tanto pelos genes quanto pelo ambiente.

GARRA

Por exemplo, a estatura. De fato, é um traço hereditário: diferenças genéticas são uma razão importante para que algumas pessoas sejam bem altas, outras bem baixas, e as demais pessoas tenham várias estaturas entre esses extremos.

Entretanto, também é verdade que a estatura *média* dos homens e das mulheres aumentou bastante em poucas gerações. Arquivos militares, por exemplo, revelam que o homem britânico médio tinha 1,65 metro de altura há cerca de 150 anos,[2] enquanto hoje essa média é de quase 1,78 metro.[3] O aumento da estatura foi ainda mais notável em outros países. Na Holanda, o homem médio tem hoje 1,85 metro — um aumento de mais de quinze centímetros no decorrer dos últimos 150 anos.[4] Esses ganhos geracionais tão substanciais me vêm à mente sempre que me reúno com meus colegas holandeses. Muito educados, eles se curvam para conversar comigo, mas eu sempre tenho a impressão de estar numa floresta de sequoias.

É improvável que o capital genético tenha mudado de forma tão drástica em poucas gerações. Na verdade, os fatores que mais contribuíram para o aumento da estatura humana foram uma nutrição melhor, ar e água mais puros e a medicina moderna. (Aliás: ainda maior do que o aumento na estatura foi o aumento no peso médio ao longo das gerações, o que também parece ser sobretudo consequência de comermos mais e de nos exercitarmos menos do que de mudanças em nosso DNA.) Mesmo ao longo de uma geração, pode-se notar a influência do meio ambiente na estatura. As crianças que têm acesso a comida saudável em abundância serão adultos mais altos, ao passo que a desnutrição prejudica o crescimento.

Da mesma forma, características como a honestidade e a generosidade,[5] assim como a garra, são influenciadas pela genética — e também pelo ambiente. O mesmo vale para o QI,[6] para a extroversão, para o gosto pela vida ao ar livre,[7] para a preferência por doces,[8] para a probabilidade de se tornar um fumante inveterado,[9] para o risco de desenvolver câncer de pele[10] e, na verdade, para qualquer traço que se puder imaginar. Se a natureza é importante, o ambiente também é.

Os talentos, em todas as suas variedades, também sofrem influência da genética. Algumas pessoas nascem com genes que tornam mais fácil aprender a cantar,[11] enterrar uma bola de basquete na cesta[12] ou resolver uma equação de segundo grau.[13] No entanto, ao contrário do que poderíamos pensar, os talentos *não* são inteiramente genéticos: a rapidez com que desenvolvemos qualquer habilidade também varia, e muito, de acordo com a experiência.

Por exemplo, o sociólogo Dan Chambliss participava de competições de natação no colégio, mas parou de nadar quando ficou claro que ele não se tornaria um dos melhores nadadores do país. "Eu sou baixo, e meus tornozelos não permitem que eu faça flexão plantar", explicou ele. "Não consigo fazer ponta com o pé, só dobrar os dedos. É uma limitação anatômica. Isso significa que, na elite do esporte, eu só poderia praticar nado de peito."[14]

Depois de nossa conversa fiz uma breve pesquisa sobre flexão plantar. Exercícios de alongamento podem melhorar a extensão do movimento, mas o comprimento de certos ossos influencia a flexibilidade dos pés e tornozelos.

Ainda assim, o maior obstáculo para a carreira de Dan não foi anatômico, mas sim seu treinamento. "Olhando para trás hoje, vejo que tive péssimos treinadores em vários momentos cruciais. Um de meus treinadores no ensino médio, com quem trabalhei por quatro anos, não me ensinou nada de nada. Zero. Ele me ensinou a virar no nado de peito, mas explicou errado."[15]

O que aconteceu quando Dan enfim teve contato com um bom treinamento, em parte por conviver com os técnicos das competições nacionais e olímpicas que ele analisava? "Anos depois, voltei às piscinas, entrei em forma de novo e passei a nadar os duzentos metros *medley* no mesmo tempo que eu fazia no colégio."

Mais uma vez, a mesma história. Não só a natureza, e não só a cultura. Ambas.

Como é que os cientistas sabem, com convicção inabalável, que tanto a natureza quanto a cultura exercem um papel na definição de atributos como talento e garra? Ao longo das últimas décadas, pesquisadores têm estudado gêmeos idênticos e fraternos, criados pela mesma família ou por famílias diferentes. Os gêmeos idênticos dispõem do mesmo DNA, enquanto os fraternos, em média, partilham somente a metade. Esse fato e também um monte de estatísticas complicadas

GARRA

(bem, nem *tão* complicadas assim — na verdade, elas são até simples, quando um bom professor as explica) permitem aos pesquisadores inferir, com base na semelhança apresentada pelos gêmeos quando adultos, a hereditariedade de um traço.

Um tempo atrás, alguns pesquisadores de Londres[16] me informaram que haviam ministrado o teste da Escala de Garra para mais de dois mil pares de gêmeos adolescentes no Reino Unido. Esse estudo estimou em 37% a hereditariedade da subescala de perseverança e em 20% a subescala da paixão. Tais números coincidem com estimativas de hereditariedade referentes a outros traços de personalidade. Em termos muito simples, isso significa que a variação no grau de garra entre uma pessoa e outra pode em parte ser atribuída a fatores genéticos; o restante é adquirido pela experiência.

Vale enfatizar que não é apenas *um* gene que explica a hereditariedade da garra. Pelo contrário, dezenas de pesquisas demonstraram que quase todos os traços humanos são poligênicos[17] — ou seja, são influenciados por mais de um gene. Na verdade, muito mais. A estatura, por exemplo, é influenciada, segundo a contagem mais recente, por pelo menos 697 genes diferentes.[18] E alguns genes que afetam a estatura também afetam outros traços. No total, o genoma humano contém nada menos que 25 mil genes diferentes,[19] que tendem a interagir uns com os outros e com influências ambientais de formas complexas e ainda mal compreendidas.

Em suma, o que aprendemos? Primeiro: a garra, o talento e todos os demais traços psicológicos relevantes para sermos bem-sucedidos na vida são influenciados pelos genes e também pelo ambiente. Segundo: não existe um gene único que comande a garra ou qualquer outro traço psicológico.

Eu gostaria de destacar um terceiro ponto, também importante: as estimativas de hereditariedade explicam o motivo pelo qual as pessoas diferem da média, mas nada informam a respeito da própria média.

A hereditariedade da estatura esclarece em parte a variação — por que, numa dada população, algumas pessoas são mais altas e outras, mais baixas —, mas nada esclarece sobre a mudança da estatura média ao longo do tempo. Isso é importante porque revela que o ambiente em que crescemos realmente importa, e muito.

Vejamos outro exemplo marcante e mais relevante para a ciência do sucesso: o efeito Flynn, assim chamado em homenagem a Jim Flynn, cientista social neozelandês que o descobriu. O efeito Flynn diz respeito aos impressionantes aumentos em pontuações de QI no decorrer do século XX. Que aumentos foram esses? No caso dos testes de QI mais utilizados hoje em dia — a Escala de Inteligência Wechsler para Crianças e a Escala de Inteligência Wechsler para Adultos[20] —, os ganhos foram, em média, superiores a quinze pontos nos últimos cinquenta anos[21] em mais de trinta países. Em outros termos, se fossem classificadas hoje utilizando os parâmetros modernos, pessoas de um século atrás teriam um QI médio de setenta — a fronteira do retardo mental. Mas, se classificássemos pessoas de hoje utilizando as normas de um século atrás, teríamos um QI médio de 130 — a pontuação de corte mais comum para programas de estudo destinados a estudantes superdotados.

Quando conheci o efeito Flynn, não acreditei. Como tínhamos ficado mais inteligentes tão depressa?

Liguei para Jim a fim de compartilhar minha incredulidade — e meu desejo de saber mais. *Globe-trotter* como ele é, Jim pegou um avião para Filadélfia a fim de bater um papo comigo e dar uma palestra sobre seu trabalho. Em nossa primeira conversa, lembro-me de ter pensado que Jim parecia a caricatura de um cientista: alto, meio ossudo, com óculos de aro de metal e uma cabeleira grisalha um tanto desgrenhada.

Flynn começou sua palestra expondo as bases da transformação do QI. Analisando as pontuações brutas de testes de inteligência feitos ao longo dos anos, ele percebeu que as melhoras em alguns testes eram muito maiores do que em outros. Riscou no quadro-negro uma linha quase vertical indicando que os aumentos eram mais acentuados nos testes de QI que avaliam o raciocínio abstrato. Por exemplo, hoje em dia muitas crianças pequenas sabem o que responder à pergunta "em que aspectos cachorros e coelhos se parecem?". Elas talvez respondam que tanto cachorros quanto coelhos são seres vivos ou que todos eles são animais. No manual de pontuação, essas respostas valem apenas meio ponto.

GARRA

Algumas crianças podem chegar a responder que cachorros e coelhos são mamíferos, o que lhes rende um ponto inteiro. Já as crianças pequenas de um século atrás talvez respondessem, intrigadas: "Cachorros correm atrás de coelhos." Zero.

Como espécie, estamos ficando cada vez melhores em raciocínio abstrato.

Para explicar os ganhos acentuados em apenas alguns subtestes de QI, Flynn falou de basquete e televisão. Em todas as categorias, o basquete tornou-se mais competitivo no decorrer do século passado. Flynn jogou basquete quando era estudante e lembra-se de mudanças no jogo no espaço de apenas alguns anos. O que foi que aconteceu?

Para ele, o que aconteceu foi a televisão. O basquete era um ótimo jogo para se assistir na telinha, e a visibilidade alimentou a popularidade do esporte. Quando os televisores se tornaram presentes em todas as casas, mais crianças passaram a jogar basquete, treinando bandejas com a mão esquerda, dribles *crossover*, elegantes arremessos de gancho e outras jogadas que as grandes estrelas do esporte costumavam fazer. Ao se aprimorarem cada vez mais, as crianças sem querer enriqueciam o ambiente de aprendizado para os outros com quem estavam jogando. Afinal, se há uma coisa que faz um bom jogador de basquete é disputar com quem é um pouco mais habilidoso.

A esse ciclo virtuoso de aperfeiçoamento técnico, Flynn chamou de efeito multiplicador social,[22] usando a mesma lógica para explicar mudanças no raciocínio abstrato ao longo das gerações. Cada vez mais, no século passado, nossos empregos e nossa vida diária nos exigiram que pensássemos de forma analítica e lógica. Passamos a permanecer mais tempo na escola, onde fomos induzidos, cada vez mais, a raciocinar, em vez de confiar na decoreba.

Até mesmo pequenas diferenças ambientais, ou genéticas, podem desencadear um ciclo virtuoso. Qualquer que seja a causa, os efeitos são multiplicados socialmente por meio da cultura, pois cada um de nós enriquece o ambiente em que vivemos.

O gráfico abaixo mostra como as pontuações da Escala de Garra variam com a idade.[23] Os dados foram extraídos de uma ampla amostragem de adultos americanos, e pode-se ver pelo eixo horizontal que os adultos com mais garra na minha amostra tinham sessenta e tantos anos ou mais; os que tinham menos garra estavam na casa dos vinte.

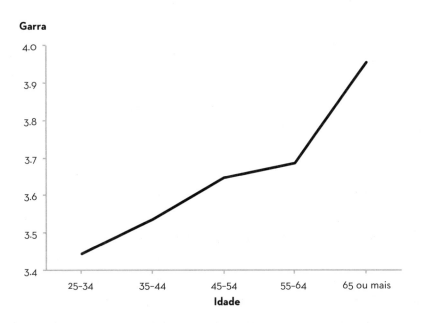

Uma explicação para esses dados é a existência de uma espécie de "efeito Flynn inverso" para a garra. Por exemplo, é possível que adultos na casa dos setenta anos tenham mais garra porque cresceram numa cultura muito diferente, na qual talvez os valores e as normas valorizassem mais a paixão e a perseverança do que a cultura mais contemporânea. Em outras palavras, é possível que a chamada "Geração Grandiosa" (os nascidos entre 1900 e 1924 nos Estados Unidos que viveram a Grande Depressão e lutaram na Segunda Guerra Mundial) tenha mais garra do que a Geração Y porque as forças culturais de hoje não são as mesmas do passado.

Essa explicação para a correlação entre garra e idade me foi sugerida por um colega mais velho que, ao examinar o mesmo gráfico, balançou a cabeça e exclamou: "Eu sabia! Leciono o mesmo curso, na mesma universidade, há décadas. E lhe digo uma coisa: os alunos de hoje não estudam tanto quanto os

GARRA

de antigamente!" Meu pai, que dedicou à DuPont toda a sua vida profissional como químico e se aposentou com todas as honras, poderia dizer o mesmo sobre o jovem empreendedor da Escola de Administração Wharton que me procurou depois da minha palestra. Embora virasse noites trabalhando em seu projeto atual, o jovem mais ou menos esperava fazer algo inteiramente diferente dali a alguns anos.

Por outro lado, é possível que essas tendências etárias não tenham nada a ver com mudanças geracionais no grau de garra. Na verdade, o que os dados podem revelar que as pessoas *amadurecem* com o tempo. Minha própria experiência e as histórias de modelos de garra como Jeff Gettleman e Bob Mankoff levam a crer que, na verdade, a garra cresce à medida que definimos nossa filosofia de vida, aprendemos a dar a volta por cima depois de rejeições e decepções e descobrimos a diferença entre metas de baixo nível que devem ser abandonadas e metas de nível superior que exigem mais tenacidade. A história do amadurecimento é que, ao ficaremos mais velhos, *desenvolvemos* a capacidade de paixão e perseverança a longo prazo.

Para avaliar essas explicações discrepantes, precisamos de um tipo diferente de estudo. Para gerar os dados anteriores, consultei pessoas de diferentes idades a respeito de seu atual nível de garra. O que obtive foi uma fotografia da garra em adultos mais jovens e mais velhos. Idealmente, eu gostaria de acompanhar essas pessoas durante o resto da vida delas, tal como o psicólogo George Vaillant acompanhou os estudantes de Harvard. Como a Escala de Garra não existe há muito tempo, não tenho como mostrar um vídeo em *time-lapse* da garra no decorrer de uma vida. Esse vídeo é o meu objetivo; o que tenho é apenas uma fotografia.

Por sorte, vários outros aspectos da personalidade foram examinados longitudinalmente. As tendências são claras em dezenas de pesquisas que acompanharam pessoas ao longo de anos e décadas. Com experiência de vida, a maioria das pessoas se tornam mais escrupulosas, confiantes, atenciosas e calmas.[24] Grande parte dessa mudança ocorre entre os vinte e os quarenta anos,

O CRESCIMENTO DA GARRA

mas, na verdade, não há qualquer época da vida humana em que a personalidade pare de mudar. Coletivamente, esses dados demonstram aquilo que os psicólogos da personalidade hoje chamam de "princípio da maturidade".[25]

Nós crescemos. Ou, pelo menos, a maior parte das pessoas.

Em certa medida, tais mudanças são pré-programadas e biológicas. A puberdade e a menopausa, por exemplo, são épocas que modificam nossa personalidade. De modo geral, porém, a mudança de personalidade ocorre mais em função da experiência de vida.

Mas como de fato acontece essa mudança?

Um dos motivos é que aprendemos coisas que não sabíamos antes. Por exemplo, podemos aprender por meio de tentativa e erro que trocar de carreira o tempo todo é frustrante. Sem dúvida foi isso que aconteceu comigo nos meus vinte e poucos anos. Depois de coordenar uma ONG, fazer pesquisas em neurociência, trabalhar numa empresa de consultoria e dar aulas, percebi que ser uma "jovem promissora" é divertido, mas ser uma profissional respeitada é infinitamente mais gratificante. Aprendi também que anos de trabalho árduo são muitas vezes confundidos com talento inato, e que, para se chegar a um nível de excelência, a paixão é tão necessária quanto a perseverança.

E, como o romancista John Irving, aprendemos também que "para fazer algo realmente bem-feito precisamos nos superar" e entender que, "ao refazer as coisas o tempo todo, aquilo que nunca foi natural torna-se quase uma segunda natureza". E, por fim, aprendemos que a capacidade de trabalhar com tanta diligência "não surge da noite para o dia".[26]

Além de entender melhor a condição humana, o que mais muda com a idade?

Para mim, o que muda são as nossas circunstâncias. À medida que envelhecemos, somos lançados em novas situações. Arranjamos nosso primeiro emprego. Às vezes nos casamos. Nossos pais envelhecem, e passamos a cuidar deles. Com frequência, essas novas situações nos obrigam a agir de uma maneira diferente daquela a que estávamos habituados. E como não existe no planeta espécie mais adaptável do que a nossa, mudamos. Mostramo-nos à altura daquilo que a situação exige.

GARRA

Ou seja: mudamos quando *temos* que mudar. A necessidade é a mãe da adaptação.

Dou um exemplo trivial. Por alguma razão, minha filha mais nova, Lucy, chegou aos três anos sem aprender a usar o peniquinho. Meu marido e eu tínhamos feito o possível na tentativa de suborná-la, adulá-la e enganá-la para abandonar as fraldas. Tínhamos lido todos os livros sobre o assunto e havíamos tentado tudo o que eles recomendavam — com a dedicação possível para pais que trabalham fora e que têm outras coisas urgentes a fazer. Nada dava certo. A vontade de Lucy era mais forte do que a nossa.

Pouco depois de completar três anos, Lucy mudou de sala na pré-escola. Deixou a sala das crianças pequenas, onde quase todas ainda usavam fraldas, e passou para a sala das "crianças grandes", onde nem havia um fraldário. No primeiro dia em que a deixei na sala nova, ela arregalou os olhos, vasculhando aquele novo ambiente — um pouco assustada, acho, e muito provavelmente querendo voltar para a sala antiga, onde ela havia crescido e se sentia segura.

Nunca vou esquecer o momento em que busquei Lucy na escolinha naquela tarde. Ela sorriu para mim, com orgulho, e anunciou que tinha usado o peniquinho. Então me disse explicitamente que não usaria mais fraldas. E assim aconteceu. Ela aprendeu a usar o vaso infantil de um momento para outro. Como? Porque quando uma criança entra na fila para usar o vaso e vê que deve esperar a sua vez, é exatamente isso o que ela faz. Aprende a fazer o que precisa.

Bernie Noe, diretor da Lakeside School, em Seattle, me contou há algum tempo uma história sobre sua filha que ilustra perfeitamente o princípio da maturidade. A família de Noe mora no campus da escola e, na adolescência, sua filha se atrasava para as aulas quase todos os dias. Num verão, a garota arranjou um emprego numa loja da rede American Eagle. No primeiro dia de trabalho, o gerente da loja avisou: "Ah, se você se atrasar uma única vez será despedida."[27] Ela ficou atônita. Não haveria uma segunda chance? Durante toda a vida, ela só conhecera paciência, compreensão e segundas oportunidades.

E aí, o que aconteceu?

"Foi incrível", lembrou-se Noe. "Foi, literalmente, a mudança de comportamento mais imediata que já vi na minha filha." De repente, a garota começou a usar dois despertadores para garantir que chegaria na hora, ou até antes, a um emprego onde atrasos não eram tolerados. Na qualidade de diretor de uma escola, com a tarefa de conduzir jovens rumo à maturidade, Noe acredita que seu poder para isso é meio limitado. "Se você gerencia uma empresa, não se importa que um adolescente pense que é especial. A única coisa que lhe interessa é que ele dê conta do recado. 'Se você não der conta do recado, não precisamos do seu trabalho.'"

Os sermões não têm metade do efeito de consequências.

Em minha opinião, o princípio da maturidade pode ser resumido da seguinte forma. Com o tempo, aprendemos lições de vida que não esquecemos e nos adaptamos em resposta às exigências crescentes das circunstâncias. Por fim, novas maneiras de pensar e de agir se tornam hábito. Chega um dia em que nem nos lembramos mais do quanto fomos imaturos no passado. Nós nos adaptamos, essas adaptações tornaram-se permanentes e, por fim, nossa identidade — o tipo de pessoa que sabemos ser — evoluiu. Nós amadurecemos.

Considerados em conjunto, os dados que compilei sobre garra e idade são compatíveis com duas narrativas diferentes. Para a primeira, o nosso grau de garra muda em função da cultura em que somos criados. Para a segunda, nós nos tornamos mais determinados à medida que envelhecemos. Talvez ambas sejam verdadeiras — e acho que de fato *são* —, pelo menos até certo ponto. Seja como for, essa fotografia mostra que a garra não é totalmente fixa. Como todos os aspectos de nossa psique, a garra é um traço mais plástico do que se poderia imaginar.

Se a garra pode crescer, como isso acontece?

Quase todos os dias recebo e-mails e cartas de pessoas que gostariam de ter mais garra. Lamentam que nunca tenham se dedicado a alguma atividade a ponto de se tornarem exímias nela. Consideram que desperdiçaram seu talento. Anseiam desesperadamente por uma meta de longo prazo, uma meta pela qual lutarão com paixão e perseverança.

Mas ninguém sabe por onde começar.

GARRA

Um bom ponto de partida é prestar atenção em como você é agora. Se você não tem tanta garra quanto deseja, pergunte a si mesmo o *porquê* disso.

A resposta mais óbvia que já ouvi das pessoas é mais ou menos a seguinte: "Acho que sou preguiçoso mesmo."

Outra: "Sou um irresponsável."

Ou: "Sou incapaz de me ater às coisas."

Todas essas respostas, creio, estão erradas.

Na verdade, quando as pessoas abandonam alguma coisa, há uma razão para isso. Quer dizer, há *várias* razões. Qualquer uma das quatro ideias abaixo podem passar por sua cabeça logo antes de você abandonar o que está fazendo:

— Estou entediado.

— O esforço não vale a pena.

— Não é importante para mim.

— Como não posso fazer isto, é melhor desistir.

Não há nada errado com essas ideias, seja do ponto de vista moral ou qualquer outro. Como tentei mostrar neste capítulo, pessoas modelos de garra também abandonam metas. Contudo, quanto mais alto for o nível da meta em questão, mais se obstinam em concretizá-las. O mais importante é que esses modelos de garra não mudam de bússola: quando se trata da meta suprema, de máxima importância, que norteia quase tudo o que elas fazem, as pessoas com muita garra tendem a *não* pronunciar as frases acima.

Aprendi muita coisa sobre o crescimento da garra entrevistando homens e mulheres que exemplificam as virtudes da paixão e da perseverança. Incluí trechos dessas conversas neste livro para você também ter acesso à mente e ao coração de um modelo de garra e ver se há alguma opinião, atitude ou hábito que mereça ser adotado na sua vida.

Essas histórias de garra são uma fonte de dados e complementam os estudos quantitativos mais sistemáticos que realizei em instituições como West

O CRESCIMENTO DA GARRA

Point e na Competição Nacional de Soletração. Em seu conjunto, a pesquisa revela os quatro recursos psicológicos que os modelos maduros de garra têm em comum. Eles neutralizam cada um dos estraga-prazeres listados acima e tendem a se desenvolver, ao longo dos anos, numa determinada ordem.

Em primeiro lugar, surge o *interesse*. A paixão começa quando a pessoa gosta intrinsecamente do que faz. Todas as pessoas determinadas que analisei são capazes de apontar aspectos de sua atividade que apreciam menos do que outros, e a maioria precisa tolerar ao menos uma ou duas tarefas que de fato não lhes agradam. No entanto, se encantam pela atividade como um todo e a consideram importante. Com uma fascinação constante e uma curiosidade infantil, essas pessoas praticamente gritam: "Eu adoro o que faço!"

Em seguida, vem a capacidade de *praticar*. Uma forma de perseverança é a disciplina diária de tentarmos fazer uma coisa hoje melhor do que fizemos ontem. Por isso, depois de ter descoberto e se interessado por uma determinada área, você deve se dedicar à prática concentrada e devotada que leva à maestria. Você deve focar nas suas deficiências e corrigi-las sem parar, durante horas por dia, durante semanas, meses e anos. Ter garra é nunca se dar por satisfeito. "Não importa o que for preciso, tenho que melhorar!" Este é o lema de todos os modelos de garra, qualquer que seja sua atividade e mesmo que já sejam mestres no que fazem.

O terceiro recurso é o *propósito*. O que faz a paixão amadurecer é a convicção de que seu trabalho é importante. Para a maior parte das pessoas, é quase impossível manter por toda vida o interesse por uma coisa sem propósito. Por isso, é imperativo que você veja sua atividade como interessante para você e, ao mesmo tempo, ligada ao bem-estar dos outros. Para algumas pessoas, um senso de propósito surge cedo; para muitos, entretanto, o propósito de servir aos demais se fortalece *depois* do surgimento do interesse e de anos de prática disciplinada. De qualquer maneira, modelos de garra plenamente amadurecidos costumam me dizer: "Meu trabalho é importante tanto para mim quanto para os outros."

Por fim, temos a *esperança*. A esperança é uma espécie de perseverança que enfrenta as adversidades. Neste livro, eu falo desse recurso depois do interesse, da prática e do propósito, mas a esperança *não* é o estágio final da

GARRA

determinação. Ela está em *todos* os estágios. Desde o primeiro até o último momento, é de vital importância aprender a ir em frente mesmo em face de dificuldades, mesmo quando temos dúvidas. Em vários momentos, de forma drástica ou suave, nós fracassamos. Se nos prostrarmos, a garra perde; se nos erguermos, ela triunfa.

Mesmo sem a intervenção de uma psicóloga como eu, é possível que você já tenha entendido sozinho o que é garra. Talvez já tenha um interesse profundo e constante, uma disposição de enfrentar desafios, um senso de propósito amadurecido e uma confiança enérgica em sua capacidade de persistir. Se isso for verdade, você está próximo da pontuação máxima na Escala de Garra. Aplausos para você!

Por outro lado, se você não tiver tanta garra quando gostaria de ter, talvez goste dos próximos capítulos. Você pode aprender sozinho a psicologia da garra, tal como pode aprender cálculo ou teoria musical, mas um pouco de orientação pode ser uma ajuda inestimável.

Os quatro recursos psicológicos — o interesse, a prática, o propósito e a esperança — não são ativos que ou você *tem ou não tem*. Você pode aprender a descobrir, desenvolver e aprofundar seus interesses. Você pode adquirir o hábito da disciplina. Você pode cultivar um senso de propósito e significado. E você pode alentar a esperança.

Você pode fazer sua garra crescer de dentro para fora. Se quiser saber como, continue a leitura.

Parte II

CULTIVAR A GARRA DE DENTRO PARA FORA

➡️ *Capítulo 6*

INTERESSE

"Corra atrás de seus sonhos"[1] é uma das frases mais ouvidas nas cerimônias de formatura. Já a escutei dezenas de vezes, tanto como estudante quanto como professora. Aposto que pelo menos a metade de todos os oradores, talvez mais, enfatizam a importância de se gostar daquilo que se faz.

Will Shortz, por exemplo, que durante muito tempo foi editor das palavras cruzadas do *The New York Times*, disse aos alunos da Universidade de Indiana: "Meu conselho para vocês é: pensem naquilo que mais gostam de fazer na vida e tentem fazer isso o tempo todo. A vida é breve. Corram atrás dos seus sonhos."

Jeff Bezos contou aos formandos de Princeton como abandonou um emprego bem remunerado e de muito prestígio no mercado financeiro em Manhattan para fundar a Amazon: "Depois de muito pensar, escolhi o caminho menos seguro para ir atrás do meu sonho."[2] E disse ainda: "O que quer que você deseje fazer, vai descobrir na vida que, se não for apaixonado pelo seu trabalho, não vai conseguir persistir."[3]

E não é apenas nos dias quentes de verão, paramentados de beca e capelo, que recebemos esse conselho. Ouvi a mesma coisa — mil vezes, quase literalmente — dos modelos de garra que entrevistei.

Um desses modelos foi Hester Lacey.

Hester é uma jornalista britânica que entrevista pessoas bem-sucedidas do calibre de Shortz e Bezos — um por semana — desde 2011 para sua coluna semanal no *Financial Times*. Sejam estilistas (Nicole Farhi), escritores (Salman Rushdie), músicos (Lang Lang), comediantes (Michael Palin), *chocolatiers* (Chantal Coady) ou bartenders (Colin Field), Hester faz as mesmas perguntas a todos,[4] como: "O que motiva você?" e "Se você perdesse tudo amanhã, o que faria?"

Perguntei a Hester o que ela concluíra depois de conversar com mais de duzentas pessoas "incrivelmente bem-sucedidas" — como a própria jornalista se referiu a seus entrevistados em nossa conversa.

"Uma coisa que sempre surge na conversa é 'adoro o que faço'.[5] Cada pessoa trata isso de uma maneira. Muitas vezes, me dizem apenas 'adoro o que faço'. Mas também falam coisas como 'tenho muita sorte, acordo todas as manhãs ansioso pelo trabalho, não vejo a hora de chegar ao escritório, não vejo a hora de pôr em prática o próximo projeto'. Essas pessoas fazem as coisas não por obrigação ou para ter lucro [...]"

Corra atrás de seus sonhos não foi a mensagem que ouvi ao longo da minha infância e juventude.

Na verdade, o que me diziam era que a realidade prática da sobrevivência "no mundo real" era muito mais importante do que uma jovem "superprotegida" como eu podia imaginar. Fui avisada que acalentar sonhos idealistas como "descobrir uma coisa que eu ame" podia ser o caminho certo para a pobreza e a desilusão. Preveniram-me de que certos trabalhos, como o de médico, eram ao mesmo tempo bem remunerados e prestigiados, e que essas coisas em longo prazo importariam mais do que eu supunha naquele momento.

Como você deve ter imaginado, a pessoa que me deu esse conselho foi meu pai.

— Então como você se tornou químico? — perguntei a ele certa vez.

— Porque meu pai recomendou — respondeu ele, sem um pingo de ressentimento.— Quando eu era criança, minha matéria preferida era história.

— Ele então explicou que gostava de matemática e ciências também, mas que na verdade não teve escolha quando chegou o momento de ir para a faculda-

INTERESSE

dc. A família tinha uma empresa de tecidos, e meu avô mandara cada um dos filhos estudar uma técnica importante para as várias etapas da produção têxtil.

— Nossa atividade precisa de um químico, não de um historiador.

A revolução comunista na China deu um fim prematuro aos negócios da família. Não muito tempo depois de se radicar nos Estados Unidos, meu pai foi trabalhar na empresa de química DuPont. Trinta e cinco anos depois, ele se aposentou na condição de principal cientista da empresa.

Considerando o quanto meu pai era absorvido pelo trabalho — muitas vezes se perdia em devaneios sobre algum problema científico ou de gestão — e o sucesso que ele alcançou ao longo de sua carreira, parece aceitável considerar a possibilidade de que é melhor escolher o pragmatismo em vez da paixão.

O *quão* ridículo é aconselhar os jovens a fazer aquilo que amam? Na última década os cientistas que estudam interesses chegaram a uma resposta definitiva.

Em primeiro lugar, estudos mostram que as pessoas ficam muito mais satisfeitas com o trabalho quando fazem algo que coincida com seus interesses pessoais.[6] Essa é a conclusão de uma meta-análise que reuniu dados de quase cem pesquisas diferentes para analisar trabalhadores adultos de praticamente todas as profissões possíveis. Por exemplo, pessoas que gostam de pensar sobre ideias abstratas *não* ficam felizes administrando as minúcias de projetos complexos de logística; eles prefeririam resolver problemas matemáticos. E aqueles que gostam de interagir com outras pessoas não são felizes trabalhando sozinhos no computador o dia inteiro; seria muito melhor que trabalhassem em vendas ou fossem professores. E mais, pessoas cujos trabalhos coincidem com seus interesses pessoais em geral são mais contentes com a vida como um todo.[7]

Em segundo lugar, as pessoas apresentam um *melhor desempenho*[8] no trabalho quando fazem o que lhes interessa. Essa é a conclusão de outra meta-análise de sessenta pesquisas feitas ao longo dos últimos sessenta anos. Funcionários cujos interesses pessoais coincidem com suas ocupações se saem melhor no trabalho, ajudam mais os colegas e permanecem mais tempo no emprego. Universitários cujos interesses pessoais coincidem com sua especialidade tiram notas mais altas e abandonam menos os estudos.

GARRA

É claro que você não vai conseguir um emprego no qual faça *qualquer coisa* de que gosta. Não seria fácil ganhar a vida jogando Minecraft, mesmo que você seja ótimo nisso. E há muita gente no mundo que não pode ter o luxo de escolher entre uma grande variedade de opções profissionais. Queira-se ou não, existem limites reais[9] às escolhas que podemos fazer para ganhar a vida.

No entanto, como previu William James um século atrás, essas novas descobertas científicas confirmam a sabedoria dos discursos motivacionais: o "voto de Minerva" para nosso sucesso em qualquer empreendimento é "desejo e paixão, a força de [nosso] interesse [...]".[10]

Numa pesquisa da Gallup realizada em 2014 nos Estados Unidos, mais de dois terços dos adultos disseram que não se empenhavam no trabalho. Desses, boa parte estava "ativamente não empenhada".

O quadro é ainda mais sombrio em outros lugares do mundo. Numa pesquisa em 141 países, a Gallup descobriu que todos eles, exceto o Canadá, apresentavam uma proporção ainda maior de "não empenhados" e "ativamente não empenhados" do que os Estados Unidos. No mundo inteiro, só 13% dos adultos se diziam "empenhados" em seu trabalho.[11]

Assim, pode-se concluir que pouca gente gosta do que faz para ganhar a vida.

É difícil conciliar as instruções diretas oferecidas em palestras motivacionais com a proporção epidêmica da indiferença em relação ao trabalho. Quando se trata de alinhar nossas ocupações com nossos gostos pessoais, por que tantas pessoas erram o alvo? E será que o sucesso do meu pai é de fato um exemplo contrário ao argumento da paixão? E como interpretar o fato de que o trabalho do meu pai se tornou mesmos uma paixão? Deveríamos parar de dizer *corra atrás de seus sonhos* para dizer *siga nossas ordens*?

Acho que não.

Na verdade, vejo Will Shortz e Jeff Bezos como tremendas inspirações para aquilo que o trabalho pode representar em nossas vidas. Embora seja ingênuo pensar que somos capazes de adorar cada minuto de nossa profissão, acredito nos milhares de dados dessas meta-análises que confirmam a suposição in-

INTERESSE

tuitiva de que o interesse pessoal importa. Ninguém se interessa por tudo, e todos se interessam por alguma coisa. Por isso, unir seu trabalho àquilo que mais atrai sua atenção é uma boa ideia. Pode não garantir felicidade e sucesso, mas com certeza é um passo nesse sentido.

Dito isso, não acredito que os jovens em geral precisem de incentivo para correr atrás de seus sonhos. A maior parte deles faria exatamente isso — num piscar de olhos — *se* tivessem uma paixão dominante. Se algum dia eu for convidada a fazer um discurso de formatura, vou começar com o seguinte conselho: *cultive uma paixão*. E vou passar o resto do tempo tentando mudar mentes jovens a respeito de como isso de fato acontece.

Quando comecei a entrevistar modelos de garra, pensava que todos eles teriam histórias sobre o momento em que, de repente, descobriram a paixão que lhes fora dada por Deus. Na minha cabeça, era um acontecimento cinematográfico, com iluminação dramática e trilha sonora orquestral condizentes com seu monumental potencial para mudar uma vida.

Na cena inicial do filme *Julie & Julia*, uma Julia Child mais jovem do que aquela que aparecia na televisão está jantando num elegante restaurante francês com o marido, Paul. Julia prova uma garfada de seu linguado à *belle meunière* — magnificamente grelhado e perfeitamente desossado na hora pelo garçom, já regado com um molho de manteiga da Normandia, limão e salsinha. Ela surta. Nunca tinha provado uma coisa assim antes. Sempre gostara de comer, mas não sabia que a comida podia ser *tão* boa.[12]

—A experiência toda foi para mim uma revelação da alma e do espírito — disse Julia muitos anos depois. — Fiquei viciada, e para toda a vida, como se pode ver.[13]

Eram esses momentos cinematográficos que eu esperava de meus modelos de garra. E deve ser assim que os jovens formandos — suando debaixo da beca, com uma ponta da cadeira dobrável machucando suas pernas — imaginam como é a descoberta da paixão de sua vida. Num momento, você não faz ideia do que fazer da vida. No instante seguinte, tudo fica claro: você sabe exatamente o que vai ser.

GARRA

Mas, na verdade, a maioria dos modelos de garra que entrevistei disse ter levado anos explorando interesses diversos, e aquele que acabou ocupando todos os seus pensamentos, na vigília e às vezes durante o sono, não foi reconhecido como o destino de sua vida à primeira vista.

O nadador medalhista olímpico Rowdy Gaines, por exemplo, contou-me: "Quando eu era garoto, adorava esportes. No ensino médio, joguei futebol americano, beisebol, basquete, golfe e tênis, nessa ordem, antes de me dedicar à natação. Eu continuava tentando. Imaginava que passaria de um esporte a outro até encontrar algum pelo qual eu realmente me apaixonasse."[14] A natação veio para ficar na vida de Rowdy, mas não foi exatamente amor à primeira vista. "No mesmo dia em que fiz o teste para a equipe de natação, fui à biblioteca da escola ler sobre atletismo, porque tinha o pressentimento de que acabaria não entrando. Pensava em tentar o atletismo depois."

Na adolescência, o premiado chef Marc Vetri, ganhador do Prêmio James Beard, tinha tanto interesse pela música quanto pela cozinha. Depois da universidade, ele se mudou para Los Angeles. "Cursei uma escola de música durante um ano e à noite trabalhava em restaurantes para ganhar algum dinheiro. Mais tarde, quando comecei uma banda, passei a trabalhar em restaurantes de manhã para poder fazer música à noite. A coisa foi mais ou menos assim: 'Bem, ganho dinheiro nos restaurantes e estou começando a gostar disso, e não ganho coisa alguma com música.' Foi então que tive a oportunidade de ir à Itália, onde as coisas aconteceram." Para mim é difícil imaginar meu chef favorito tocando guitarra e não preparando massas, mas, quando perguntei a ele sobre o caminho não escolhido, Marc respondeu: "Bem, música e cozinha são atividades criativas. Estou contente por ter tomado este caminho, mas acho que também poderia ter sido músico."[15]

No caso de Julia Child, aquele etéreo pedaço de linguado à *belle meunière* foi sem dúvida uma revelação. Mas essa epifania lhe mostrou, na verdade, que a culinária clássica francesa era divina, e não que *ela* se tornaria uma chef, autora de livros de culinária e por fim a mulher que ensinaria aos Estados Unidos como fazer um *coq au vin* em sua própria cozinha. De fato, a autobiografia de Julia revela que aquela refeição memorável foi seguida de uma *sucessão* de experiências que lhe estimularam o interesse. Por exemplo, incontáveis refeições deliciosas nos bistrôs parisienses; conversas e amizade com simpáticos peixeiros, açougueiros e feirantes; o encontro de duas enciclopédias da culinária francesa — a primeira emprestada por seu professor de francês e a outra recebida como presente do marido, Paul, que sempre a apoiou; horas de aulas de culinária no Le Cordon Bleu sob a direção do entusiasta e exigente chef Bugnard; e o contato com duas parisienses que tiveram a ideia de escrever um livro de culinária para americanos.[16]

O que teria acontecido se Julia — que um dia tivera o sonho de se tornar romancista e que na infância, como ela mesma disse, tinha "zero interesse pelo fogão"[17]— tivesse voltado para a Califórnia depois da fatal garfada do peixe perfeito? Não podemos ter certeza, mas é claro que no namoro de Julia com a comida francesa aquele primeiro pedaço de linguado foi apenas o primeiro beijo. "Na verdade, quanto mais cozinho, mais gosto de cozinhar", diria ela mais tarde para sua cunhada. "Pensar que levei quarenta anos para descobrir minha verdadeira paixão (fora o gato e o marido)."[18]

Então, embora se possa invejar aqueles que adoram o que fazem, não se deve supor que eles tenham partido de um ponto muito mais avançado do que as outras pessoas. O mais provável é que tenham levado algum tempo imaginando o que queriam fazer da vida. Os palestrantes que discursam em cerimônias de formatura costumam afirmar, sobre sua vocação, que não conseguem se ver fazendo outra coisa. Na verdade, houve um tempo em que eles conseguiam.

Há poucos meses, li uma postagem no Reddit intitulada "Interesse efêmero por tudo, nenhuma orientação profissional":[19]

> Tenho trinta e poucos anos e nenhuma ideia do que fazer com a minha vida. Sou uma dessas pessoas que ouviram durante a vida toda o quanto são inteligentes e que têm muito potencial. Tenho tantos interesses que fico paralisado e não experimento nada. É como se todo trabalho exigisse

um certificado de especialização ou uma indicação que dependem de um investimento de tempo e dinheiro em longo prazo — antes mesmo de ser possível tentar conseguir o emprego, o que é um saco.

Sinto bastante empatia pelo cara de trinta e poucos anos que escreveu essa postagem. Como professora universitária, também me solidarizo com os caras de vinte e poucos anos que me procuram para conselhos profissionais.

Meu colega Barry Schwartz oferece conselhos a jovens ansiosos há muito mais tempo do que eu. Ele ensina psicologia na Swarthmore College há quarenta e cinco anos.

Para Barry, o que impede muitos jovens de desenvolver um interesse sério por uma carreira são as expectativas pouco realistas.

— É o mesmo problema que muitos jovens enfrentam para encontrar um parceiro na vida amorosa — diz ele. — Querem uma pessoa atraente, inteligente, legal, simpática, atenciosa e divertida. Mas experimente dizer a um cara de vinte e um anos que é impossível encontrar uma pessoa tão perfeita em *todos* os aspectos. Ele nem vai ouvir. Ele vai insistir na perfeição.[20]

— Mas e a sua esposa maravilhosa, Myrna? — perguntei.

— Ela *é mesmo* maravilhosa. Mais do que eu, com certeza. Mas é perfeita? É a única pessoa com quem eu poderia ter uma vida feliz? E eu sou o único homem no mundo com quem ela poderia manter um ótimo casamento? Acho que não.

Um problema parecido, afirma Barry, é o mito segundo o qual apaixonar--se por uma profissão deve ser tiro e queda. "Em muitas coisas, as sutilezas e alegrias só aparecem depois de algum tempo, depois de nos debruçarmos sobre elas. Há muitas coisas que parecem desinteressantes e superficiais até começarmos a fazê-las. Depois de algum tempo, entendemos que essas coisas têm muitas facetas que não conhecíamos de início, e nunca poderemos resolver totalmente o problema ou entendê-lo de fato. Isso exige dedicação."

Depois de uma pausa, Barry continuou: "Na verdade, encontrar um parceiro é uma analogia perfeita. Conhecer um par possível — não o único e exclusivo par perfeito, mas um par promissor — é só o começo."

INTERESSE

Há muitas coisas ainda desconhecidas sobre a psicologia do interesse. Eu gostaria que soubéssemos, por exemplo, por que algumas pessoas (como eu) adoram cozinhar, enquanto muitas outras não têm o menor interesse por isso. Por que Marc Vetri é atraído por empreendimentos criativos, e por que Rowdy Gaines gosta de esportes? Além de explicar de modo mais ou menos vago que o interesse por algo, como tudo em nós, é em parte hereditário e em parte decorrente da experiência de vida, não posso dizer mais nada. Mas as pesquisas científicas sobre a evolução dos interesses trouxeram à luz descobertas importantes. Mas acho que, infelizmente, em geral esses fatos básicos não são compreendidos.

Quando pensa em paixão, a maior parte das pessoas imagina uma descoberta repentina e definitiva — aquela primeira mordida no linguado à *belle meunière* com a certeza de que você vai passar anos na cozinha; o mergulho naquele primeiro torneio de natação com a certeza de que um dia vai ser campeão olímpico; terminar de ler *O apanhador no campo de centeio* e compreender que seu destino é ser escritor. Mas o primeiro encontro com aquilo que *pode* vir a ser uma paixão para a vida inteira é exatamente isso: a cena de abertura de uma narrativa muito mais longa e menos dramática.

Ao rapaz de trinta e poucos anos do Reddit que tem "um interesse efêmero por tudo" e "sem direção profissional", eis o que a ciência tem a dizer: a paixão pelo trabalho tem um pouco de *descoberta* seguida de muito *desenvolvimento* e de uma vida inteira de *aprofundamento*.

Deixe-me explicar.

Em primeiro lugar, em geral é cedo demais sabermos o que vamos ser na vida adulta quando somos crianças. Estudos longitudinais que acompanharam milhares de pessoas ao longo do tempo mostram que a maior parte das pessoas só *começa* a gravitar na direção de certos interesses vocacionais e a se distanciar de outros no fim do ensino fundamental.[21] Sem dúvida foi esse o padrão que encontrei em minha pesquisa, e foi também o que a jornalista Hester Lacey descobriu em suas entrevistas com os "incrivelmente bem-sucedidos." Tenha em mente, no entanto, que é pouco provável que um estudante do sétimo ano — mesmo que no futuro seja um modelo de garra — tenha uma paixão perfeitamente articulada nessa idade, quando está começando a distinguir o que gosta do que não gosta.

Em segundo lugar, os interesses *não* são descobertos por meio de introspecção.[22] Pelo contrário, são acionados por interações com o mundo à nossa volta. O processo de descoberta de um interesse pode ser confuso, errático e ineficaz. Porque não se pode prever o que vai chamar nossa atenção. Você não pode simplesmente *querer* gostar de certas coisas. Como afirma Jeff Bezos: "Um dos maiores erros que as pessoas cometem é tentar se *forçar* a cultivar um interesse."[23] Sem experimentação, não se pode determinar quais interesses vão permanecer.

Paradoxalmente, a descoberta inicial de algum interesse muitas vezes passa despercebida pelo descobridor. Em outras palavras, quando você começa a se interessar por uma coisa, pode não perceber que isso está acontecendo. A sensação de tédio é sempre consciente — você sabe quando está sentindo —, mas, quando sua atenção é atraída para uma nova atividade ou uma nova experiência, talvez você tenha bem pouca noção do que está acontecendo. Isso significa que é prematuro se perguntar a cada momento, no início de uma nova atividade, se você descobriu sua paixão.

Em terceiro lugar, o que se segue à descoberta inicial de um interesse é um período muito mais longo e cada vez mais proativo de desenvolvimento desse interesse. O importante é que a ativação inicial de um novo interesse seja seguida de contatos posteriores que reativem e despertem de novo sua atenção — várias vezes seguidas.

O astronauta da NASA Mike Hopkins, por exemplo, disse-me que o gatilho para seu interesse em viagens espaciais foi assistir a lançamentos de ônibus espaciais pela televisão quando estava no ensino médio. Mas ele não foi seduzido por *um único* lançamento, e sim por vários deles, ao longo dos anos. Em pouco tempo, ele começou a procurar mais informações sobre a NASA, e "uma informação levou a outra, e assim foi".[24]

Para o ceramista Warren MacKenzie, as aulas de cerâmica na faculdade — que ele só cursou porque todas as turmas de pintura estavam lotadas — foram

INTERESSE

seguidas pela descoberta do livro *A Potter's Book* ["O livro de um ceramista"], do grande Bernard Leach, e depois por um estágio de um ano com o próprio Leach.

Por fim, os interesses se desenvolvem quando há um grupo de pessoas que o incentivam, como pais, professores, treinadores e colegas. Por que os outros são tão importantes? Em primeiro lugar, eles nos dão o estímulo e a informação essenciais para que gostemos de alguma coisa cada vez mais. E também porque — de maneira mais evidente — o retorno positivo nos faz sentir felizes, competentes e seguros.

Vejamos Marc Vetri, por exemplo. Há poucas coisas que me dão mais prazer que ler seus livros de culinária e ensaios sobre comida, mas ele sempre foi um aluno medíocre. "Nunca me dediquei muito aos estudos", disse-me ele. "Sempre pensava 'isto é muito chato'." Em compensação, Marc passava deliciosas tardes de domingo na casa de sua avó siciliana em South Philly. "Ela fazia almôndegas, lasanha e todas aquelas coisas, e sempre gostei de levantar cedo para ajudá-la. Quando eu tinha uns onze anos, comecei a querer fazer aquelas coisas na minha casa também."[25]

Na adolescência, Marc conseguiu um emprego de meio período lavando pratos num restaurante. "Eu adorava aquilo. Trabalhava com vontade." Por quê? Ganhar dinheiro era uma motivação, mas a camaradagem na cozinha era outra. "Naquela época eu era uma espécie de pária. Um cara meio desajeitado. Gaguejava. Na escola, todos me achavam esquisito. Eu pensava: 'Aqui posso lavar pratos e olhar os caras na frente [cozinhando] enquanto lavo, e posso comer. Todos são legais e gostam de mim.'"

Ao ler os livros de Marc, você ficará surpreso com o grande número de amigos e mentores que ele conquistou no mundo da comida. Folheie as páginas e procure fotos de Marc sozinho — vai ser difícil encontrar tantas. E leia os agradecimentos de *Il viaggio di Vetri*. Em duas páginas, ele enumera as pessoas que tornaram sua carreira possível e inclui a seguinte observação: "Mãe e pai, vocês sempre me deixaram buscar meu próprio caminho e me guiaram ao longo dele. Nunca saberão o quanto lhes sou grato. Sempre precisarei de vocês."[26]

Será mesmo "um saco" que as paixões não cheguem a nós de uma só vez, como epifanias, sem que precisemos desenvolvê-las ativamente? Talvez. Mas

GARRA

a realidade é que nossos primeiros interesses, frágeis e mal definidos, precisam ser cultivados e refinados com energia durante anos.

Às vezes, quando converso com pais aflitos, tenho a impressão de que eles entenderam mal o que quero dizer com garra. Digo que metade dela é perseverança — eles concordam—, mas *também* digo que ninguém trabalha com afinco em algo que não ache interessante por si só. Nesse ponto, quase sempre, eles param de assentir e inclinam a cabeça para o lado.

"O fato de você gostar de uma coisa não significa que vai ser ótimo nela", afirma a autodenominada "mãe-tigre" Amy Chua. "Não se você fizer corpo mole. Muita gente é desleixada com as coisas de que gosta."[27] Eu não poderia estar mais de acordo. E digo mais: mesmo dentro do campo de interesses da cada um, há muito trabalho a ser feito — treinar, estudar, aprender. Contudo, na minha opinião, as pessoas são *ainda mais* desleixadas com as coisas de que *não* gostam.

Assim, pais, futuros pais e pessoas sem filhos de todas as idades, tenho um recado para vocês: *Antes do trabalho duro vem a brincadeira*. Antes de as pessoas que ainda precisam descobrir sua paixão estarem prontas para gastar horas e horas todos os dias aprimorando com dedicação suas habilidades, elas precisam experimentar, despertando e reativando interesses. É claro que desenvolver um interesse exige tempo, energia e, claro, alguma disciplina e sacrifício. Nesta primeira fase, contudo, os novatos *não* se preocupam com o aperfeiçoamento. Eles *não* pensam anos e anos à frente. Eles *não* sabem qual será sua meta suprema na vida. Mais do que qualquer outra coisa, eles estão se divertindo.

Em outras palavras, mesmo o mais bem-sucedido dos especialistas começa como um iniciante leviano.

Foi essa também a conclusão do psicólogo Benjamin Bloom, que entrevistou 120 pessoas[28] de fama mundial nos esportes, nas artes ou na ciência — além de seus pais, treinadores e professores. Bloom descobriu que os progressos em qualquer técnica ocorrem em três etapas, cada uma com vários anos de duração. O interesse se descobre no que Bloom chama de "primeiros anos".[29]

INTERESSE

O incentivo durante os primeiros anos[30] é determinante porque os iniciantes ainda estão decidindo se querem assumir o compromisso ou desistir. Assim, Bloom e sua equipe descobriram que os melhores mentores nessa etapa foram os que ofereceram receptividade e apoio: "Talvez a maior qualidade[31] desses professores tenha sido tornar o aprendizado inicial prazeroso e compensador. Boa parte dos primeiros passos na área foram uma atividade agradável, e o aprendizado no início parecia mais um jogo."

Certo grau de autonomia durante os primeiros anos também é muito importante. Estudos longitudinais sobre estudantes confirmam que pais e professores dominadores destroem a motivação pessoal.[32] Crianças cujos pais as deixam fazer as próprias escolhas de acordo com suas preferências têm maior probabilidade de desenvolver interesses que mais tarde sejam identificados com uma paixão. Assim, embora meu pai não tenha pensado duas vezes quando, em 1950, o pai dele lhe atribuiu um caminho profissional, a maior parte dos jovens de hoje acharia difícil assumir como interesses "próprios" aqueles que foram decididos sem sua opinião.

Para o psicólogo do esporte Jean Côté, abreviar essa etapa de interesse lúdico descontraído, descobertas e desenvolvimento pode ter graves consequências. Na pesquisa que ele realizou, atletas profissionais como Rowdy Gaines — que na infância experimentou vários esportes antes de escolher um — em geral são mais bem-sucedidos em longo prazo. Essa amplitude inicial de experimentação ajuda o jovem atleta a decidir qual esporte lhe é mais adequado. A experimentação dá também a oportunidade de exercitar diversos músculos e habilidades, o que acaba servindo de complemento para um futuro treino mais especializado. Embora os atletas que pulam essa etapa muitas vezes adquiram uma vantagem competitiva em relação a seus pares menos especializados, Côté acha que eles têm maior probabilidade de apresentar lesões físicas e estafa.[33]

Discutiremos no próximo capítulo aquilo que Bloom chama de "anos intermediários", na prática. Por fim, veremos "os anos tardios" no capítulo 8, no qual discutiremos o conceito de propósito.

Por enquanto, o que espero transmitir é que as pessoas experientes e os iniciantes têm necessidades motivacionais diferentes.[34] No início de uma empreitada, precisamos de incentivo e liberdade para decidir do que gostamos. Precisamos de pequenas vitórias. Precisamos de aplauso. Sim, podemos lidar com um pouco de crítica e *feedback* corretivo. Sim, precisamos treinar. Mas não demais nem muito antes da hora. Apressar um iniciante é o mesmo que forçar o nascimento de um interesse. Quando isso acontece, é muito difícil recuperar o que foi perdido.

Voltemos aos palestrantes de cerimônias de formatura. Eles são estudos de caso sobre paixão e, por isso, devemos entender como transcorreram seus primeiros anos.

O editor de palavras cruzadas do *The New York Times*, Will Shortz, disse-me que sua mãe era "escritora e amante das palavras", e que a mãe dela, por sua vez, tinha sido fã de palavras cruzadas. Ou seja: em seus genes pode muito bem haver uma tendência para a linguagem, supõe Shortz.

Mas o caminho singular que ele trilhou não foi apenas uma questão de destino genético. Não muito após ter aprendido a ler e escrever, Shortz se deparou com um livro de passatempos. "Fiquei simplesmente fascinado", lembra ele. "Tudo o que eu queria era fazer aquilo."[35]

Como era de se esperar, o primeiro livro de passatempos — o gatilho de sua curiosidade — foi seguido por vários outros. "Palavras cruzadas, passatempos de matemática, o que você quiser..." Em pouco tempo, Shortz conhecia de nome todos os autores de passatempos, comprou a coleção completa de seu herói, Sam Loyd, editada pela Dover Books, assim como as obras de uma meia dúzia de outros autores cujos nomes são tão familiares para ele quanto obscuros para mim.

Quem comprou todos esses livros?

A mãe dele.

O que mais ela fez?

— Lembro que quando era muito novo minha mãe fazia parte de um clube de bridge e, para que eu ficasse quieto durante a tarde, ela pegava um papel, desenhava uma grade e me ensinava a inscrever nela longas palavras que se cruzavam na horizontal e na vertical. Eu ficava feliz passando a tarde toda com meus pequenos passatempos. Quando o grupo de bridge ia embora, minha mãe numerava a grade para mim e me mostrava como escrever as chaves. Foi assim que fiz minhas primeiras palavras cruzadas.[36]

E então a mãe de Shortz fez algo que poucas mães — e me incluo entre elas — teriam a iniciativa de, ou saberiam como fazer: "Minha mãe me incentivou a vender minhas palavras cruzadas assim que comecei a criá-las, pois como escritora ela mandava artigos para publicação em revistas e jornais. Quando percebeu meu interesse, mostrou-me como vender meu trabalho. Vendi meu primeiro passatempo aos catorze anos, e aos dezesseis me tornei colaborador regular das revistas de quebra-cabeça da editora Dell.[37]

A mãe de Shortz estava claramente em busca de algo que despertasse o interesse do filho. "Minha mãe fazia várias coisas incríveis", contou-me ele. "Por exemplo, eu adorava ouvir música pop e rock no rádio quando era pequeno. Quando ela percebeu esse interesse, conseguiu um violão com um vizinho e o pôs no beliche de cima no meu quarto. Se eu quisesse, podia pegar o violão e começar a tocar."

Mas o desejo de fazer música nem se comparava ao de fazer palavras cruzadas. "Quando se passaram nove meses sem que eu pegasse o violão, ela o devolveu. Acho que eu gostava de ouvir música, mas não tinha interesse em tocar."

Quando Shortz se matriculou na Universidade de Indiana, foi a mãe dele quem descobriu o programa que o permitiu inventar sua própria habilitação: até hoje, ele é a única pessoa no mundo com diploma universitário em enigmatologia — o estudo dos quebra-cabeças.

E quanto a Jeff Bezos?

A incomum infância cheia de interesses de Jeff tem muito a ver com Jackie, sua mãe curiosa e singular.

Jeff veio ao mundo duas semanas após Jackie completar dezessete anos. "Por isso, eu não tinha tantas ideias preconcebidas sobre o que eu deveria fazer", contou-me ela.[38]

GARRA

Ela se lembra de ter ficado muito intrigada com Jeff e com seu irmão e sua irmã mais novos: "Eu ficava curiosíssima sobre aquelas pequenas criaturas, sobre quem eram e o que viriam a ser. Prestava atenção ao que interessava cada uma delas — eram todas crianças muito diferentes entre si — e me deixava guiar. Sentia que era minha responsabilidade permitir que eles mergulhassem fundo naquilo de que gostavam."

Aos três anos, por exemplo, Jeff pediu muitas vezes para dormir numa "cama grande". Jackie explicou que *um dia* ele dormiria numa "cama grande", mas ainda não. No dia seguinte, ela entrou no quarto dele e o encontrou com uma chave de fenda na mão, desmontando o berço. Jackie não o repreendeu. Sentou-se no chão e começou a ajudá-lo. Naquela noite, Jeff dormiu numa "cama grande".

Quando chegou no fim do ensino fundamental, ele já inventava todo tipo de geringonça, como um alarme na porta do quarto que emitia um forte zumbido cada vez que um de seus irmãos passava pela soleira. "A gente ia várias vezes à loja de eletrônicos", contou Jackie, rindo. "Ocasionalmente, íamos quatro vezes no mesmo dia porque faltava alguma peça."

"Certa vez, ele pegou um fio e amarrou todos os puxadores do armário da cozinha juntos, de modo que quando alguém abria uma das portas, todas as demais se abriam também", contou ela.

Tentei me imaginar nessas situações. Tentei me imaginar *não* perdendo a cabeça. Tentei me imaginar fazendo o que Jackie fez: perceber que seu filho mais velho estava se tornando um solucionador de problemas extraordinário e, com alegria, alimentar esse interesse.

"Meu apelido lá em casa era 'Comandante do Caos'", disse-me Jackie. "E isso porque praticamente tudo o que você quisesse fazer seria aceitável de algum modo."

Jackie lembra que certa vez Jeff decidiu fazer um cubo infinito, que é basicamente um conjunto de espelhos que refletiam as imagens uns dos outros ao infinito. Ela estava sentada na calçada com uma amiga. "Jeff chegou e começou a explicar os princípios científicos por trás daquilo, e eu ouvia, assentia e de vez em quando fazia uma pergunta. Depois que ele foi embora, minha amiga perguntou se eu tinha entendido tudo. Eu disse: 'Eu não preciso entender tudo. O importante é ouvir.'"

Já no ensino médio, Jeff transformou a garagem da casa num laboratório de invenções e experimentos. Certo dia, Jackie recebeu um telefonema da escola dizendo que o filho estava matando aula depois do almoço. Quando Jeff chegou em casa, ela perguntou onde ele estava passando as tardes. Jeff explicou que tinha conhecido um professor que o deixava fazer experimentos com asas de avião, atrito e arrasto e...

"Está bem", disse Jackie. "Entendi. Agora vamos ver se podemos negociar uma forma de você fazer isso com uma autorização."

Na universidade, Jeff escolheu se formar em ciência da computação e engenharia elétrica, e depois de graduado aplicou suas técnicas de programação à gestão de fundos de investimento. Anos depois, fundou uma livraria virtual à qual deu o nome do maior rio do mundo: a Amazon.com. (Ele registrou também a URL www.relentless.com; digite-a em seu navegador e veja onde vai dar).

— Estou sempre aprendendo — disse-me Will Shortz. — Estou sempre exercitando meu cérebro de uma maneira diferente, tentando encontrar uma nova pista para uma palavra ou buscar um novo tema. Um escritor que li certa vez dizia que, se você estava cansado de escrever, estava cansado da vida. Acho que isso vale também para os quebra-cabeças. Se você estiver cansado de quebra-cabeças, está cansado da vida, porque eles são muito diferentes uns dos outros.[39]

Quase todo modelo de garra com quem conversei, inclusive meu pai, diz a mesma coisa. E, ao analisar diversas pesquisas de grande escala, descobri que, quanto mais garra tem uma pessoa, menos vezes ela deve mudar de carreira.

Em comparação, todos nós conhecemos pessoas que mergulham de cabeça em cada novo projeto, desenvolvem um interesse feroz por ele e depois de três, quatro ou cinco anos mudam para algo completamente diferente. Não há nada de mau em cultivar vários hobbies, mas mudar de ocupação o tempo todo, sem jamais sossegar com uma delas, é um problema mais sério.

Jane Golden tem um nome para esse tipo de gente: "pessoas de curto prazo."[40]

GARRA

Jane promove arte em espaços públicos na minha cidade natal, Filadélfia, há mais de trinta anos, como diretora do respeitado Programa de Artes Murais. Pelos cálculos mais recentes, ela contribuiu para a transformação de mais de 3.600 edifícios em murais. Seu programa de arte em espaços públicos é o maior do país. Muitos diriam que seu compromisso com as artes murais é "implacável", e Jane concordaria.

— As pessoas de curto prazo chegam, trabalham aqui por um tempo e depois vão para outro lugar, depois para outro e assim por diante. Eu meio que olho para elas como se fossem seres de outro planeta, porque me pergunto: "Como assim? Como é que uma pessoa não se fixa em alguma coisa?"

É claro: o que precisa de explicação é o foco inabalável de Jane, e não a capacidade limitada de atenção das pessoas de curto prazo. A sensação de tédio depois de fazer uma mesma coisa durante algum tempo é muito natural. Todos os seres humanos, mesmo na infância, tendem a desviar os olhos daquilo que já viram e a buscar coisas novas e surpreendentes. Na verdade, a palavra *interesse*, em latim, significa "diferir". Ser interessante é, literalmente, ser diferente. Somos neófilos por natureza.

Embora seja comum que as pessoas se cansem das coisas depois de algum tempo, isso não é inevitável. Se você revisitar a Escala de Garra verá que metade dos itens versam sobre a permanência dos seus interesses durante longos períodos. Isso nos faz voltar ao fato de que os modelos de garra não só descobrem alguma coisa de que gostam e desenvolvem aquele interesse, mas também aprendem a *aprofundá-lo*.

Quando jovem, Jane achava que seria pintora. Agora, luta contra entraves burocráticos, levanta verbas e lida com políticas locais. Eu me perguntava se ela teria sacrificado a vida por uma causa que lhe parecesse mais importante porém menos interessante. Será que ela renunciara à novidade?

— Foi muito difícil parar de pintar — contou Jane. — Mas descobri que ampliar o Programa de Artes Murais poderia ser um empreendimento criativo. E foi ótimo, porque sou uma pessoa muito curiosa.

"De fora, você deve achar minha vida monótona: 'Jane, seu trabalho é só dirigir o Programa de Artes Murais, e você tem feito isso a vida toda.' Responderia:

INTERESSE

'Veja, hoje mesmo fui a uma prisão de segurança máxima em North Philly. Fui à igreja. Estive na sala da diretoria de uma empresa. Tive uma reunião com um vice-comissário. Encontrei-me com um membro da câmara municipal. Trabalhei num programa de residência artística. Assisti a uma formatura.'"

Jane usou uma analogia de pintor: "Sou como um artista que olha para o céu todas as manhãs e vê uma variedade de cores vivas onde outras pessoas só veem azul ou cinza. No decorrer de um único dia, vejo uma complexidade tremenda e suas nuances. Vejo algo precioso sempre em evolução."

Para entender melhor os interesses cada vez mais aprofundados dos especialistas, procurei o psicólogo Paul Silvia.

Paul é uma autoridade sobre o interesse. Ele começou nossa conversa afirmando que os bebês não sabem absolutamente nada ao nascer. Ao contrário de outros animais, cujos fortes instintos os levam a agir de uma determinada maneira, os bebês precisam aprender quase tudo a partir da experiência. Se os bebês *não* tivessem uma forte atração pela novidade, não aprenderiam e, portanto, teriam menos chances de sobreviver. "Assim, o interesse — o desejo de aprender coisas novas, explorar o mundo, procurar novidades, estar atento a mudanças e à variedade — é um impulso básico."[41]

Como, então, explicar os interesses duradouros[42] dos modelos de garra?

Paul, como eu, percebeu que muitas vezes os especialistas dizem coisas como "Quanto mais sei, menos entendo". Sir John Templeton, por exemplo, pioneiro da ideia de fundos mútuos diversificados, adotou como lema de sua fundação filantrópica a expressão "Quanto menos sabemos, mais ansiamos por aprender".[43]

A questão, explica Paul, é que a novidade para o iniciante chega de uma forma e, para o especialista, de outra. Para o iniciante, a novidade é algo que ele nunca viu. *Para o especialista, a novidade é o detalhe.*

— Veja a arte moderna — explicou Paul. — Muitas obras podem parecer parecidas para o novato e bem diferentes para o especialista. Os novatos carecem do conhecimento básico indispensável. Veem apenas cores e formas. Não sabem muito bem de que se trata.[44]

GARRA

Em comparação, o especialista em arte tem um enorme conhecimento. Desenvolveu uma sensibilidade para os detalhes que o restante das pessoas nem consegue ver.

Outro exemplo. Você já viu os Jogos Olímpicos alguma vez? Já ouviu os comentaristas dizendo em tempo real coisas como "Ah! Aquele lutz triplo foi um pouquinho baixo!" ou "aquela tacada foi perfeita!"? Você fica ali imaginando como aqueles comentaristas percebem diferenças microscópicas no desempenho deste ou daquele atleta sem recorrer ao replay em câmera lenta. Eu preciso do replay. Não tenho sensibilidade para essas minúcias. Mas um especialista tem conhecimento e prática para ver o que eu, um iniciante, não vejo.

Se você quer correr atrás da sua paixão mas ainda não a escolheu, deve começar do começo: a descoberta.

Faça algumas perguntas simples a si mesmo: *Sobre que gosto de pensar? Por onde minha mente divaga? A que dou importância de verdade? O que é mais importante para mim? Como eu gosto de passar meu tempo? E, por outro lado, o que acho absolutamente insuportável?* Se for difícil responder a essas perguntas, tente lembrar seus tempos de adolescente, a etapa da vida em que normalmente surgem os interesses vocacionais.

Assim que tiver um caminho em mente, você deve despertar seus interesses incipientes. A melhor maneira de fazer isso é sair pelo mundo e *fazer* alguma coisa. Aos jovens universitários que ficam paralisados sem saber o que fazer, eu digo: *Experimente! Tente! Com certeza você vai aprender muito mais do que se ficar parado!*

Nessa primeira etapa de exploração, aqui estão alguns princípios práticos tirados do artigo de Will Shortz chamado "How to Solve The *New York Times* Crossword Puzzle" [Como resolver as palavras cruzadas do *The New York Times*]:[45]

Comece com as respostas sobre as quais tem certeza e continue a partir delas. Mesmo que seus interesses estejam pouco definidos, há coisas que você

INTERESSE

sabe que detestaria fazer para ganhar a vida e algumas que parecem mais promissoras. É um começo.

Não tenha medo de errar. Queira-se ou não, há uma boa proporção tentativa e erro inerente ao processo de descoberta de interesse. Ao contrário das palavras cruzadas, não existe uma única coisa a fazer que pode se transformar numa paixão. Há muitas. Você não deve procurar a coisa *certa*, nem a *melhor* coisa — apenas uma orientação que pareça razoável. É difícil saber se uma escolha é boa antes de experimentá-la por um tempo.

Não tenha medo de apagar uma resposta que não funciona. Em dado momento, você vai precisar escrever seu objetivo em tinta indelével, mas trabalhe a lápis até ter certeza.

Se, por outro lado, você já tem uma boa ideia do que gostaria de fazer pelo resto da vida, é hora de desenvolver esse interesse. Depois da descoberta vem o desenvolvimento.

Lembre-se de que os interesses precisam ser ativados repetidamente. Descubra maneiras de despertá-los. E tenha paciência. O desenvolvimento de interesses toma tempo. Continue se questionando, deixando que as respostas o levem a mais perguntas. Continue a explorar. Procure pessoas que tenham os mesmos interesses. Aproxime-se de um mentor estimulante. Seja qual for sua idade, com o tempo seu papel de aprendiz se tornará mais ativo e mais informado. Ao longo dos anos, seus conhecimentos e sua habilidade aumentarão, e com eles sua segurança e a curiosidade de saber mais.

Por fim, se você faz algo de que gosta há alguns anos e ainda não sabe dizer se é uma paixão, procure aprofundar seus interesses. Como nosso cérebro anseia por novidades, você se sentirá tentado a mudar para alguma coisa nova, e isso talvez fizesse mais sentido. No entanto, se você quiser se envolver por mais tempo com *qualquer* empreitada que seja, precisa encontrar um jeito de aproveitar as nuances que só um verdadeiro aficionado é capaz de apreciar.

GARRA

"O que existe de velho no novo é o que chama a atenção", disse William James. "O velho com um ar levemente novo."[46]

Em resumo, *corra atrás dos seus sonhos* não é um mau conselho. Mas o que pode ser ainda mais útil é compreender como esses sonhos são alimentados desde o início.

➡ *Capítulo 7*

PRÁTICA

Numa de minhas primeiras pesquisas, descobri que as crianças mais determinadas que participavam da Competição Nacional de Soletração[1] treinavam mais do que seus concorrentes que tinham menos garra. Essas horas de treino extra, por sua vez, explicavam o desempenho superior na competição final.

Essa descoberta fez sentido para mim. Como professora de matemática, já tinha observado a grande variação no volume de esforço despendido por meus alunos. Algumas crianças dedicam praticamente tempo nenhum aos deveres de casa; outras estudam várias horas por dia. Como todas as pesquisas mostram que as pessoas com maior grau de garra assumem compromissos mais duradouros, tudo indicava que a maior vantagem da garra era apenas *dedicar mais tempo* à prática.

Ao mesmo tempo, eu me lembrava de muita gente que acumulou décadas de experiência no trabalho, mas mesmo assim parecia estagnada num nível medíocre de competência. Tenho certeza de que você também se lembra de gente assim. Pense nisso. Conhece alguma pessoa que passou muito tempo fazendo a mesma coisa — talvez a vida profissional inteira — e o máximo que se pode dizer de sua competência é que ela é mais ou menos boa e não merece ser demitida? Como um de meus colegas costuma dizer de brincadeira: algumas pessoas acumulam vinte anos de experiência, mas outras têm *um* ano de experiência, vinte vezes seguidas.

GARRA

A palavra japonesa *kaizen* significa não ceder à estagnação do desenvolvimento. A tradução literal do termo é "aperfeiçoamento contínuo". Há algum tempo, a ideia se popularizou na cultura empresarial americana, trombeteada como o princípio básico da eficientíssima economia industrial japonesa. Depois de entrevistar dezenas de modelos de garra, posso afirmar que todos eles transpiram *kaizen*. Sem exceção.

Da mesma forma, em suas entrevistas com pessoas "incrivelmente bem-sucedidas", a jornalista Hester Lacey observou que todas elas manifestavam o desejo de superar seu nível já notável de competência: "Um ator diria 'posso nunca desempenhar um papel à perfeição, mas quero fazê-lo dentro do possível. A cada papel quero trazer algo novo. Quero me aperfeiçoar'. Um escritor diria 'quero que cada livro seja melhor que o anterior'."[2]

"É um desejo contínuo de aprimorar", explicou Hester. "É o contrário da complacência. Mas é um estado mental *positivo* e não negativo. Não se trata de olhar para trás com insatisfação. Trata-se de olhar para a *frente* e querer crescer."

Minha pesquisa me fez pensar que talvez a garra não envolva apenas a quantidade de tempo dedicado ao interesse, mas também a *qualidade* desse tempo. Não apenas *dedicar mais tempo à prática*, mas também *dedicar um tempo melhor*.

Comecei a ler tudo o que caía nas minhas mãos sobre o aprimoramento de habilidades.

Em pouco tempo, fui bater à porta do psicólogo cognitivo Anders Ericsson, que dedicou a carreira a estudar de que forma os especialistas adquirem habilidades excepcionais. Estudou atletas olímpicos, grandes mestres do xadrez, renomados pianistas, primeiras-bailarinas, jogadores de golfe profissionais, campeões de palavras cruzadas e especialistas em radiologia. A lista não tem fim.

Digamos assim: Ericsson é o especialista mundial em especialistas mundiais.[3]

O gráfico a seguir resume as descobertas de Ericsson. Se você acompanhar o desenvolvimento de profissionais de renome mundial, vai perceber que sua habilidade aumenta gradualmente com o passar dos anos. À medida que se aperfeiçoam, o ritmo do aprimoramento cai.[4] Isso acontece com todos nós.

Quanto mais você sabe sobre sua área, mais sutil será seu aperfeiçoamento de um dia para o outro.

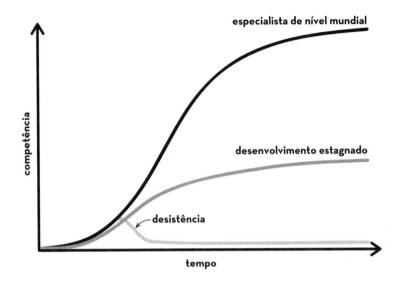

Não surpreende que o aprendizado aconteça aos poucos, mas a escala de tempo em que isso ocorre, sim. Numa das pesquisas de Ericsson, os melhores violinistas de uma escola de música alemã acumularam cerca de dez mil horas de estudo[5] ao longo de dez anos antes de alcançar níveis de elite de habilidade. Em comparação, alunos menos bem-sucedidos acumularam cerca da metade das horas de estudo no mesmo período.

Talvez não seja coincidência a declaração da bailarina Martha Graham: "Formar um bailarino maduro leva cerca de dez anos."[6] Mais de um século atrás, psicólogos que estudavam operadores de telégrafo observaram que a fluência total em código Morse era rara por causa dos "longos anos de difícil aprendizado" exigidos. Quantos anos? "Tudo indica que são necessários dez anos para formar um telegrafista totalmente qualificado", concluíram os pesquisadores.[7]

Lendo a pesquisa original de Ericsson, você verá que dez mil horas de prática distribuídas ao longo de dez anos é apenas uma média aproximada.[8] Alguns dos músicos que ele observou chegaram ao nível mais alto de habilidade antes disso; outros, depois. Mas há bons motivos para que "a regra das dez mil horas" e "a regra dos dez anos" tenham sido tão difundidas. Elas oferecem uma percepção visceral da amplitude do investimento necessário. Não são poucas horas, nem dezenas, vintenas ou centenas. São milhares e milhares de horas de prática ao longo de anos e anos.

A descoberta crucial da pesquisa de Ericsson, contudo, *não* é que os profissionais excepcionais dedicam mais horas à prática. O mais importante, na verdade, que eles praticam de maneira *diferente*. Ao contrário da maior parte das pessoas, os profissionais excepcionais dedicam milhares e milhares de horas àquilo que Ericsson chama de *prática disciplinada.*

Imaginei que Ericsson poderia me explicar o motivo pelo qual a experiência nem sempre leva à excelência, já que a prática é tão importante. Decidi perguntar-lhe sobre isso usando a mim mesma como exemplo.

— Olhe, professor Ericsson, corro cerca de uma hora por dia, vários dias por semana, desde os dezoito anos. E não sou hoje nem um segundo mais rápida do que antes. Já corri por milhares de horas e parece que não estou nem perto de ir para as Olimpíadas.

— É interessante — comentou ele. — Posso lhe fazer algumas perguntas?

— Claro.

— Você tem um objetivo específico com o seu treino?

— Ser saudável? Entrar nos meus jeans?

— Ah, sim. Mas, quando sai para uma corrida, você tem um objetivo como o ritmo que gostaria de manter? Ou uma distância a percorrer? Em outras palavras, existe um aspecto *específico* de sua corrida que você esteja querendo melhorar?

— Hum... não. Acho que não.

Então ele me perguntou no que eu pensava enquanto corria.

—Ah, sabe como é, vou ouvindo rádio. Às vezes penso nas coisas que preciso fazer naquele dia. Posso planejar o que vou preparar para o jantar.

Então ele quis saber se eu tinha algum sistema para registrar minhas corridas. Um diário do meu ritmo, da distância, ou dos caminhos que percorria,

PRÁTICA

batimento cardíaco ao final ou quantas vezes acelerava o passo. Por que eu faria isso? Minha rotina não variava. Cada corrida era igual à anterior.

— Imagino que você não tenha um técnico.

Eu ri.

— Ah — disse ele. —, acho que estou entendendo. Você não está melhorando porque *não* mantém uma prática disciplinada.[9]

Eis como os grandes praticam:

Em primeiro lugar, fixam uma meta ambiciosa — focando em um aspecto específico de seu desempenho geral. Em vez de se ater àquilo que já fazem bem, os campeões tentam combater pontos fracos específicos. Buscam por vontade própria desafios que ainda não conseguem superar.[10] O medalhista olímpico Rowdy Gaines, por exemplo, diz: "A cada treino, eu tentava me superar. Se num dia meu técnico me pedia para nadar dez vezes cem metros e que tentasse chegar a um minuto e quinze segundos, no dia seguinte ele me pedia para fazer dez vezes cem metros de novo, e eu tentava chegar a 1 minuto e 14 segundos."[11] O violista Roberto Díaz, um virtuose, fala em "tentar descobrir o seu calcanhar de Aquiles — um problema específico que precise de solução".[12]

Então, com total atenção e grande esforço, os campeões conseguem atingir a meta ambiciosa. Curiosamente, muitos preferem fazê-lo quando ninguém os observa. Kevin Durant, o astro do basquete, diz que "provavelmente passo 70% de meu tempo praticando sozinho as minhas jogadas, apenas tentando ajustar cada detalhe do meu jogo".[13] Da mesma forma, o tempo que os músicos dedicam ao estudo solitário é um indicador muito mais eficiente da rapidez com que se desenvolvem do que o tempo passado em ensaios com outros músicos.

Assim que possível, os notáveis procuram avidamente algum retorno sobre seu desempenho. Em geral, grande parte desse retorno é negativo. Isso significa que os notáveis se interessam mais pelo que fizeram de *errado* — para poder se corrigir — do que pelo que fizeram *certo*. O processamento ativo desse retorno é tão essencial quanto a rapidez em recebê-lo.

Vejamos como Ulrik Christensen aprendeu essa lição. Christensen é um médico que se transformou em empreendedor e criou um software de aprendizado adaptativo projetado segundo os princípios da prática disciplinada. Um de seus primeiros projetos foi um jogo de realidade virtual que ensina aos médicos a lidar com emergências cardíacas complexas, como infartos e paradas cardiorrespiratórias. Durante uma sessão de treinamento, ele ficou sozinho com um médico que parecia incapaz de chegar ao fim do procedimento.

— Eu não conseguia entender — contou Christensen. — O cara não era burro, mas depois de horas analisando detalhadamente o que ele tinha feito de errado, o médico ainda não conseguia fazer as coisas certas. Todos os outros tinham ido embora, e ali estávamos nós, estagnados.[14]

Exasperado, Christensen interrompeu-o quando ele começava uma nova rodada de análise.

— Espere um pouco — disse Christensen. — Em relação ao que você acabou de fazer, tratando esse paciente, há alguma coisa sobre a qual tenha dúvida? Alguma coisa sobre a qual não tenha certeza de que atende às novas instruções?

O médico pensou um momento e fez uma relação das decisões sobre as quais tinha certeza; depois enumerou algumas poucas escolhas sobre as quais estava menos seguro. Em outras palavras, *refletiu* por um momento sobre o que sabia e o que não sabia.

Christensen ouvia e assentia. Quando o médico terminou, ele lhe mostrou a tela do computador com a mesma análise que já havia apresentado uma dezena de vezes. Na tentativa seguinte, o médico executou corretamente o procedimento.

E o que acontece depois desse retorno?

Depois, os notáveis fazem a mesma coisa uma porção de vezes. Até dominarem de fato aquilo que se propuseram fazer. Até o que antes era uma luta ser executado com fluência e sem falhas. Até que a incompetência consciente se transforme em competência inconsciente.

No caso do médico que finalmente pensou um momento sobre o que estava fazendo, Christensen levou-o a praticar até que ele realizasse todo o pro-

PRÁTICA

cedimento sem falhas. Depois de quatro repetições consecutivas e perfeitas, Christensen disse: "Muito bem. Por hoje é só."

E agora? O que acontece depois que se alcança uma meta?

Os notáveis começam tudo outra vez, com uma *nova* meta ambiciosa.

Um a um, esses refinamentos sutis levam a um surpreendente domínio da técnica.

A prática disciplinada foi estudada primeiro com enxadristas[15] e depois com músicos e atletas. Se você não é enxadrista, nem músico, nem atleta, deve estar se perguntando se esses princípios gerais da prática disciplinada se aplicam ao seu caso.

Sem hesitar, eu lhe digo a resposta: SIM. Até mesmo a mais complicada e criativa das habilidades humanas pode ser dividida em técnicas que devem ser praticadas incansavelmente.

Benjamin Franklin, por exemplo, se refere à prática disciplinada para melhorar a escrita. Em sua autobiografia, ele diz que colecionou os melhores ensaios de sua revista preferida, a *Spectator*. Leu-os e releu-os enquanto tomava notas e depois escondeu os originais numa gaveta. Em seguida, reescreveu os textos. "Então comparei o meu *Spectator* com o original, descobri alguns erros meus e os corrigi."[16] Assim como os notáveis contemporâneos estudados por Ericsson, Franklin se concentrou em pontos frágeis específicos e treinou incansavelmente. Para melhorar a capacidade de argumentação lógica, por exemplo, Franklin misturava suas anotações sobre os ensaios e depois tentava colocá-las numa ordem lógica: "Isso serviu para me ensinar o método de organizar o pensamento." Da mesma forma, para aprimorar seu domínio da língua, Franklin treinou repetidamente a tradução de prosa para poesia e de poesia para prosa.

Os espirituosos aforismos de Franklin tornam difícil acreditar que ele não fosse um escritor "nato". Mas talvez devêssemos deixar que o próprio Franklin diga a última palavra sobre a questão: *"Sem esforço não há resultados."*[17]

Mas e se você também não for escritor?

GARRA

Se você for um empresário, ouça o que diz o guru da administração Peter Drucker, que dedicou a carreira à consultoria de CEOs. A administração eficaz "exige que se façam certas coisas bem simples. Consiste num pequeno número de técnicas [...]".[18]

Se você for cirurgião, considere o que diz Atul Gawande: "Muitas vezes as pessoas acreditam que você precisa ter uma boa mão para ser cirurgião, mas isso não é verdade." O mais importante, diz Gawande, é "praticar uma técnica mais difícil noite e dia por anos e anos".[19]

Se você quer bater um recorde mundial, como fez o mágico David Blaine ao permanecer dezessete minutos prendendo a respiração debaixo d'água, assista à fala dele no TED. No final, o homem capaz de controlar cada parte de sua fisiologia irrompe em soluços: "Como mágico, tento mostrar às pessoas coisas que parecem impossíveis. E acho que a mágica é muito simples, seja ela prender a respiração ou embaralhar cartas. É prática, treino [soluço], experimentação [soluço] enquanto suporto o sofrimento para ser o melhor que posso. Isso é o que a mágica é para mim...".[20]

Quando nos conhecemos um pouco melhor, Ericsson e eu projetamos uma pesquisa para descobrir de que modo as crianças que têm garra triunfam na Competição Nacional de Soletração.

Eu já sabia que os participantes com mais garra tinham mais horas de estudo e se saíam melhor do que seus rivais com menos garra. O que eu não sabia era se a prática disciplinada estava por trás dos progressos, nem se era a garra que permitia um melhor aproveitamento.

Com a ajuda dos alunos de Ericsson, começamos a entrevistar finalistas do torneio para descobrir como eles se preparavam para a competição. Em paralelo, pesquisamos livros sobre o tema,[21] como *How to Spell Like a Champ* [Como soletrar como um campeão], da diretora nacional da competição, Paige Kimble.

Descobrimos que existem basicamente três tipos de atividades recomendadas por soletradores experientes, seus pais e instrutores. Primeiro, ler por

PRÁTICA

prazer e brincar com jogos de tabuleiro do tipo Palavras Cruzadas. Segundo, responder a perguntas feitas por outra pessoa ou por um programa de computador. Terceiro, treinar sozinho, soletrando sem ajuda, memorizando palavras novas do dicionário, revendo palavras num livro de ortografia e memorizando radicais latinos, gregos e de outras origens. Só esta terceira categoria se enquadra nos critérios de prática disciplinada.

Meses antes da competição final, os participantes receberam questionários pelo correio. Além da Escala de Garra, pedimos que eles preenchessem um registro sobre as horas diárias que dedicavam a atividades de soletração. Também pedimos que registrassem como se sentiam — em termos de satisfação e esforço — no momento em que desempenhavam essas atividades.

Em maio daquele ano, quando as finais foram ao ar pela ESPN, Anders Ericsson e eu estávamos assistindo.

Quem levou o troféu? Uma menina de treze anos chamada Kerry Close. Era seu quinto ano consecutivo de competição, e calculo que ela tenha acumulado pelo menos três mil horas de prática a partir do questionário que ela preencheu para nossa pesquisa. A última palavra que Kerry soletrou ao microfone, pronunciada com segurança e um sorriso, foi: "Ursprache. U-R-S-P-R-A-C-H-E. Ursprache", que significa "protolíngua".

"Estudei o máximo que pude neste último ano para ir com tudo",[22] disse Kerry a um jornalista que acompanhou sua preparação. "Tento aprender palavras diferentes das usuais, palavras mais obscuras que podem aparecer." No ano anterior, o mesmo jornalista observou que Kerry "estuda principalmente sozinha. Trabalha com numerosos guias de soletração, faz listas de palavras interessantes que encontra em suas leituras e consulta incansavelmente o dicionário".

Ao analisar nossos dados, confirmamos primeiro o que tínhamos descoberto no ano anterior: participantes com mais garra treinavam mais do que os outros. Mas a descoberta mais importante foi que o *tipo* de treino tinha uma importância decisiva. *A prática disciplinada*[23] *determina o avanço para etapas mais avançadas muito mais do que qualquer outro tipo de preparação.*

Quando falo sobre essas descobertas a pais e a estudantes, tenho o cuidado de acrescentar que praticar testes orais tem muitas vantagens.[24] Uma

GARRA

delas é revelar aquilo que você *pensa* que sabe mas que, *na verdade*, ainda não dominou. Com efeito, Kerry Close mais tarde me contou que fazia testes orais para diagnosticar seus pontos fracos — ou seja, para identificar certas palavras ou tipos de palavras que ela soletrava errado e, assim, centrar seu esforço em dominá-las. Em certo sentido, os testes orais podem ter sido um prelúdio necessário para uma prática disciplinada mais focada e eficiente.

Mas e a leitura por prazer? *Nada.* Quase todos os participantes da Competição Nacional de Soletração se interessam pela língua, mas não há um indício sequer da relação entre a leitura por prazer e conhecimento da ortografia.

Se você avaliar uma prática com base no quanto ela melhora sua habilidade, a prática disciplinada é *hors concours*. Esse ensinamento parecia ficar cada vez mais claro para os soletradores à medida que participavam de competições. A cada ano de experiência, eles dedicavam mais tempo à prática disciplinada. A mesma tendência mostrou-se ainda mais pronunciada no mês anterior às as finais, quando os soletradores dedicaram em média dez horas por semana à prática disciplinada.[25]

Se, no entanto, você avaliar uma prática com base em *como se sente* quando se dedica a ela, talvez chegue a uma conclusão diferente.[26] Em média, os soletradores julgaram a prática disciplinada bem *mais rigorosa* e *menos divertida* do que qualquer outra coisa que pudessem fazer para se preparar para a competição. Em comparação, os soletradores consideraram a leitura de livros por prazer e a prática de jogos como palavras cruzadas tão fáceis e divertidas quanto "comer seu alimento predileto".

A bailarina Martha Graham tem uma definição muito clara, ainda que um tanto melodramática, do que pode ser a prática disciplinada: "A dança parece glamorosa, fácil, divertida. Mas o caminho para o paraíso dessa conquista não é mais fácil do que outro qualquer. O cansaço é tão avassalador que o corpo grita até quando dorme. Há ocasiões de absoluta frustração. Há pequenas mortes todos os dias."[27]

Nem todos descreveriam o esforço fora da zona de conforto em termos tão extremos, mas Ericsson costuma concluir que a prática disciplinada é viven-

PRÁTICA

ciada como um esforço supremo.[28] Como prova de que trabalhar no limite de nossa capacidade, com absoluta concentração, é exaustivo, ele observa que mesmo os melhores do mundo, no *auge* de suas carreiras, suportam apenas uma hora de prática disciplinada sem intervalo e, ao todo, conseguem dedicar apenas de três a cinco horas diárias a ela.

Também é importante notar que muitos atletas e músicos tiram uma soneca depois de sessões de treino mais intensivo. Por quê? Descanso e recuperação podem parecer necessidades óbvias para os atletas. Mas quem não é atleta diz quase a mesma coisa sobre seus esforços mais intensos — o que leva a crer que é o trabalho mental, tanto quanto o estresse físico, o que torna extenuante a prática disciplinada. Por exemplo, o cineasta Judd Apatow afirma o seguinte sobre fazer um filme: "Todo dia é uma experiência. Toda cena pode não dar certo, então você fica concentrado. *Está dando certo? Devo filmar uma sequência extra para a montagem? O que eu mudaria se tivesse que mudar? E se daqui a três meses eu odiasse isto, por que odiaria?* Você fica concentrado e exausto... é muito cansativo."[29]

Por fim, quando os melhores do mundo se aposentam, não costumam manter o mesmo ritmo de prática disciplinada. Se ela fosse intrinsecamente prazerosa — divertida por si mesma —, seria de esperar que mantivessem.[30]

Um ano depois que Ericsson e eu começamos a trabalhar juntos, Mihaly Csikszentmihalyi passou o verão em minha universidade como professor residente. Assim como Ericsson, Csikszentmihalyi é um psicólogo eminente, e ambos dedicaram a carreira a estudar o desempenho em níveis de excelência. Mas as conclusões a que chegaram sobre os melhores do mundo não poderiam ser mais diferentes.

Para Csikszentmihalyi, a experiência típica dos notáveis é o *fluxo*, um estado de concentração total "que conduz a uma sensação de espontaneidade".[31] Fluir significa atuar em altos níveis de dificuldade e ainda assim sentir que "não está fazendo esforço" como se "você não tivesse que pensar naquilo, apenas faz e pronto".

Por exemplo, um maestro de orquestra disse a Csikszentmihalyi:

Você fica num estado de êxtase, a ponto de sentir como se quase não existisse [...]. Minha mão parece se destacar de mim, e nada posso fazer quanto ao que está acontecendo. Apenas fico ali, olhando num estado de assombro e deslumbramento. E [a música] apenas flui por si mesma.[32]

Um patinador artístico descreveu da seguinte forma o estado de fluxo:

Foi só uma daquelas coreografias que funcionam. Quer dizer, tudo foi bem, tudo pareceu certo [...] é como uma enxurrada, como se você sentisse que aquilo poderia continuar para sempre, como se você não quisesse que terminasse porque está indo tão bem. É quase como se você não tivesse que pensar, tudo funciona no automático, sem pensamento...[33]

Csikszentmihalyi reuniu relatos similares de centenas de pessoas notáveis em suas atividades. Em todas as áreas analisadas, a experiência ideal é descrita em termos parecidos.

Ericsson duvida que a prática disciplinada possa ser sentida de maneira tão agradável quanto o fluxo. Em sua opinião, "pessoas habilidosas podem às vezes viver experiências muito agradáveis ('fluxo', segundo Mihaly Csikszentmihalyi, 1990) durante seu desempenho. Esses estados, no entanto, são incompatíveis com a prática disciplinada [...]".[34] Por quê? Porque a prática disciplinada é planejada com cuidado, e o fluxo é espontâneo. Porque a prática disciplinada exige trabalhar onde a dificuldade supera a técnica, e o fluxo é experimentado quando dificuldade e competência se equilibram. E o mais importante: porque a prática disciplinada exige um esforço excepcional, e o fluxo ocorre, por definição, sem esforço.

Csikszentmihalyi publicou uma opinião contrária: "Pesquisadores que estudam o desenvolvimento de talentos concluíram que aprender uma técnica complexa exige cerca de dez mil horas de prática [...]. E a prática pode ser muito aborrecida e desagradável. Embora essas condições sejam muitas vezes verdadeiras, as consequências não são de maneira alguma óbvias."[35] Csikszentmihalyi prossegue narrando um caso pessoal que ajuda a explicar seu

PRÁTICA

ponto de vista. Na cidade da Hungria onde ele foi criado, no alto portão de madeira que fica na entrada da escola primária local, lê-se: *As raízes do saber são amargas, mas seus frutos são doces.*[36] Isso sempre lhe pareceu falso. "Mesmo quando o aprendizado é difícil", escreve ele, "não é amargo se você achar que vale a pena, que você pode ser bom naquilo, que a prática da atividade aprendida vai expressar quem você é e ajudá-lo a conquistar o que deseja".[37]

Então, quem tem razão?

Quis o destino que Ericsson estivesse na cidade durante o mesmo verão em que Csikszentmihalyi lecionou como professor visitante na universidade. Organizei um debate entre eles sobre "paixão e excelência de nível internacional"[38] para uma plateia de cerca de oitenta educadores.

Quando os dois se sentaram à mesa da sala de conferências, percebi que um era a cópia quase perfeita do outro. Ambos são altos e corpulentos. Ambos são de origem europeia e têm um leve sotaque que os fazem parecer ainda mais eminentes e doutos. Ambos usam barba curta, e embora só a de Csikszentmihalyi seja toda branca, ambos seriam uma boa opção para o papel de Papai Noel.

No dia do debate, eu estava um tanto ansiosa. Não gosto de conflito, mesmo que não seja comigo.

No fim das contas, não havia motivo para preocupação. O defensor da prática disciplinada e o partidário do fluxo se comportaram como perfeitos cavalheiros. Não houve troca de insultos. Não houve sequer uma sombra de desrespeito.

Pelo contrário: Ericsson e Csikszentmihalyi sentaram-se lado a lado e pegavam o microfone quando deveriam. Ambos resumiram metodicamente décadas de pesquisa para justificar seus pontos de vistas contrários. Quando um deles falava, o outro parecia ouvir com atenção. E então o microfone mudava de mãos. Foi assim durante noventa minutos.

Os notáveis sofrem?, perguntei. *Ou entram em êxtase?*

De alguma forma, o diálogo que em minha cabeça poderia resolver o enigma acabou ocorrendo em forma de duas apresentações separadas — uma sobre a prática disciplinada e a outra sobre o fluxo —, mas entrelaçadas.

GARRA

Quando acabou, fiquei um pouco decepcionada. Não que sentisse falta do drama, mas da solução. Eu ainda não tinha resposta para a minha pergunta: o desempenho de excelência é questão de esforço árduo e nada prazeroso ou pode ocorrer sem esforço e com alegria?

Durante anos depois daquele encontro anticlimático, li e pensei sobre o assunto. Por fim, como nunca cheguei a uma convicção que me levasse a rejeitar um lado e aceitar o outro, decidi reunir algumas informações. Pedi a milhares de pessoas adultas que tinham feito o teste on-line da Escala de Garra para responderem um segundo questionário sobre fluxo. Os participantes dessa pesquisa eram homens e mulheres de todas as idades com todo tipo de profissão: atores, padeiros, bancários, barbeiros, dentistas, médicos, policiais, secretários, professores, garçons e soldadores... para mencionar apenas algumas.

Dentre essas diversas ocupações, as pessoas com maior grau de garra diziam ter vivenciado *mais* fluxo, não menos. Em outras palavras, fluxo e garra andam de mãos dadas.[39]

Comparando minhas conclusões a partir desse estudo, as descobertas sobre os finalistas da Competição Nacional de Soletração e uma década de leituras sobre o assunto, cheguei à seguinte conclusão: *As pessoas que têm garra se dedicam mais à prática disciplinada e vivenciam mais o fluxo.* Não há nisso qualquer contradição, por duas razões. A primeira delas é que a prática disciplinada é um comportamento, e o fluxo é uma experiência. Anders Ericsson fala sobre o que os notáveis *fazem*; Mihaly Csikszentmihalyi fala do que os notáveis *sentem*. A segunda razão é que prática disciplinada e fluxo não necessariamente devem ser experimentados ao mesmo tempo. Na verdade, para a maioria dos notáveis, acredito que as duas coisas quase nunca aconteçam juntas.

É preciso realizar mais pesquisas para decidir a questão, e nos próximos anos espero que Ericsson, Csikszentmihalyi e eu possamos trabalhar juntos exatamente com esse objetivo.

Hoje em dia, acho que a principal motivação para a prática disciplinada exaustiva é melhorar a habilidade. Você fica cem por cento concentrado e deliberadamente estipula um nível de dificuldade superior ao seu nível técnico. Você entra em modo "resolução de problemas", analisando tudo o que faz para chegar mais perto do ideal — a meta que você fixou no começo da sessão de prática. Você recebe *feedback*, e boa parte dele se refere ao que você está fazendo errado, e você usa esse *feedback* para fazer ajustes e tentar de novo.

A motivação que predomina durante o fluxo, em comparação, é outra. O fluxo é em si mesmo prazeroso. Não importa que você esteja tentando aprimorar algum pequeno aspecto da sua técnica. E, embora esteja cem por cento concentrado, não está no modo "resolução de problemas". Não analisa o que faz; apenas faz. Recebe *feedback*, mas como o nível de dificuldade *coincide* com seu nível de habilidade, esse retorno diz que você está indo muito bem. Você se sente como se estivesse controlando tudo, e está. Você flutua. Perde a noção do tempo. Não importa o quão rápido você está correndo ou o quão intenso é seu raciocínio: quando você está em fluxo, tudo *parece* acontecer sem esforço.

Em outras palavras, a prática disciplinada é preparação; fluxo é desempenho. Voltemos ao nadador Rowdy Gaines.

Ele me disse que certa vez calculou quanto precisaria praticar para desenvolver a resistência, a técnica, a segurança e a capacidade de avaliação necessárias para ganhar uma medalha de ouro olímpica. No período de oito anos que antecedeu os Jogos de 1984, ele nadou pelo menos trinta mil quilômetros em turnos de cinquenta metros. É claro: se levarmos em conta os anos anteriores e posteriores a esse período, o hodômetro dispara ainda mais.

— Fiz uma volta ao mundo nadando para uma disputa de 49 segundos — , disse-me ele com uma risadinha.[40]

— Você se divertiu em todo esse percurso? — perguntei. — Quer dizer, você gosta de treinar?

— Não vou mentir — respondeu ele. — Na verdade, nunca gostei de treinar e com certeza não me divertia treinando. Houve até alguns momentos em que, indo para a piscina às quatro ou quatro e meia da manhã ou quando não conseguia suportar o sacrifício, pensei: "Meu Deus, será que vale a pena?"

— Então por que não parou?

GARRA

— Muito simples — disse Rowdy. — Porque eu adorava nadar. Tinha paixão por competir, pelo *resultado* do treino, por me sentir em forma, por ganhar, por viajar, por fazer amigos. Odiava o treino, mas era apaixonado pela natação.

O remador Mads Rasmussen, também medalhista olímpico, tem uma descrição parecida sobre sua motivação: "É um trabalho árduo.[41] Quando não é divertido, você faz o que precisa fazer de qualquer maneira. Porque quando você alcança determinados resultados, é incrivelmente divertido. Você passa a gostar do 'muito bem' no final, e é isso que o instiga durante boa parte do percurso."

A ideia de dedicar anos a fio a uma prática na qual o desafio é maior do que a habilidade e que leva a momentos de fluxo nos quais o desafio equivale à habilidade explica por que um desempenho de elite *parece* não exigir esforço. Em certo sentido, *não exige mesmo*. Vejamos um exemplo. A nadadora Katie Ledecky, de dezoito anos, recentemente bateu seu próprio recorde mundial nos 1.500 metros nado livre. O improvável feito histórico ocorreu durante uma rodada preliminar numa competição em Kazan, na Rússia. "Para ser sincera, achei muito fácil", disse ela depois. "Eu estava tranquila." Mas não é ao fluxo que ela atribui sua velocidade: "Bater aquele recorde é prova do esforço que dediquei e da boa forma em que estou agora."[42]

Ledecky nada desde os seis anos. Tem fama de se dedicar com ardor a cada treino, às vezes disputando com homens para aumentar a dificuldade. Em 2012, ela disse que "apagou" um pouco na disputa que lhe valeu a medalha de ouro nos oitocentos metros nado livre. "Uma coisa que as pessoas realmente não sabem sobre a natação", disse ela mais tarde, "é que o trabalho que você dedicou aos treinos se revela na competição".[43]

Eis minha própria história de prática disciplinada esforçada que leva a momentos de fluxo sem esforço. Há alguns anos, uma produtora chamada Juliet Blake me ligou para perguntar se eu estaria interessada em dar uma palestra TED de seis minutos.

— Claro — respondi. — Parece divertido!

PRÁTICA

— Ótimo! Assim que você preparar a sua fala, vamos vê-la por uma videoconferência e depois lhe damos um retorno. Sabe como é, algo como um ensaio.

Hummm, "retorno", é? Algo que não seja aplauso? Mais hesitante, eu respondi:

— Claro... parece bom.

Preparei a palestra e, no dia marcado, entrei em contato com Juliet e seu chefe, Chris Anderson, líder do TED. Olhando para a câmera, fiz minha palestra no tempo estipulado. Então esperei os louvores entusiásticos.

Se isso aconteceu, eu não vi.

Na verdade, o que ouvi de Chris foi que ele tinha se perdido com todo aquele meu jargão científico. Sílabas demais. Slides demais. E poucos exemplos claros e compreensíveis. Além disso, como cheguei a essa linha de pesquisa — o percurso que percorri de professora a psicóloga — estava obscuro e pouco satisfatório. Juliet concordava. Ela disse ainda que eu tinha conseguido contar uma história com absolutamente nenhum suspense. O modo como eu tinha planejado minha palestra era como contar o desfecho de uma piada logo no começo.

Caramba! Tão ruim assim, é? Juliet e Chris são pessoas ocupadas, e eu sabia que não teria uma segunda oportunidade de ser orientada. Então me forcei a ouvi-los. Afinal, quem saberia mais o que era uma ótima palestra sobre garra: eles ou eu?

Não demorou muito para que eu entendesse que *eles* eram os contadores de histórias experientes, e eu, a cientista que precisava de ajuda para melhorar minha palestra.

Assim, reescrevi a palestra, treinei diante de minha família e recebi mais *feedback* negativo. "Por que você fica dizendo 'hum' o tempo inteiro?", perguntou Amanda, minha filha mais velha. "É, por que você faz isso, mãe?", concordou Lucy, a mais nova. "E você morde os lábios quando fica nervosa. Não faça isso. É dispersivo."

Mais treino. Mais aperfeiçoamentos.

Finalmente chegou o dia fatídico. Dei uma palestra que mantinha apenas uma leve semelhança com a que havia proposto no início. Era melhor. *Muito*

145

melhor. Assista àquela palestra e você vai me ver em fluxo. Procure no YouTube todos os ensaios que a precederam — aliás, procure o vídeo de *qualquer pessoa* se dedicando a uma prática disciplinada penosa, repetitiva, crivada de erros —, e aposto que vai sair de mãos vazias.

Ninguém quer exibir as inúmeras horas do aprendizado. Todos preferem mostrar o ponto alto do resultado.

Depois que acabou, corri para encontrar meu marido e minha sogra que estavam na plateia para me dar força. Assim que os vi, gritei para preveni-los: "Só elogios efusivos, por favor!" E eles atenderam ao pedido.

Nos últimos tempos, tenho perguntado a pessoas de diversas áreas com alto grau de garra e a seus orientadores sobre como se sentem a respeito da prática disciplinada. Muitos concordam com a bailarina Martha Graham: tentar fazer algo que você ainda não consegue é frustrante, desconfortável e até doloroso.

No entanto, alguns comentaram que a experiência da prática disciplinada pode ser extremamente positiva — não apenas em longo prazo, mas no momento da prática. *Divertida* não é bem a palavra que eles usam para qualificar a prática disciplinada, mas *amarga* também não. E os notáveis em suas áreas sugerem que a alternativa à prática disciplinada — apenas "executar os movimentos", com displicência e sem progresso — pode ser uma forma de sofrimento.

Refleti durante algum tempo sobre essas afirmações e decidi examinar mais uma vez dados que Ericsson e eu havíamos coletado junto aos finalistas da Competição Nacional de Soletração. Embora soubesse que os soletradores achavam a prática disciplinada particularmente penosa e desagradável, lembrava de que havia grandes discrepâncias em torno das médias obtidas. Em outras palavras, nem todos os soletradores tinham exatamente a mesma experiência.

Procurei saber como os participantes com mais garra vivenciavam a prática disciplinada. Comparados a seus concorrentes menos apaixonados e menos perseverantes, as pessoas com garra não só dedicavam mais horas à prática disciplinada como também a achavam *mais divertida* e *mais árdua*. Isso mesmo. Os soletradores com mais garra disseram se esforçar mais do que os

PRÁTICA

demais quando se dedicavam à prática disciplinada, mas, ao mesmo tempo, afirmaram apreciá-la mais do que os outros.[44]

É difícil saber de fato o que essa descoberta significa. Uma possibilidade é concluir que os jovens com mais garra dedicam mais tempo à prática disciplinada e que, ao longo dos anos, desenvolvem gosto pelo trabalho árduo à medida que vivenciam as recompensas. É a história de "aprender a gostar de malhar". Outra possibilidade é que os que têm mais garra gostem mais de se esforçar, o que os leva a trabalhar mais. É o caso de "pessoas que gostam de desafios".

Não posso afirmar qual dessas versões é a correta, e se fosse apostar diria que cada uma tem um pouco de verdade. Como veremos no capítulo 11, há indícios científicos consistentes de que a experiência subjetiva do esforço — como você *se sente* quando se esforça — pode mudar e de fato muda quando, por exemplo, o esforço é recompensado de alguma forma. Já vi minhas filhas aprendendo a gostar do esforço mais do que antes, e o mesmo posso dizer de mim.

Por outro lado, o treinador de Katie Ledecky, Bruce Gemmell, diz que ela *sempre* gostou de um grande desafio.

"Os pais de Katie têm um vídeo de uma de suas primeiras competições", contou-me Bruce. "A prova é de apenas uma volta. Ela estava com seis anos. Dá algumas braçadas e segura a corda da raia. Nada mais um pouco e segura a corda de raia outra vez. Por fim, chega à borda e sai da água. O pai dela está gravando e lhe pergunta: 'Como foi sua primeira competição?' Ela responde: 'Ótima!' Segundos depois, acrescenta: 'Foi difícil!' Ela está radiante, com um sorriso de orelha a orelha. O que significa que está tudo bem. Ela tem essa atitude em relação a tudo o que faz."[45]

Na mesma conversa, Bruce me contou que Katie se dedica de boa vontade à prática disciplinada mais do que qualquer pessoa que ele conheça. "Quando fazemos um exercício no qual ela é péssima — um no qual ela vai começar entre os piores —, percebo que ela pratica nos tempos livres para melhorar. Depois de algum tempo, ela se torna uma das melhores do grupo. Alguns outros nadadores tentam e falham, e preciso paparicá-los e implorar que tentem de novo."

Se a prática disciplinada pode ser "incrível", poderá em algum momento ser sentida como um fluxo sem esforço?

GARRA

Quando perguntei à soletradora campeã Kerry Close se alguma vez tinha vivenciado o estado de fluxo durante a prática disciplinada, ela disse: "Não, a única vez que posso dizer que estive em fluxo foi quando eu não estava numa competição." Ao mesmo tempo, ela fala da prática disciplinada como gratificante à sua maneira: "Realizei algumas das minhas sessões de estudo mais *compensadoras* sozinha, obrigando-me a dividir uma grande tarefa em muitas partes e realizando cada uma delas", contou-me Kerry.[46]

Hoje em dia, ainda não há pesquisas suficientes para afirmar que a prática disciplinada pode ser vivenciada como um fluxo sem esforço. Na minha opinião, a prática disciplinada pode ser muito gratificante, mas de uma maneira diferente. Em outras palavras, existem *tipos diferentes* de experiências positivas: a vibração de progredir é um deles, e o êxtase do desempenho excelente é outro.

Além de ter um magnífico técnico, mentor ou professor, de que maneira se pode extrair o máximo da prática disciplinada e vivenciar mais fluxo, quando já se chegou a esse ponto?

Primeiro, *sabendo como fazer*.

Os princípios que norteiam a prática disciplinada são simples:[47]

- Uma meta ambiciosa claramente definida.
- Concentração e dedicação totais.
- *Feedback* imediato e informativo.
- Repetição com reflexão e aprimoramento.

Mas as pessoas se dedicam a quantas horas de prática para atender a esses *quatro* requisitos? Tenho a impressão de que muita gente passa a vida toda dedicando precisamente *zero* horas diárias à prática disciplinada.

Mesmo pessoas supermotivadas que trabalham até a exaustão podem não estar realizando prática disciplinada. Por exemplo, quando o medalhista olímpico Mads Rasmussen foi convidado por uma equipe japonesa de remo para uma visita, ficou impressionado com a quantidade de horas que os atletas

PRÁTICA

dedicavam ao treinamento. Não é de inúmeras horas de força bruta exaustiva que vocês precisam, disse-lhes.[48] O que importa são objetivos calculados de treino, como mostrou a pesquisa de Ericsson, durante apenas algumas horas por dia.

Noa Kageyama, psicólogo de desempenho da Escola de Música Juilliard, afirma que toca violino desde os dois anos mas que só começou a prática disciplinada aos 22.[49] Por quê? Não foi falta de motivação — em dado momento, o jovem Noa teve aulas com quatro professores e viajava para três cidades a fim de conseguir estudar com todos eles. Na verdade, o problema era que Noa não era bem informado. Quando descobriu que existia uma verdadeira ciência da prática — uma técnica que podia melhorar sua habilidade de modo mais eficaz —, tanto a qualidade de sua prática quanto a satisfação com o próprio progresso dispararam. Ele agora se dedica a transmitir esse conhecimento a outros músicos.

Há poucos anos, minha aluna de pós-graduação Lauren Eskreis-Winkler e eu decidimos ensinar a prática disciplinada a crianças. Preparamos lições de estudo individual, complementadas com quadrinhos e historinhas para ilustrar as principais diferenças entre a prática disciplinada e meios menos eficazes de estudo. Explicamos às crianças que, independentemente de seu talento inicial, os grandes expoentes em todas as áreas progridem por meio da prática disciplinada. Dissemos a elas que por trás de cada desempenho espontâneo no YouTube há horas e horas de prática não gravadas, invisíveis para os demais, desafiadoras, árduas e cheias de erros.[50] Explicamos que tentar fazer as coisas que ainda não conseguem, errando e descobrindo o que precisam fazer diferente, é *exatamente* o jeito como os expoentes praticam. Ajudamos essas crianças a compreender que os sentimentos de frustração não são necessariamente um indício de que elas estão no caminho errado. Pelo contrário, explicamos que o desejo de ser melhor em determinadas atividades é bastante comum durante o aprendizado. Depois, testamos essa intervenção em comparação com diferentes tipos de atividades de controle como placebo.

O que descobrimos é que os estudantes podem mudar a maneira de pensar sobre prática e resultado. Por exemplo, quando perguntados qual conselho

GARRA

dariam a outro estudante para ir bem na escola, os que tinham aprendido a prática disciplinada quase sempre recomendavam "foco nos pontos fracos" e "cem por cento de concentração". Se tinham a possibilidade de escolher entre mais prática disciplinada em matemática e o entretenimento em mídias sociais e sites de jogos, eles escolhiam a prática disciplinada. E, por fim, no caso daqueles que apresentavam um desempenho abaixo da média nas aulas, o conhecimento da prática disciplinada aumentou suas notas.

Isso leva à minha *segunda* sugestão para aproveitar ao máximo a prática disciplinada: *Faça dela um hábito.*

Com isso, quero dizer que você deve descobrir quando e onde se sente mais à vontade para realizar a prática disciplinada. Feita a escolha, dedique-se à prática disciplinada nessas condições todos os dias. Por quê? Porque a rotina é muito bem-vinda no quando se tem que fazer algo difícil. Uma montanha de pesquisas, entre elas algumas feitas por mim, mostram que, quando você tem o hábito de praticar à mesma hora e no mesmo lugar todos os dias, dificilmente precisa pensar em começar. Você vai e faz.[51]

No livro *Os segredos dos grandes artistas*, Mason Currey narra um dia na vida de 161 artistas, cientistas e outros criadores. Se você procura uma norma, como *Sempre tome café* ou *Nunca tome café*; *Só trabalhe em seu quarto* ou *Nunca trabalhe em seu quarto*, não vai encontrar. Mas, se perguntar "O que esses criadores têm em comum?", vai encontrar a resposta no título original do livro: rituais diários. Cada qual à sua maneira, todos os notáveis citados no livro dedicam horas e horas à prática disciplinada solitária. Eles seguem rotinas. São criaturas de hábito.

O cartunista Charles Schulz, por exemplo, que já desenhou quase dezoito mil tirinhas dos *Peanuts* ao longo da carreira, levantava-se ao nascer do sol,[52] tomava banho, fazia a barba e tomava café com os filhos. Então levava as crianças para a escola e ia para seu estúdio, onde trabalhava inclusive durante o almoço (um sanduíche de presunto e um copo de leite) até que as crianças voltassem da escola. A rotina da escritora Maya Angelou era levantar-se e tomar café com o marido para então, lá pelas sete da manhã, fechar-se num minúsculo quarto de hotel[53] sem nenhuma distração até as duas da tarde.

PRÁTICA

Depois de algum tempo praticando na mesma hora e no mesmo lugar, a atividade que antes exigia uma decisão consciente para ser iniciada torna-se automática. "Não existe ser humano mais infeliz", diz William James, do que aquele para quem "o começo de cada pequena tarefa"[54] deve ser decidido novamente a cada dia.

Eu mesma aprendi essa lição bem depressa. Agora entendo o que Joyce Carol Oates quis dizer ao comparar a redação da primeira versão de um livro a "empurrar um amendoim pelo chão imundo de uma cozinha com o nariz".[55] Então, o que faço? Eis um plano simples que me ajuda a ir em frente: *Às oito da manhã, sentada no escritório, leio a versão do dia anterior.* Esse hábito, por si mesmo, não facilita o trabalho de escrever, mas facilita começar.

Minha terceira sugestão para extrair o máximo proveito da prática disciplinada é *mudar o modo como você a vivencia.*

Na época em que revi os dados da Competição Nacional de Soletração e descobri que a experiência da prática disciplinada era muito mais divertida para os competidores com mais garra, procurei um treinador de natação chamado Terry Laughlin. Terry já havia treinado todo tipo de nadador — desde iniciantes até um campeão olímpico —, e era, ele mesmo, recordista em natação em águas abertas. Fiquei especialmente interessada em sua opinião porque ele defendia havia muito uma técnica que chamava de "imersão total" — que consistia em deslizar descontraidamente pela água.

"A prática disciplinada passa uma sensação magnífica", disse-me Terry. "Se você tentar, pode aprender a curtir o desafio, em vez de ter medo dele. Pode fazer tudo o que deve durante a prática disciplinada — objetivo claro, *feedback*, tudo — e ao mesmo tempo se sentir ótimo.[56]

"Trata-se apenas de consciência imediata *sem julgamento*", continuou. "Quando você se liberta do julgamento, chega ao ponto de desfrutar o desafio."

Depois de conversar com Terry, comecei a pensar que as crianças pequenas passam a maior parte do tempo tentando fazer coisas que não conseguem, várias vezes seguidas — e ainda assim não se mostram muito frustradas ou ansiosas. *Sem sacrifício não há resultado* é uma regra que não parece funcionar com crianças pequenas.

GARRA

Elena Bodrova e Deborah Leong, psicólogas que dedicaram a vida profissional a estudar o modo como as crianças aprendem, acham que aprender com os erros é algo que não incomoda os pequenos nem um pouco.[57] Observe um bebê tentando se sentar ou aprendendo a andar: você verá um erro depois do outro, fracasso atrás de fracasso, muita dificuldade maior que a habilidade, muita concentração, muito *feedback*, muito aprendizado. E do ponto de vista emocional? Bem, eles são novos demais para que se possa perguntar, mas as crianças pequenas não parecem torturadas por tentar fazer coisas que ainda não conseguem.

E então... alguma coisa muda. Segundo Elena e Deborah, mais ou menos na época em que as crianças entram para o jardim de infância elas começam a notar que seus erros inspiram certas reações nos adultos. Que reações? Franzimos a testa. Enrubescemos um pouco. Vamos logo mostrando aos pequenos que eles estão fazendo alguma coisa *errada*. E o que estamos ensinando ao fazer isso? Constrangimento. Medo. Vergonha. O treinador Bruce Gemmell diz que é exatamente o que acontece com muitos de seus nadadores: "Com técnicos, pais, amigos e meios de comunicação, eles aprendem que errar é *ruim*, por isso se protegem e não querem se arriscar e dar o melhor de si."[58]

"A vergonha não ajuda a melhorar nada", disse-me Deborah.

Então, o que fazer?

Elena e Deborah recomendam que os professores apresentem um *modelo* de erro sem emoções. Na verdade, aconselham os professores a cometer um erro de propósito e logo dizer, com um sorriso: "Ora, achei que havia *cinco* blocos nesta pilha! Vou contar outra vez! Um... dois... três... quatro... cinco... *seis*! São *seis* blocos! Ótimo! Aprendi que tenho de pegar cada bloco quando conto!"

Se você será capaz de transformar a prática disciplinada num êxtase comparável ao do fluxo, não sei. Mas acho mesmo que você pode tentar dizendo a si mesmo e aos demais: "Foi difícil! Foi ótimo!"

➡ *Capítulo 8*

PROPÓSITO

O interesse é uma fonte de paixão. O propósito — a intenção de contribuir com o bem-estar de outras pessoas — é outra. As paixões maduras das pessoas que têm garra dependem de ambas.

Para algumas pessoas, o propósito vem em primeiro lugar. Só assim consigo entender um modelo de garra como Alex Scott. Ela tem uma doença desde que se entende por gente. Seu neuroblastoma foi diagnosticado quando tinha um ano de idade. Pouco depois de seu quarto aniversário, Alex disse a sua mãe: "Quando eu sair do hospital, quero ter um quiosque de limonada."[1] E teve. Cuidou de seu primeiro quiosque de limonada antes dos cinco anos, arrecadando dois mil dólares para seus médicos a fim de "ajudarem outras crianças como eles me ajudaram". Quando morreu, quatro anos depois, havia inspirado tanta gente a criar os próprios quiosques de limonada que conseguiu arrecadar mais de um milhão de dólares. A família deu continuidade ao empreendimento e, desde então, a Lemonade Stand Foundation de Alex já arrecadou mais de cem milhões de dólares que foram destinados à pesquisa do câncer.

Alex foi extraordinária. Mas a maioria das pessoas primeiro se sentem atraídas por coisas de que gostam e só mais tarde descobrem que esse interesse pessoal pode beneficiar outras pessoas. Em outras palavras, a sequência mais comum é começar com um interesse próprio, adotar uma prática individual

GARRA

disciplinada e por fim integrar esse trabalho com um propósito centrado em outras pessoas.

O psicólogo Benjamin Bloom foi um dos primeiros a observar essa progressão em três etapas.[2]

Em 1985, quando Bloom começou a entrevistar atletas, artistas, matemáticos e cientistas notáveis, percebeu que tinha descoberto algo sobre como as pessoas chegam ao topo de suas áreas. O que ele não previu foi que acabava de descobrir um modelo geral de aprendizado que se aplica a todas as áreas que havia estudado. Apesar de diferenças superficiais de formação e treinamento, todas as pessoas extraordinárias que Bloom analisou tinham passado por três períodos de desenvolvimento. Já falamos sobre o que Bloom chama de "primeiros anos" no capítulo 6, quando tratamos do interesse, e sobre os "anos intermediários" no capítulo seguinte, sobre a prática. Agora chegamos à terceira fase, a final e a mais longa do modelo de Bloom — os "anos tardios"— quando o "o propósito e o significado mais amplos"[3] do trabalho, como ele diz, finalmente se revelam.

Quando converso com modelos de garra e eles me dizem que estão orientados por um *propósito*, referem-se a algo muito mais profundo do que a mera intenção. Eles não são apenas orientados por um objetivo; a natureza desses objetivos é especial.

Quando peço algo como "Você pode falar mais sobre isso? O que você quer dizer?", às vezes os entrevistados travam uma luta sincera e cambaleante consigo mesmos para transmitir em palavras aquilo que sentem. Mas sempre — sempre — as frases que se seguem mencionam outras pessoas. Às vezes de forma muito particular ("meus filhos", "meus clientes", "meus alunos"); em outras ocasiões, bem abstrata ("este país", "o esporte", "a ciência", "a sociedade"). Seja lá o que digam, a mensagem é a mesma: os longos dias e noites de esforço extenuante, os reveses, as decepções, a luta, o sacrifício — tudo vale a pena porque, em última instância, recompensará *outras pessoas*.

Em essência, a noção de propósito se refere ao que é importante para outras pessoas além de nós mesmos.

PROPÓSITO

Uma altruísta precoce como Alex Scott é um exemplo simples de um propósito centrado no outro.

Assim como a ativista Jane Golden, modelo de garra que conhecemos no capítulo 6. O interesse pela arte levou Jane a se tornar muralista em Los Angeles depois da faculdade. Com vinte e tantos anos, Jane foi diagnosticada com lúpus, doença que lhe daria pouco tempo de vida. "Essa notícia foi um choque", disse-me ela. "Assumi outra perspectiva de vida."[4] Quando se recuperou dos sintomas mais agudos da doença, ela percebeu que sobreviveria além das previsões iniciais dos médicos, mas com dores crônicas.

De volta a Filadélfia, ela assumiu um pequeno projeto antipichação no gabinete do prefeito que, ao longo de três décadas, transformou no maior programa mundial de arte em espaços públicos.

Agora, com cinquenta e tantos anos, Jane continua a trabalhar de manhã à noite, de seis a sete dias por semana. Um colega afirma que trabalhar com ela é como comandar um comitê de campanha eleitoral em véspera de eleição — só que o dia da votação nunca chega.[5] Para Jane, essas horas se traduzem em mais murais e mais projetos, o que representa mais oportunidades para membros da comunidade de criar e vivenciar arte.

Quando perguntei a Jane sobre o lúpus, ela admitiu sem rodeios que a dor era sua companhia constante. Certa vez, ela disse a um jornalista: "Há momentos em que choro. Penso que não consigo mais continuar empurrando a rocha morro acima. Mas de nada adianta sentir pena de mim mesma, e por isso encontro formas de reconquistar a energia."[6] Por quê? Por que o trabalho dela é interessante? Esse é apenas o começo da motivação de Jane. "Tudo o que faço é com a intenção de servir", disse ela. "Sinto-me instigada por isso. É um imperativo moral."[7] Em palavras ainda mais objetivas, ela diz: "A arte salva vidas."

Outros modelos de garra têm objetivos de alto nível com um propósito menos óbvio.

O renomado crítico de vinhos Antonio Galloni, por exemplo, disse quando o entrevistei: "O apreço pelo vinho é algo que adoro compartilhar. Quando entro num restaurante, gosto de ver uma bela garrafa de vinho em cada mesa."[8]

GARRA

Antonio diz que sua missão é "ajudar as pessoas a compreender o próprio paladar". Quando isso acontece, afirma ele, é como se uma lâmpada se acendesse, e ele quer "fazer milhões de lâmpadas acenderem".[9]

Assim, embora para Antonio o interesse tenha emergido antes — seus pais tinham uma loja de vinho e alimentos quando ele era criança, e ele diz que "fui sempre fascinado por vinhos, desde a mais tenra idade" —, sua paixão aumenta com a ideia de ajudar outras pessoas: "Não sou um neurocirurgião, não estou curando o câncer. Mas, desta maneira mais modesta, acho que vou tornar o mundo melhor. Acordo todas as manhãs com uma sensação de propósito."[10]

No meu "léxico de garra", portanto, *propósito* significa "a intenção de contribuir para o bem-estar de outros".[11]

Depois de escutar vezes sem fim modelos de garra explicando como seu trabalho está profundamente ligado a outras pessoas, decidi analisar essa ligação mais de perto. É claro que o propósito é importante, mas *até que ponto*, em relação a outras prioridades? Na verdade, parecia que o foco individual num objetivo de alto nível era uma atitude mais *egoísta* do que *altruísta*.

Aristóteles foi um dos primeiros a reconhecer que existem duas maneiras de buscar a felicidade. Chamou uma delas de "eudemonismo"— em harmonia com o bom (*eu*) espírito (*daemon*) — e a outra de "hedonismo"— voltada para experiências positivas imediatas e autocentradas. Aristóteles optou claramente por um dos lados da questão, classificando a vida hedonista como primitiva e vulgar, e afirmando a vida eudemônica[12] como nobre e pura.

Na verdade, contudo, essas duas vertentes de felicidade têm profundas raízes evolutivas.

Por um lado, os seres humanos buscam o prazer porque, de modo geral, as coisas que nos dão prazer são as mesmas que aumentam nossas chances de sobrevivência. Se nossos ancestrais não tivessem ansiado por alimentos e sexo, por exemplo, não teriam vivido muito tempo ou tido muitas proles.

PROPÓSITO

Até certo ponto, todos nós somos movidos, como dizia Freud, pelo "princípio do prazer".[13]

Por outro lado, a evolução levou os seres humanos a buscar sentido e propósito.[14] Da forma mais radical, somos criaturas sociais. Por quê? Porque o impulso de se relacionar com outras pessoas e servi-las *também* favorece a sobrevivência. Como? As pessoas que cooperam entre si têm mais probabilidade de sobrevivência do que as solitárias. A sociedade depende de relações interpessoais estáveis, e de muitas maneiras é a sociedade que nos mantém alimentados, oferece abrigo nas intempéries e nos protege de inimigos. O desejo de se relacionar é uma necessidade humana básica tanto quanto o apetite pelo prazer.

Até certo ponto, *todos nós* estamos programados para buscar tanto a felicidade hedonista quanto a eudemonista. Mas a *importância relativa* que damos a esses dois tipos de felicidade pode variar. Para algumas pessoas, o propósito importa muito mais do que o prazer, e vice-versa.[15]

Para investigar as motivações subjacentes à garra, recrutei dezesseis mil adultos americanos e pedi que preenchessem a Escala de Garra. Como parte de um longo questionário complementar, os participantes da pesquisa leram afirmações sobre *propósito* — por exemplo, "O que faço é importante para a sociedade"— e informaram em que medida essas frases se aplicavam a suas vidas. Repetiram o mesmo procedimento com seis afirmações referentes à importância do *prazer* — por exemplo, "Para mim, uma boa vida é uma vida de prazeres". A partir dessas respostas, criamos uma escala de notas de 1 a 5 para a inclinação tanto para o propósito quanto para o prazer.

A seguir, veja o gráfico que montei a partir dos dados obtidos nessa pesquisa ampla. Como se pode ver, as pessoas que têm garra não são monges nem hedonistas. Em termos de busca de prazer, são como todo mundo: o prazer tem importância moderada, seja qual for o grau de garra da pessoa. Em comparação, pode-se ver que quem tem mais garra é *radicalmente* mais motivado do que os demais na busca por uma vida com um propósito e centrada no outro. As notas mais altas em propósito coincidem com as notas mais altas na Escala de Garra.

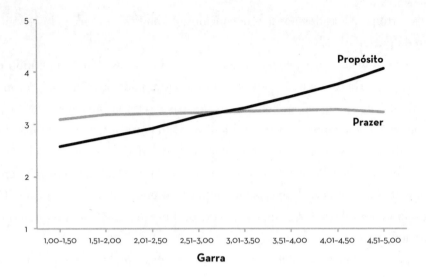

Isso não quer dizer que todos os modelos de garra sejam santos, mas que pessoas com maior grau de garra concebem seus grandes objetivos profundamente ligados ao mundo para além de si mesmas.

Na minha opinião, o propósito é uma fonte de motivação muito poderosa para a maioria das pessoas. Pode haver exceções, mas a raridade delas confirma a regra.

Qual é o meu erro?

Bem, é pouco provável que minha amostragem inclua muitos terroristas ou assassinos em série. E é verdade que não entrevistei ditadores nem chefes da máfia. Talvez você diga que estou deixando de lado toda uma população de modelos de garra cujos objetivos são puramente egoístas ou, pior, voltados para fazer mal aos outros.

Admito. Em parte. Teoricamente, você pode ser um misantropo, um modelo desviado de garra. Joseph Stalin e Adolf Hitler, por exemplo, eram sem dúvida muito determinados. Eles demonstram também que a noção de propósito pode ser distorcida. Quantos milhões de pessoas morreram nas mãos de demagogos cuja intenção *declarada* era contribuir para o bem-estar da população?

PROPÓSITO

Em outras palavras, um ideal de fato positivo e altruísta não é condição absoluta de garra. E preciso admitir que sim, é possível ser um vilão que tenha muita garra.

Entretanto, de modo geral, analisei sem julgamentos os dados coletados em meu estudo e o que os modelos de garra me disseram. Assim, embora o interesse seja essencial para manter uma paixão ao longo do tempo, o desejo de se relacionar com outras pessoas e ajudá-las também é.

Intuo que se você refletir por um momento sobre o número de vezes na vida em que esteve no auge — quando enfrentou os desafios que lhe surgiram, encontrando forças para fazer o que teria parecido impossível — vai entender que os objetivos alcançados estavam de alguma maneira relacionados ao *benefício de outras pessoas*.

Ou seja: pode haver no mundo vilões com garra, mas minha pesquisa indica que há muito mais heróis com garra.

De fato, são sortudos aqueles que têm um objetivo de alto nível tão importante para o mundo que contagia tudo o que fazem, por menor ou tedioso que seja. Lembre a parábola dos três pedreiros:

Perguntam a três pedreiros: "O que vocês estão fazendo?"

O primeiro responde: "Estou assentando tijolos."

O segundo responde: "Estou construindo uma igreja."

E o terceiro responde: "Estou construindo a casa de Deus." O primeiro pedreiro tem um emprego. O segundo, uma carreira. O terceiro, uma vocação.

Muitas pessoas gostariam de ser como o terceiro pedreiro, mas se identificam com o primeiro ou com o segundo.

Amy Wrzesniewski, professora de administração de Yale, descobriu que as pessoas não têm dificuldade alguma para dizer com qual dos três pedreiros se identificam.[16] Em proporções praticamente iguais, as pessoas em idade produtiva se identificam com as seguintes opções:

Ter um emprego ("Vejo meu trabalho como uma necessidade da vida, assim como respirar ou dormir"),

Ter uma carreira ("Vejo meu trabalho sobretudo como um trampolim para outros trabalhos"),

Ter uma vocação ("Meu trabalho é uma das coisas mais importantes da minha vida").

Aplicando os parâmetros de Amy, também concluí que só uma pequena parte dos adultos vê suas ocupações como uma vocação.[17] Não me surpreendeu que estes tenham muito mais garra do que aqueles que veem o trabalho mais como um "emprego" ou "uma carreira."

As pessoas afortunadas que veem o trabalho como uma vocação — em comparação com um emprego ou uma carreira — dizem com convicção que "meu trabalho faz do mundo um lugar melhor". E essas são as pessoas aparentemente mais satisfeitas com o trabalho e com a vida em geral. Uma pesquisa mostrou que as pessoas que consideram o trabalho uma vocação faltam ao trabalho três vezes menos que as demais.[18]

De modo análogo, uma pesquisa recente com 982 funcionários de zoológicos[19] — profissão na qual 80% dos trabalhadores têm diploma universitário e, no entanto, ganham em média um salário de 2 mil dólares por mês — descobriu que aqueles que consideravam seu trabalho uma vocação ("Trabalhar com animais é a minha vocação na vida") também manifestavam alto grau de propósito ("Meu trabalho torna o mundo um lugar melhor"). Os tratadores que têm vocação estão mais dispostos a sacrificar seu tempo livre para cuidar de animais doentes sem receber horas extras. E os que têm vocação foram os que expressaram uma noção de dever moral ("Tenho a obrigação moral de dispensar a meus animais o melhor cuidado possível").

Vou dizer uma obviedade: não há nada de "errado" em não ter ambição profissional para além de ganhar a vida com honestidade. Contudo, muita gente anseia por muito mais. Essa foi a conclusão a que chegou o jornalista Studs Terkel, que na década de 1970 entrevistou mais de cem adultos de todo tipo de profissão.

PROPÓSITO

Como era de se esperar, Terkel concluiu que uma minoria dos trabalhadores identificava seu trabalho com uma vocação. Mas não por falta de vontade. Todos nós, concluiu Terkel, buscamos "o significado de cada dia assim como que o pão de cada dia [...], uma vida melhor do que a espécie de morte que experimentamos de segunda a sexta."[20]

A angústia de passar a maior parte de nosso tempo fazendo algo sem propósito se materializa com clareza no caso de Nora Watson, de 28 anos, redatora de uma instituição que publica informações sobre saúde: "A maior parte das pessoas procura uma vocação, não um emprego", disse ela a Terkel. "Para mim, nada seria melhor do que ter um trabalho tão importante que eu o levasse para casa." Ainda assim, ela admitiu que trabalhava de fato apenas umas duas horas por dia, passando o resto do tempo fingindo. "Sou a única pessoa em toda a droga do edifício cuja mesa dá para uma janela e não para a porta. Simplesmente desvio os olhos de tudo que posso.

"Não acho que tenha uma vocação, neste momento, exceto ser eu mesma",[21] disse Nora ao fim da entrevista. "Mas ninguém lhe paga para que você seja você mesmo, então continuo nesse trabalho, por enquanto..."

Durante a pesquisa, Terkel conheceu alguns "poucos felizardos que encontravam prazer no trabalho diário".[22] Para alguém de fato, estes nem sempre trabalhavam em profissões mais propensas a um propósito do que Nora. Um deles era um pedreiro, outro um encadernador. Um coletor de lixo de 58 anos chamado Roy Schmidt disse a Terkel que seu trabalho era exaustivo, sujo e perigoso. Ele sabia que muitas outras ocupações, inclusive seu ex-emprego num escritório, seriam consideradas mais atraentes para muita gente. Ainda assim, ele disse: "Não desmereço meu trabalho de modo algum [...]. Ele é importante para a sociedade."[23]

Compare o desfecho da entrevista de Nora com o da entrevista de Roy: "Certa vez, um médico me contou uma história. Há muitos anos, na França [...], se você não caísse nas graças do rei, receberia o pior dos trabalhos, que era limpar as ruas de Paris — que naqueles tempos deviam ser um horror. Em dado momento, um senhor aprontou algo tão grave que foi encarregado dessa ocupação. E fez um trabalho tão bom que foi condecorado. Era o pior trabalho

GARRA

do reino da França, e ele foi elogiado pelo que fez. Foi a primeira história que já ouvi na qual o lixo realmente *significa* alguma coisa."

Na parábola dos pedreiros, todos eles têm a mesma ocupação, mas a experiência subjetiva de cada um — como *veem* o trabalho — não pode ser mais diversa.

De maneira análoga, a pesquisa de Amy Wrzesniewski leva a crer que a vocação tem pouco a ver com os aspectos formais de um emprego. Na verdade, ela acredita que praticamente *qualquer* ocupação pode ser um emprego, uma carreira ou uma vocação. Quando entrevistou secretários[24], por exemplo, esperava de início encontrar poucas pessoas que vissem seu trabalho como uma vocação. Quando analisou os dados, descobriu que os secretários identificavam sua ocupação com um emprego, uma carreira ou uma vocação em proporções iguais — mais ou menos o mesmo quadro que observou em outros grupos.

Amy concluiu que não é o tipo de trabalho que faz de uma ocupação um emprego, uma carreira ou uma vocação. O que importa é se a pessoa que executa o trabalho *acredita* que assentar o tijolo seguinte é apenas mais uma coisa que precisa ser feita, se é algo que vai conduzir a maior sucesso pessoal, ou se conecta a pessoa com algo muito maior do que ela mesma.

Concordo. O modo como você *vê* seu trabalho é mais importante do que o nome que se dá a ele.

E isso quer dizer que você pode ir do emprego para a carreira e da carreira para a vocação sem precisar mudar de ocupação.

— O que você diz às pessoas quando pedem conselhos? — perguntei a Amy certa vez.

— Muita gente supõe que precisa *encontrar* sua vocação — respondeu ela. — Acho que muitos se preocupam porque supõem que a vocação é como uma entidade mágica que existe no mundo à espera de ser descoberta.[25]

É assim também que as pessoas pensam — de maneira equivocada — sobre interesses, observei. Elas não entendem que precisam desempenhar um papel ativo no *desenvolvimento e aprofundamento* de seu interesse.

PROPÓSITO

"Uma vocação não é uma coisa totalmente formada que você encontra", diz Amy aos que lhe pedem conselho. "É muito mais dinâmica. Seja lá qual for o seu trabalho — zelador ou CEO de uma empresa —, você pode sempre olhar para o que faz e se perguntar de que forma isso se liga a outras pessoas, como se liga ao quadro mais amplo ou como pode ser a expressão de seus valores mais arraigados."

Em outras palavras, um pedreiro que um dia diz "Estou assentando tijolos" pode em algum momento tornar-se o pedreiro que está "construindo a casa de Deus".

A conclusão de Amy — segundo a qual a mesma pessoa, com uma mesma ocupação, pode pensar em seu trabalho em momentos diversos como um emprego, uma carreira ou uma vocação — me lembrou Joe Leader.

Joe é vice-presidente sênior do departamento de trânsito de Nova York. Basicamente, é engenheiro-chefe do metrô da cidade. É uma tarefa de proporções quase inimagináveis. O sistema de metrô da cidade realiza mais de 1,7 bilhão de viagens por ano, o que faz dele o mais lotado dos Estados Unidos. São 469 estações. De uma ponta a outra, seus trilhos poderiam ligar Nova York a Chicago.[26]

Quando jovem, Leader não procurava uma vocação. O que queria era pagar o empréstimo estudantil.

"Ao sair da faculdade", contou-me ele, "minha principal preocupação era conseguir um emprego. Qualquer emprego. O departamento de trânsito foi ao campus da universidade para recrutar engenheiros e me contratou."[27]

Como estagiário, Leader foi encarregado de trabalhar nas linhas. "Eu instalava trilhos, colocava dormentes e fazia o cabeamento para o terceiro trilho."

Nem todo mundo acharia interessante aquele trabalho, mas Joe, sim. "Era legal. Eu era novo no trabalho e saía para beber no fim do expediente com os meus colegas funcionários administrativos ou de informática. Quando voltávamos para casa, caminhando pelas plataformas de metrô, eles perguntavam: 'Joe, o que é isto, o que é aquilo?' Eu respondia que era um isolante de terceiro trilho ou uma junção isolada. Para mim era divertido."

GARRA

Portanto, o interesse foi a semente de sua paixão.

Em pouco tempo, Joe foi parar no planejamento, trabalho de que também gostava. À medida que seu interesse e sua competência aumentavam e ele começava a se destacar, passou a ver a engenharia de trânsito como uma carreira de longo prazo. "Nos meus dias de folga, descia até a lavanderia para lavar roupa. Sabe aquelas mesas grandes para dobrar a roupa? Bem, todas as mulheres riam porque eu levava meus projetos e trabalhava neles sobre a mesa. Eu estava mesmo apaixonado por aquela parte do trabalho."

Em um ano, Joe começou a ver seu trabalho de outra forma. Às vezes olhava um parafuso ou rebite, pensando que aquilo era trabalho de algum colega de décadas atrás, e ali estava aquele parafuso ou rebite, no mesmo lugar, ainda fazendo os trens andarem; ainda ajudando as pessoas a chegarem aonde tinham que chegar.

"Comecei a sentir que estava dando uma contribuição à sociedade", disse-me ele. "Compreendia que era responsável pelo deslocamento das pessoas a cada dia. E quando me tornei gerente de projetos, olhava de certa distância aqueles grandes trabalhos de instalação — sabe, uma centena de painéis ou um sistema completo de bloqueio [de sinais] — e me dava conta de que o que estávamos fazendo ia durar trinta anos. Foi aí que senti que tinha uma missão, ou, melhor dizendo, uma vocação."

É possível que, ao ouvir Joe Leader falar de seu trabalho, você seja levado a crer que deve desistir se depois de um ano sentir que seu próprio trabalho não é uma vocação. Entre estudantes de MBA, Amy Wrzesniewski descobriu que muitos deles passavam alguns anos num trabalho e concluíam que aquilo não poderia ser a paixão de sua vida.

Pode ser reconfortante saber que Michael Baime levou muito mais tempo.

Baime é professor de clínica médica na Universidade da Pensilvânia. Pode-se pensar que a vocação dele é curar e ensinar. Mas essa é apenas uma parte da verdade. A paixão de Michael é o bem-estar por meio da atenção plena. Ele levou anos para integrar seu interesse pessoal pela atenção plena

PROPÓSITO

com o ideal de ajudar o próximo a levar uma vida mais saudável e feliz. Só quando interesse e ideal convergiram ele sentiu que estava trabalhando naquilo para que tinha nascido.

Perguntei a Michael como ele se interessou pela atenção plena, e ele me levou de volta a sua infância. "Estava olhando para o céu", contou. "E aconteceu uma coisa estranha. Eu me senti como se estivesse realmente me perdendo no céu. Senti uma espécie de expansão, como se eu estivesse ficando muito maior do que era. Foi a experiência mais maravilhosa que já vivenciei."[28]

Mais tarde, Michael achou que podia fazer acontecer a mesma coisa prestando atenção a seus próprios pensamentos. "Fiquei obcecado", contou-me ele. "Não sabia que nome dar àquela coisa, mas a fazia o tempo todo."

Anos depois, Michael estava numa livraria com a mãe e encontrou um livro que descrevia com exatidão a experiência que havia vivenciado. Era um livro de Alan Watts, filósofo britânico que escrevia sobre meditação para o público ocidental muito antes que essa prática entrasse na moda.

Com incentivo dos pais, Michael fez aulas de meditação durante o ensino médio e a faculdade. Quando estava prestes a se formar, precisou decidir o que faria depois. *Meditador profissional* não era uma profissão de verdade. Ele decidiu ser médico.

Depois de vários anos na escola de medicina, Michael confessou a um de seus professores de meditação: "Não é isso o que eu quero fazer de verdade. Isso não é para mim." A medicina era importante, mas não atendia a seus interesses pessoais mais profundos. "Continue", disse o professor. "Você vai ajudar mais pessoas se for médico."

Michael continuou.

Depois de terminar o curso, conta Michael, "eu não tinha ideia do que queria fazer. Um pouco para ganhar tempo, me inscrevi no primeiro ano de residência".

Para sua surpresa, ele gostou da prática médica. "Era uma boa forma de ajudar as pessoas. Nada a ver com a escola de medicina, onde, muito mais do que ajudar, nos dissecávamos cadáveres e a decorávamos o ciclo de Krebs." Logo ele passou de residente a professor, a responsável pela clínica médica, a diretor-assistente da residência e, por fim, a chefe geral da clínica médica.

GARRA

Mesmo após tudo isso, a medicina não era algo que Michael considerasse uma vocação.

"Com o passar do tempo, percebi que muitos de meus pacientes na verdade não precisavam de mais um medicamento ou de uma radiografia, mas daquilo que eu vinha fazendo por mim mesmo desde menino. O que muitos pacientes precisavam era parar, respirar e se conectar de verdade com a experiência que viviam."

Essa percepção levou Michael a criar uma turma de meditação para pacientes com problemas graves de saúde. Isso foi em 1992. Desde então, ele vem expandindo esse programa e, este ano, transformou-o em sua ocupação principal. Até agora, cerca de quinze mil pacientes, enfermeiros e médicos foram treinados.

Pouco tempo atrás, pedi a Michael que desse uma palestra sobre atenção plena para professores primários municipais. No dia da palestra, ele subiu ao púlpito e olhou com atenção para o público. Fez contato visual com cada um dos setenta educadores que abriram mão de sua tarde de domingo para ouvir o que ele tinha a dizer. Houve uma longa pausa.

E então, com um sorriso que só posso classificar como radiante, ele começou: "Tenho uma vocação."

Eu tinha 21 anos quando senti pela primeira vez o poder de um objetivo de alto nível *dotado de propósito*.

Em meu primeiro ano na faculdade, procurei o serviço de orientação profissional em busca de algo para fazer nas férias de verão. Virando as páginas de um enorme fichário que listava os serviços públicos oferecidos, encontrei um projeto chamado Summerbridge, que estava à procura de universitários para projetar e ministrar aulas de reforço para alunos do ensino médio menos privilegiados.

Dar aulas para crianças durante um verão parece uma boa ideia, pensei. *Posso dar aulas de biologia e ecologia. Vou ensinar a elas como se faz um forno solar de papel alumínio e papelão. Vamos assar cachorros-quentes. Vai ser divertido.*

Não pensei: *Esta experiência vai mudar tudo.*

PROPÓSITO

Não pensei: *Claro, você está pensando em cursar medicina agora, mas não por muito tempo.*

Não pensei: *Segure firme — você está a ponto de descobrir o poder do propósito.*

Para ser franca, não tenho muito a dizer sobre aquele verão. Os detalhes me fogem. Sei que acordava muito antes do amanhecer todos os dias, até mesmo nos fins de semana, para preparar minhas aulas. Sei que trabalhava até tarde da noite. Lembro-me de algumas das crianças e de certos momentos. Mas só entendi o que havia acontecido quando voltei para casa e tive tempo para refletir. Eu tinha vislumbrado o potencial transformador da ligação entre uma criança e um professor — para ambos.

Quando voltei ao campus, no outono, procurei outros alunos que tinham ensinado no projeto Summerbridge. Um deles, Philip King, por acaso morava na mesma residência estudantil que eu. Como eu, ele sentia uma urgência palpável de lançar outro programa como o Summerbridge. A ideia era muito convidativa. *Não podíamos deixar de tentar.*

Não tínhamos nada: dinheiro, ideia de como fundar uma organização sem fins lucrativos, contatos e, no meu caso, nada além de ceticismo e preocupação por parte de meus pais. Eles estavam convencidos de que aquela seria uma maneira catastrófica e estúpida de usar um diploma de Harvard.

Philip e eu não tínhamos nada, mas tínhamos tudo de que precisávamos. Tínhamos um propósito.

Como qualquer pessoa que tenha criado uma ONG a partir do nada pode dizer, há milhões de tarefas, grandes e pequenas, e nenhuma delas vem com manual de instruções. Se Philip e eu estivéssemos fazendo algo apenas interessante, não teríamos conseguido sair do lugar. Mas como a criação desse projeto estava em nossa mente — e em nosso *coração* — como algo importantíssimo para as crianças, ganhamos uma coragem e uma energia que nenhum de nós tinha experimentado antes.

Como não estávamos pedindo dinheiro para nós mesmos, Philip e eu encontramos forças para bater à porta de quase todos os pequenos negócios e restaurantes de Cambridge, em busca de doações. Reunimos toda a paciência necessária para nos sentarmos em incontáveis salas de espera de autoridades.

GARRA

Esperávamos e esperávamos, às vezes horas a fio, até que essas autoridades tivessem tempo para nos receber. E então fomos persistentes o bastante para continuar pedindo e pedindo até conseguir o que precisávamos.

E isso aconteceu com tudo o que precisamos fazer — porque não estávamos fazendo para nós mesmos, mas para uma causa maior.

Duas semanas depois de formados, abrimos as portas da ONG. Naquele verão, sete alunos de ensino médio e universitários descobriram o que era ser professor. Trinta meninos e meninas de quinto ano descobriram como era passar as férias de verão aprendendo, estudando, trabalhando duro e, ao mesmo tempo — embora antes tivesse parecido impossível —, divertindo-se.[29]

Isso foi há mais de vinte anos. Hoje chamado de Breakthrough Greater Boston, o programa cresceu muito mais do que Philip e eu pudéssemos imaginar, oferecendo reforço escolar gratuito o ano todo, todos os anos, para centenas de estudantes.[30] Até agora, mais de mil jovens deram aulas no programa, e muitos deles saíram dali em busca de uma carreira em educação.

Summerbridge me fez querer ensinar. Ensinar fez brotar um interesse duradouro de ajudar crianças a fazer de sua vida muito mais do que elas um dia tivessem sonhado.

Mas aí...

Para mim, ser professora não era o bastante. Ainda estava insatisfeita a menininha em mim que amava a ciência, que era fascinada pela natureza humana e que, aos dezesseis anos, quando teve a oportunidade de fazer um curso de verão, escolheu psicologia entre todos os cursos do catálogo.

Escrever este livro me fez entender que tive uma pista de meus interesses na adolescência, mais tarde alguma clareza sobre propósitos, aos vinte e poucos anos e, por fim, na casa dos trinta, a experiência e a competência para afirmar meu maior objetivo, em torno do qual se organiza minha vida — e assim será até meu último suspiro: *Usar a psicologia para ajudar as crianças a florescerem.*

Um dos motivos pelos quais meu pai ficou tão preocupado com Summerbridge é o fato de me amar. Ele achava que eu ia sacrificar minha felicidade pelo

PROPÓSITO

bem-estar de outras pessoas que ele, para dizer a verdade, não amava como a própria filha.

Com efeito, os conceitos de garra e propósito podem, em princípio, parecer conflitantes. Como é possível permanecer focado em sua própria meta de nível superior e ao mesmo tempo ter visão periférica para se preocupar com outras pessoas? Se a garra consiste em ter uma pirâmide de metas voltadas para um único objetivo pessoal, como *outras pessoas* entram na história?

"A maior parte das pessoas acredita que as motivações de orientação individual e as motivações de orientação coletiva são extremos opostos de um espectro", explica meu colega Adam Grant, professor de Wharton. "No entanto, encontrei indícios convincentes de que são coisas completamente independentes. Você pode não ter nenhum desses dois tipos de motivação, ou ter ambos."[31] Em outras palavras, você pode ser uma figura proeminente e, ao mesmo tempo, se sentir compelido a ajudar os outros.

A pesquisa de Adam demonstra que líderes e funcionários que alimentam interesses pessoais *e* sociais ao mesmo tempo se saem melhor a longo prazo[32] do que os que têm motivações cem por cento autocentradas.

Por exemplo, Adam uma vez perguntou a bombeiros: "Por que vocês se sentem motivados a realizar seu trabalho?" Ele então acompanhou as horas extras de trabalho durante dois meses, esperando que os bombeiros motivados pelos serviços que prestavam a outros demonstrassem mais garra. Mas muitos desses motivados pela ajuda a outras pessoas trabalhavam *menos* horas extras. Por quê?

Faltava-lhes uma segunda motivação: interesse pelo trabalho em si.[33] O desejo de ajudar os outros só resultava em maior esforço quando eles gostavam do trabalho. Na verdade, os bombeiros que revelaram motivações coletivas ("Porque quero ajudar os outros com meu trabalho") *e* interesse pelo trabalho em si ("Porque gosto de fazer isso") tiveram uma média semanal de horas extras mais de 50% maior do que os demais.

Quando Adam fez a mesma pergunta —"O que o motiva a realizar seu trabalho?"— a 140 operadores de centrais de atendimento encarregados de levantar verbas para uma universidade pública, encontrou resultados idênticos. Apenas os operadores que manifestaram fortes motivações sociais *e* achavam

GARRA

seu trabalho intrinsecamente interessante faziam mais ligações e levantavam mais verba para a universidade.[34]

David Yeager e Matt Bundick, especialistas em psicologia do desenvolvimento, encontraram o mesmo padrão de resultados em adolescentes.[35] Em uma de suas pesquisas, David entrevistou cerca de cem adolescentes e pediu-lhes que dissessem nas próprias palavras o que queriam ser na idade adulta, e por quê.

Alguns falaram do futuro em termos puramente individualistas ("Quero ser estilista porque é interessante [...] O importante [...] é [trabalhar com] aquilo de que você realmente gosta").

Outros só mencionaram motivações sociais ("Quero ser médico. Quero ajudar as pessoas...").

Por fim, alguns adolescentes mencionaram motivações individualistas e altruístas: "Se eu fosse biólogo marinho, poderia lutar [para] manter tudo limpo [...], ia escolher um lugar e ajudar esse lugar, protegendo os peixes e tudo o mais [...]. Sempre gostei de ter aquários e peixes porque eles nadam, tipo assim, livres. É como voar debaixo d'água ou uma coisa assim."

Dois anos depois, os jovens que mencionaram *tanto* motivos individualistas *como* altruístas disseram achar suas atividades escolares mais carregadas de sentido pessoal do que seus colegas que apontaram motivos de um só tipo.

Para muitos dos modelos de garra que entrevistei, o caminho para uma paixão interessante e dotada de propósito foi imprevisível.

Aurora e Franco Fonte são empreendedores australianos donos de uma empresa prestadora de serviços de limpeza que emprega 2.500 funcionários e gera receita anual de mais de 130 milhões de dólares.

Há 27 anos, Aurora e Franco estavam recém-casados e sem um tostão. Pensavam em abrir um restaurante, mas não tinham dinheiro suficiente. Começaram fazendo a limpeza de shoppings e pequenos edifícios comerciais — não por algum tipo de vocação, mas para pagar as contas.

PROPÓSITO

Em pouco tempo, suas ambições de carreira mudaram de direção. Eles passaram a ver um futuro mais interessante na manutenção de edifícios do que na alimentação. Trabalharam muito, oitenta horas por semana, às vezes com seus filhos amarrados ao peito, escovando azulejos nos banheiros dos clientes como se fossem deles próprios.

Passaram por altos e baixos — houve muitos —, mas, como disse Franco: "Sempre perseveramos. Nenhum obstáculo nos detinha. Não havia como a gente fracassar."[36]

Confessei a Aurora e Franco que para mim era difícil imaginar a limpeza de banheiros — ou mesmo a construção de uma empresa multimilionária que limpa banheiros — como uma vocação.

"Não se trata da limpeza", explicou Aurora, emocionada. "Trata-se de construir alguma coisa. Trata-se dos clientes e de resolver os problemas deles. Acima de tudo, trata-se das pessoas incríveis que empregamos — elas têm bom coração e nós nos sentimos muito responsáveis por elas."

Segundo o psicólogo do desenvolvimento Bill Damon, de Stanford, essa motivação que extrapola os interesses individuais pode e deve ser deliberadamente cultivada. Hoje na quinta década de sua notável carreira, Bill estuda como os adolescentes aprendem a viver uma vida gratificante do ponto de vista pessoal e ao mesmo tempo benéfica para a comunidade. O estudo do propósito, diz ele, é sua vocação.

Nas palavras de Bill, o propósito é a resposta final à pergunta *"Por quê? Por que você está fazendo isso?".*

E o que Bill descobriu sobre as origens do propósito?

"Em todo conjunto de dados existe um padrão", explica ele. "Todo mundo tem um estalo. E este é o começo do propósito. O estalo é alguma coisa que lhe interessa."[37]

Então você precisa observar uma pessoa com propósito. O modelo exemplar de propósito pode ser um membro da família, uma figura histórica, um político. Não importa quem seja, nem mesmo se o propósito está relacionado

GARRA

àquilo que a criança vai acabar fazendo. "O que importa", explica Bill, "é que *alguém* mostre que é possível realizar alguma coisa por outras pessoas."

Na verdade, ele não lembra um só caso no qual o desenvolvimento de um propósito tenha surgido sem a observação prévia de um modelo. "Idealmente", explica Bill, "a criança vê como é difícil uma vida com propósito — todas as frustrações e obstáculos —, mas também como ela pode ser gratificante em última instância."

O que acontece em seguida é uma revelação, como diz Bill. A pessoa descobre no mundo um problema que precisa ser solucionado. Essa descoberta pode se dar de muitas maneiras. Às vezes acontece a partir uma perda pessoal ou de uma adversidade.[38] Às vezes, de aprender sobre a perda e a adversidade observando outras pessoas.

No entanto, Bill faz questão de acrescentar que ver alguém precisando de ajuda não basta. O propósito exige uma segunda revelação: "Eu, *pessoalmente*, posso fazer diferença." É por causa dessa convicção, dessa decisão de agir, que é importante observar um modelo aplicando o propósito na própria vida, diz ele. "Você precisa acreditar que seus esforços não serão em vão."

Kat Cole é uma dessas pessoas que observaram um modelo de garra impulsionado por um propósito.

Quando a conheci, Kat tinha 35 anos e presidia a rede de padarias Cinnabon. Se ouvisse o caso sem refletir muito, você poderia dizer que Kat passou "da pobreza à riqueza". Contudo, ao se debruçar sobre sua história e prestar atenção, vai notar algo diferente: "da pobreza ao propósito".

Kat foi criada em Jacksonville, na Flórida. Sua mãe, Jo, tomou coragem para deixar o pai de Kat, um alcoólatra, quando a menina tinha nove anos. Jo tinha três empregos para conseguir sustentar Kat e suas duas irmãs e ainda encontrava tempo de ser prestativa. "Ela estava sempre cozinhando para alguém, fazendo uma coisa por alguém — ela aproveitava toda pequena oportunidade de fazer algo pelos outros. Todo mundo que ela conhecia, fossem colegas de trabalho ou pessoas da vizinhança, era como um parente para ela."[39]

PROPÓSITO

Kat herdou da mãe tanto a ética de trabalho quanto seu desejo profundo de ajudar.

Antes de falar da motivação de Kat, vamos analisar sua incrível ascensão pela carreira corporativa. O currículo dela começa com um período em que, aos quinze anos, vendeu roupas num shopping local. Aos dezoito, já tinha idade para ser garçonete. Trabalhou no restaurante Hooters e, um ano depois, pediram-lhe que ajudasse a abrir o primeiro restaurante da rede na Austrália. O mesmo ocorreu na Cidade do México, nas Bahamas e depois na Argentina. Aos 22 anos, Kat comandava um departamento de dez pessoas. Aos 26, era vice-presidente. Como membro da equipe executiva, Kat colaborou na expansão da franquia Hooters para mais de quatrocentos pontos em 28 países. Quando a empresa foi comprada por uma firma de investimentos privados, Kat, aos 32 anos, tinha uma trajetória tão impressionante que foi convidada para ser presidente da Cinnabon. Sob a supervisão de Kat, as vendas da Cinnabon cresceram mais do que na década anterior e em quatro anos passavam de um bilhão de dólares.[40]

Agora vamos analisar o que motiva Kat.

Certa vez, quando ela era garçonete da Hooters, o cozinheiro abandonou o trabalho no meio do dia. "Então", contou-me ela com toda a naturalidade, "fui para a cozinha com o gerente e ajudei a preparar os pratos até que todas as mesas fossem servidas."

Por quê?

"Antes de mais nada, porque eu vivia de gorjetas. Era assim que eu pagava minhas contas. Se as pessoas não recebessem seus pedidos, não pagariam a conta nem deixariam gorjeta. Em segundo lugar, eu tinha a curiosidade de saber se era capaz de fazer aquilo. Em terceiro, queria ser útil."

Gorjetas e curiosidade são motivações individuais, mas querer ser útil é uma motivação social. Este é um exemplo de como um simples ato — correr para a beira do fogão e fazer a comida para todos os clientes no restaurante — beneficiou o próprio indivíduo *e* as pessoas à sua volta.

Logo depois, Kat viu-se treinando ajudantes de cozinha e colaborando nas tarefas de escritório. "Um dia, o bartender precisou sair mais cedo, e aconteceu a mesma coisa. Outro dia, o gerente foi embora, e aprendi a comandar

GARRA

uma equipe. Ao longo de seis meses, tinha trabalhado em todas as funções naquele prédio. Não apenas realizava o trabalho, mas me tornei treinadora para ajudar a ensinar todas aquelas tarefas a outras pessoas."

Ocupar espaços e ser especialmente útil não foi um movimento deliberado para subir na empresa. No entanto, aquele desempenho que ia muito além das obrigações levou ao convite para colaborar na abertura das lojas internacionais, o que levou a um cargo executivo na empresa e assim por diante.

Não é coincidência que aquilo fosse o tipo de coisa que sua mãe, Jo, faria. "Minha paixão é ajudar as pessoas",[41] disse-me Jo. "Não importa se é no trabalho ou longe do trabalho, se você precisa de alguém para ficar do seu lado e construir alguma coisa, ou ajudar de alguma forma, sou a pessoa disposta a comparecer. Para mim, todo sucesso que já tive aconteceu porque gosto de compartilhar. Não tenho reservas — gosto de oferecer o que tenho, seja a você ou a outra pessoa."

Kat atribui sua filosofia à mãe, que a criou "para trabalhar duro e retribuir". Essa é a ética que ainda a orienta.

"Aos poucos, fui descobrindo que era boa nisto de chegar em ambientes novos e ajudar as pessoas a entenderem que são capazes de fazer mais do que supõem. Descobri que essa era a minha onda. E comecei a entender que, se eu podia ajudar as pessoas a fazer alguma coisa, poderia ajudar equipes inteiras. E, se podia ajudar equipes, poderia ajudar empresas. Se podia ajudar empresas, poderia ajudar marcas. Se podia ajudar marcas, poderia ajudar comunidades e países."

Não muito tempo atrás, Kat postou um texto em seu blog intitulado "Descubra o que é possível e ajude os outros a fazer o mesmo". Ela escreve: "Quando estou com as pessoas, meu coração e minha alma irradiam a consciência de estar na presença da grandeza. Talvez uma grandeza ainda não descoberta ou ainda não desenvolvida, mas mesmo assim a existência real ou potencial da grandeza. Você nunca sabe quem vai fazer as coisas bem, ou fazer grandes coisas, ou tornar-se uma pessoa muito influente no mundo — portanto, trate todo mundo como se fosse essa pessoa."[42]

PROPÓSITO

Seja qual for sua idade, nunca é muito cedo ou muito tarde para começar a cultivar a noção de propósito. Tenho três sugestões, cada uma delas emprestadas de um dos pesquisadores citados neste capítulo.

David Yeager recomenda *refletir sobre como o trabalho que você já faz pode beneficiar a sociedade*.

Em muitas pesquisas longitudinais, David Yeager e seu colega Dave Paunesku perguntaram a alunos do ensino médio: "De que forma o mundo poderia ser um lugar melhor?"[43] Depois pediram aos adolescentes que buscassem uma ligação entre sua resposta e o que estavam aprendendo na escola. Um aluno escreveu: "Eu gostaria de ter um emprego como o de um pesquisador de genética. Usaria meu trabalho para ajudar a melhorar o mundo por meio da engenharia genética aplicada à agricultura, para produzir mais alimentos [...]." Outro disse: "Acho que receber uma educação permite que você entenda o mundo à sua volta [...]. Eu não seria capaz de ajudar ninguém sem antes ir à escola."

Esse exercício simples, que levou menos tempo do que uma aula, aumentou de maneira significativa o engajamento dos estudantes. Comparado a um exercício placebo de controle, refletir sobre um ideal levou os alunos a dobrar o tempo de estudo para uma prova, a trabalhar mais na resolução de problemas de matemática entediantes tendo a opção de assistir a vídeos divertidos, e ajudou-os a tirar notas melhores em matemática e ciência.

Amy Wrzesniewski recomenda *pensar como você pode mudar coisas pequenas mas significativas em seu trabalho atual para reforçar a ligação dele com seus valores fundamentais*.

Amy chama essa ideia de "artesanato do trabalho"[44], uma intervenção que ela tem estudado com os psicólogos Jane Dutton, Justin Berg e Adam Grant. Não se trata de uma atitude tipo Poliana, como "todo emprego pode levar ao nirvana". É apenas a noção de que, seja qual for sua ocupação, você pode manobrar as atribuições de seu trabalho — acrescentando, delegando e personalizando as coisas que faz para que coincidam com seus interesses e valores.

Recentemente, Amy e seus colaboradores testaram essa ideia no Google. Profissionais de atividades que num primeiro momento não evocam a palavra *propósito* — vendas, marketing, finanças, operações e contabilidade, por exemplo — foram inscritos ao acaso numa oficina de artesanato do trabalho. Trouxeram as próprias ideias sobre como ajustar a rotina diária, e cada uma delas fez um mapa personalizado sobre o que seria um trabalho mais significativo e interessante. Seis semanas depois, gerentes e colegas avaliaram os funcionários que frequentaram a oficina e concluíram que estavam bem mais contentes e eficientes.

Por fim, Bill Damon recomenda *buscar inspiração num modelo de propósito*. Ele pede que você responda por escrito a algumas perguntas usadas em suas entrevistas de pesquisa, como "Imagine-se daqui a quinze anos. O que acha que vai ser mais importante para você?" e "Você se lembra de uma pessoa cuja vida seja uma inspiração para que você se torne uma pessoa melhor? Quem? Por quê?"[45]

Quando fiz o exercício proposto por Bill, entendi que minha mãe foi a pessoa que, mais do que qualquer outra, mostrou-me a beleza do propósito orientado pelo outro. Sem exagero, ela é a melhor pessoa que já conheci.

Quando era pequena, nem sempre apreciava o espírito generoso de minha mãe. Não gostava quando estranhos se sentavam à nossa mesa a cada Dia de Ação de Graças — não apenas parentes distantes que tinham chegado da China havia pouco, mas seus colegas e amigos de colegas. Praticamente qualquer pessoa que não tivesse para onde ir e procurasse minha mãe no mês de novembro era bem recebida em nossa casa.

Certa vez, ela doou meus presentes de aniversário um mês depois de recebê-los e, em outra ocasião, deu a coleção completa de bichinhos de pelúcia de minha irmã. Fazíamos birra, chorávamos e acusávamos nossa mãe de não gostar de nós. "Mas há crianças que precisam disso mais do que vocês", dizia ela, surpresa de verdade com nossa reação. "Vocês têm tanta coisa! Elas têm tão pouco!"

Quando eu disse a meu pai que não cursaria medicina para me dedicar à criação do programa Summerbridge, ele teve um ataque. "Por que você se preocupa com as crianças pobres? Não são seus parentes! Você sequer as conhece!" Agora entendo por quê. Durante toda a vida vi que uma pessoa — minha mãe — era capaz de ajudar muitas outras. Presenciei a força do propósito.

→ Capítulo 9

ESPERANÇA

Um antigo ditado japonês diz: *Cair sete vezes, levantar oito.* Se um dia eu fizesse uma tatuagem, escolheria essas palavras para gravar na minha pele.

O que é esperança?

Uma forma de esperança é a expectativa de que amanhã será um dia melhor do que hoje. É o tipo de esperança que nos faz desejar um dia mais ensolarado ou um caminho mais suave pela frente. Chega sem o peso da responsabilidade. Cabe ao universo fazer as coisas melhorarem.

A garra depende de outro tipo de esperança. Esta repousa sobre a expectativa de que nosso esforço pode melhorar o futuro. *Tenho a sensação de que amanhã será um dia melhor* é diferente de *Estou decidido a fazer de amanhã um dia melhor.* A esperança das pessoas que têm garra nada tem a ver com a sorte e tudo tem a ver com levantar-se de novo.[1]

No segundo semestre do meu primeiro ano de faculdade, matriculei-me em neurobiologia.

Chegava cedo às aulas e me sentava na primeira fila, copiando cada equação e diagrama no meu caderno. Além das aulas, cumpri todas as leituras recomendadas e resolvi os problemas propostos. Ao chegar na sala para fazer a primeira prova, estava um pouco insegura em algumas áreas — era uma ma-

GARRA

téria difícil, e meu curso de biologia no ensino médio deixava muito a desejar, — mas no geral me sentia bastante confiante.

A prova começou bem, mas aos poucos tornou-se mais difícil. Comecei a entrar em pânico, pensando sem parar: *Não vou terminar a prova! Não tenho ideia do que estou fazendo! Vou me dar mal!* Claro que foi uma profecia fadada a se cumprir. Quanto mais minha cabeça se enchia desses pensamentos ansiosos, menos eu conseguia me concentrar. O tempo acabou antes que eu conseguisse até mesmo ler o último problema.

Dias depois, o professor devolveu as provas corrigidas. Olhei desconsolada para minha péssima nota e, pouco depois, irrompi no gabinete do meu monitor.

— Você deveria considerar a possibilidade de abandonar essa disciplina — aconselhou ele. — Você é caloura. Ainda tem três anos pela frente. Pode cursar essa matéria mais tarde.

— Fiz o curso avançado de biologia no ensino médio — contestei.

— E como se saiu?

— Tirei nota A, mas meu professor não era muito bom, e provavelmente por isso não fiz prova de biologia avançada de verdade.

Isso só confirmava a intuição dele de que eu deveria abandonar o curso.

Praticamente o mesmo cenário se repetiu na segunda prova do período, para a qual estudei como louca. Mais tarde, fui de novo à sala do monitor. Dessa vez, ele foi mais veemente. "Você não vai querer ter uma reprovação em seu histórico, vai? Ainda há tempo de abandonar o curso. Se fizer isso, nada será lançado no seu boletim."

Agradeci a preocupação dele e fechei a porta atrás de mim. No corredor, fiquei surpresa comigo mesma por não estar chorando. Em vez disso, revisei os fatos da situação: dois fracassos e só mais uma prova — o exame final — antes do fim do semestre. Compreendi que deveria ter começado por uma matéria menos exigente, e agora, transcorrida mais da metade do semestre, estava claro que minha dedicação ao estudo não era suficiente. Se continuasse, havia uma boa probabilidade de me sair mal no teste final e acabar com uma reprovação no meu histórico. Se abandonasse, diminuiria o prejuízo.

ESPERANÇA

Cerrei os punhos e os dentes e fui para a sala de matrículas. Naquele momento, eu tinha resolvido permanecer inscrita — e, mais ainda, *me especializar* em neurobiologia.[2]

Lembrando aquele dia decisivo, vejo que fui derrubada — ou, melhor dizendo, tropecei em meus próprios pés e dei de cara no chão. Foi um momento em que eu poderia ter ficado para baixo. Poderia ter dito a mim mesma: *Sou uma idiota! Nada do que faço presta!* E poderia ter desistido da matéria.

Em vez disso, o que disse a mim mesma estava impregnado de esperança e desafio: *Não vou desistir! Posso resolver isso!*

Durante o restante do semestre, não só me preparei com muito mais afinco como tentei fazer coisas que nunca tinha feito. Compareci a todas as sessões com os monitores. Pedi exercícios complementares. Treinei a resolução de problemas sob pressão de tempo — imitando as condições em que precisaria demonstrar um desempenho impecável. Sabia que a ansiedade seria um problema na hora do exame, por isso decidi chegar a um nível de conhecimento tal que nada pudesse me surpreender. Quando chegou a hora do exame final, parecia que eu mesma havia formulado as questões.

Gabaritei. Minha média geral no curso foi um B — a nota mais baixa que tirei em quatro anos, mas a que me deixou mais orgulhosa.

Mal sabia eu, mergulhada em minhas aulas de neurobiologia, que estava recriando as condições de um famoso experimento psicológico.

Voltemos a 1964. Dois estudantes do primeiro ano de doutorado em psicologia, chamados Marty Seligman e Steve Maier, estão num laboratório sem janelas observando um cachorro enjaulado que leva choques elétricos nas patas traseiras. Os choques acontecem aleatoriamente e sem aviso. Se o cachorro não fizer nada, o choque dura cinco segundos, mas se ele pressionar o focinho contra um painel que está diante da jaula, o choque acaba antes. Numa segunda jaula, outro cachorro está tomando choques exatamente com os mesmos intervalos, mas não há painel para empurrar. Em outras palavras,

GARRA

os dois cachorros levam choques com a mesma intensidade nos mesmos intervalos, mas só o primeiro pode controlar a duração dos choques. Depois de 64 choques, os cachorros voltam para seu canil e outros cachorros são trazidos para o mesmo procedimento.

No dia seguinte, um a um, todos os cachorros são acomodados numa gaiola com uma parede baixa no meio, de altura suficiente para que os cachorros possam transpô-la se quiserem. Um som agudo anuncia a iminência do choque, que chega através do piso somente à metade da caixa em que o cachorro está. Quase todos os cachorros que experimentaram controle sobre os choques no dia anterior aprendem a saltar a barreira. Eles ouvem o som e saltam o pequeno muro em busca de segurança. Já dois terços dos cachorros que não tiveram controle sobre os choques no dia anterior simplesmente ficam ali deitados, ganindo, esperando passivamente que o castigo acabe.[3]

Esse experimento seminal provou pela primeira vez que não é o sofrimento o que leva ao desamparo. É sofrer aquilo que você acha que não pode controlar.

Muitos anos após decidir me especializar na disciplina em que estava sendo reprovada, sentei-me num cubículo para estudantes de pós-graduação próximo do gabinete de Marty, lendo sobre o experimento de desamparo aprendido. Logo vi paralelos com minha experiência de caloura. A primeira prova de neurobiologia trouxe um sofrimento inesperado. Lutei para melhorar minha situação, mas quando chegou a segunda prova fui derrotada de novo. A gaiola era o restante do semestre. Será que eu deveria ter concluído, com base na experiência, que estava desamparada para mudar minha situação? Afinal, minha experiência imediata indicava que dois desfechos desastrosos seriam seguidos de um terceiro.

Ou eu seria como os poucos cachorros que, apesar da memória recente de sofrimento incontrolável, se agarraram à esperança? Deveria considerar meu sofrimento anterior o resultado de erros específicos que eu poderia evitar no futuro? Deveria expandir meu foco para além do passado recente, lembrando as muitas vezes em que dei de ombros para o fracasso e por fim o venci?

ESPERANÇA

Como se vê, comportei-me como os cachorros perseverantes da pesquisa de Marty e Steve. Levantei-me e continuei lutando.

Na década que se seguiu àquele experimento de 1964, outras pesquisas revelaram que o sofrimento sem controle causa sintomas de depressão clínica, como alterações no apetite e na atividade física, distúrbios do sono e dificuldade de concentração.

Quando Marty e Steve formularam a tese segundo a qual animais e pessoas podem *aprender* que estão desamparados, sua teoria foi considerada absurda por outros pesquisadores. Na época, ninguém levava a sério a possibilidade de cachorros terem pensamentos que influenciem seu comportamento. Na verdade, poucos psicólogos aceitavam a possibilidade de que *as pessoas* tivessem pensamentos que influenciassem seu comportamento. O consenso era que todos os animais vivos simplesmente reagem mecanicamente a castigos e recompensas.

Depois de produzir uma enxurrada de dados que desqualificavam qualquer explicação alternativa, a comunidade científica afinal se convenceu.

Após investigar em laboratório as consequências desastrosas do estresse incontrolável, Marty ficou cada vez mais interessado nas medidas que poderiam ser tomadas a partir disso. Decidiu se reciclar como psicólogo clínico. Com sabedoria, escolheu a orientação de Aaron Beck, psiquiatra e pioneiro no entendimento das causas da depressão e de seus antídotos práticos.[4]

O que veio a seguir foi uma exploração exaustiva do avesso do desamparo aprendido, que Marty mais tarde chamaria de *otimismo aprendido*. A ideia que embasou o novo trabalho de Marty existiu desde o início: embora dois terços dos cachorros que tinham experimentado choque incontrolável mais tarde tenham desistido de tentar escapar, um terço deles perseverou. Apesar do trauma anterior, eles continuaram tentando manobras que lhes trouxessem alívio.

Foram esses cachorros perseverantes que levaram Marty a estudar o *Não vou desistir* como resposta humana à adversidade. Os otimistas, descobriu o psicólogo, são tão propensos a topar com acontecimentos ruins quanto os pessimistas. Eles divergem apenas nas explicações que formulam para essas situações: os otimistas normalmente procuram causas temporárias e específicas para o sofrimento, enquanto os pessimistas culpam causas permanentes e genéricas.

Eis um exemplo tirado do teste que Marty e seus alunos criaram para distinguir otimistas de pessimistas:[5] *Imagine: você não vai poder fazer todo o trabalho que esperam de você. Agora imagine uma causa importante para isso. O que lhe vem à cabeça?* Depois de ler sobre esse cenário hipotético, você escreve sua resposta e então, depois de refletir sobre outros cenários, suas respostas são classificadas em escalas que as tratam como temporárias (e não permanentes) e como específicas (e não genéricas).

Se você for um pessimista, possivelmente dirá *Faço tudo errado*. Ou: *Sou um fracassado*. Essas justificativas são permanentes; não há o que se possa fazer para mudá-las. Elas são também genéricas; provavelmente vão influenciar muitas situações na vida e não apenas seu desempenho no trabalho. Explicações permanentes e genéricas para a adversidade transformam pequenas complicações em grandes catástrofes. Fazem parecer que o lógico é desistir. Se, por outro lado, você for um otimista, dirá: *Administrei mal o meu tempo*. Ou: *Não trabalhei direito porque me distraí*. Essas explicações são temporárias e específicas. Por serem passíveis de correção, podem ser solucionadas o quanto antes.

A partir desse teste, Marty confirmou que, comparados aos otimistas, os pessimistas são mais propensos a sofrer de depressão e ansiedade.[6] Além disso, os otimistas se saem melhor em esferas não diretamente relacionadas à saúde mental. Por exemplo, os universitários otimistas em geral têm notas melhores e abandonam a faculdade com menos frequência do que os pessimistas.[7] Jovens otimistas permanecem mais saudáveis ao chegar à meia-idade e vivem mais do que os pessimistas.[8] Os otimistas são mais satisfeitos com seus casamentos.[9] Um estudo de um ano de duração com corretores de seguro da MetLife descobriu que os otimistas são duas vezes mais propensos a permanecer no emprego e vendem cerca de 25% mais apólices de seguro que seus colegas pessimistas.[10] Da mesma maneira, pesquisas com profissionais de vendas em telecomunicações, imóveis, material de escritório, automóveis, bancos e outras áreas mostraram que os otimistas vendem de 20% a 40% mais do que os pessimistas.

ESPERANÇA

Num outro estudo, pesquisadores aplicaram o teste de otimismo de Marty em nadadores de elite — muitos dos quais estavam treinando para entrar na equipe olímpica dos Estados Unidos. Então, os treinadores pediram a eles que nadassem o melhor que pudessem[11] e depois, deliberadamente, disseram a cada atleta que haviam nadado um pouco mais *devagar* do que de fato nadaram. Quando tiveram a oportunidade de repetir a prova, os otimistas foram pelo menos tão bem quanto na primeira tentativa, mas os pessimistas foram bem pior.

O que os modelos de garra pensam sobre os reveses? Descobri que, na maior parte dos casos, eles explicam esses eventos de maneira otimista. A jornalista Hester Lacey encontra o mesmo padrão em suas entrevistas com pessoas especialmente criativas. "Qual foi a maior decepção que você já viveu?", pergunta ela a cada um dos entrevistados. Sejam artistas, empreendedores ou ativistas comunitários, a resposta é quase sempre a mesma. "Bem, na verdade eu não penso em termos de decepção. Sou mais inclinado a pensar que posso aprender com tudo o que acontece. Costumo pensar: 'Está bem, isso não deu tão certo, mas acho que vou continuar.'"[12]

Na época em que Marty Seligman fez um intervalo de dois anos em suas pesquisas de laboratório, seu novo mentor, Aaron Beck, questionava a própria formação em psicanálise freudiana. Como muitos psiquiatras da época, Beck tinha aprendido que todas as formas de doença mental tinham raízes em conflitos inconscientes da infância.

Beck discordava. Teve a audácia de sugerir que um psiquiatra podia falar diretamente com seus pacientes sobre o que os preocupava, e que os pensamentos dos pacientes — seus monólogos interiores — poderiam ser o objeto da terapia.[13] A ideia básica dessa nova abordagem de Beck é que o *mesmo fato objetivo* — a perda de um emprego, desentendimentos com um colega de trabalho, esquecer de ligar para um amigo — pode levar a *interpretações subjetivas diferentes*. E são essas interpretações, e não os fatos em si, que dão origem a nossos sentimentos e nossos comportamentos.

GARRA

A terapia cognitivo-comportamental — que visa tratar a depressão e outras doenças psíquicas ajudando os pacientes a pensar de modo mais objetivo e a se comportar de um modo mais saudável — mostra que, quaisquer que tenham sido nossos sofrimentos na infância, podemos aprender a observar nosso monólogo interior negativo e a mudar nossos comportamentos desajustados. Como qualquer outra habilidade, podemos treinar interpretando o que está acontecendo conosco e reagindo como uma pessoa otimista reagiria. A terapia cognitivo-comportamental é hoje uma prática psicoterapêutica amplamente aceita no tratamento da depressão e tem mostrado resultados mais duradouros do que a medicação antidepressiva.[14]

Poucos anos depois de minhas primeiras incursões na pesquisa sobre garra, Wendy Kopp, fundadora e CEO da ONG Teach For America (TFA), veio visitar Marty.

Eu ainda era aluna de Marty na pós-graduação e queria participar dessa reunião por dois motivos. Primeiro, porque a Teach For America enviava centenas de universitários recém-formados para distritos escolares desprivilegiados de todo o país. Por experiência própria, eu sabia que ser professor exigia muita garra, sobretudo nas escolas rurais e urbanas para onde eram enviados os professores da TFA. Segundo, porque Wendy era um modelo de garra. Ela era famosa por ter projetado o TFA durante seu último ano em Princeton e, ao contrário de muitos idealistas que acabam desistindo de seus sonhos, ela perseverou, começou do nada e criou uma das maiores e mais influentes ONGs educativas do país. "Busca incansável"[15] era tanto um valor essencial da TFA quanto a frase muitas vezes usada por amigos e colaboradores de Wendy para descrever seu estilo de liderança.

Naquela reunião, nós três formulamos uma hipótese: os professores que têm uma visão otimista sobre a adversidade têm mais garra do que seus colegas mais pessimistas, e a garra, por sua vez, garante que ensinem melhor. Um professor otimista, por exemplo, pode insistir em buscar maneiras de ajudar um aluno desinteressado, enquanto um pessimista provavelmente decidiria que não há nada

ESPERANÇA

que possa fazer. Para saber se isso era verdade, decidimos medir o otimismo e a garra antes que os professores entrassem em sala e, um ano depois, verificar em que proporção eles tinham promovido o progresso de seus alunos.

Em agosto daquele ano, quatrocentos professores da TFA preencheram a Escala de Garra e o questionário de Marty para avaliar seu grau de otimismo. Classificamos como otimistas as respostas que atribuíam causas temporárias e específicas aos acontecimentos ruins, e causas permanentes e genéricas aos acontecimentos bons. Quando os professores respondiam de maneira inversa, classificávamos suas respostas como pessimistas.

Na mesma pesquisa, procuramos medir uma outra coisa: felicidade. Por quê? Uma razão foi a existência de um pequeno mas crescente conjunto de evidências científicas de que a felicidade não é apenas uma *consequência* do bom desempenho no trabalho, mas pode ser também uma de suas mais importantes *causas*. Além disso, estávamos curiosos para saber se os professores com mais garra eram felizes. A paixão intensa e a perseverança têm um preço? Ou é possível ter garra e ser feliz ao mesmo tempo?

Um ano depois, quando a TFA estabeleceu notas de eficiência para cada professor com base no aproveitamento acadêmico de seus alunos, analisamos nossos dados. Como esperávamos, os professores otimistas tinham mais garra e eram mais felizes,[16] e a garra e a felicidade, por sua vez, explicavam por que os professores otimistas levavam seus alunos a um aproveitamento maior durante o ano escolar.

Depois de analisar esses resultados por algum tempo, comecei a rememorar minha própria experiência como professora. Lembrei as muitas tardes em que voltei para casa exasperada e exausta. Lembro-me da luta contra um catastrófico monólogo interior sobre minha capacidade — *Ah, deus, sou uma idiota!* — e sobre a capacidade de meus jovens alunos — *Ela errou de novo? Ela nunca vai aprender!* E lembrei as manhãs em que me levantava e decidia que havia, afinal, outra tática que eu poderia experimentar: *Será que se eu levar uma barra de chocolate e cortá-la em pedaços eles vão ter uma ideia de fração? Talvez se eu fizesse todo mundo organizar seus armários às segundas-feiras eles adquirissem o hábito de manter seus armários limpos.*

GARRA

Os dados obtidos nessa pesquisa com jovens professores, somados às intuições de Wendy Kopp, às entrevistas com modelos de garra e a meio século de pesquisa psicológica, apontavam para a mesma conclusão: quando você continua buscando maneiras de melhorar sua situação, tem a chance de encontrá-las. Quando desiste de procurar, pensando que não existem, está garantindo que não vai achá-las.

Muitos mencionam a frase Henry Ford: "Pense você que é capaz ou que não é capaz, você sempre terá razão."

Na época em que Marty Seligman e Steve Maier estudavam a ligação entre o sentimento de desamparo e a percepção de uma ausência de controle, uma jovem estudante de psicologia chamada Carol Dweck estava na faculdade. Carol sempre foi intrigada pelo fato de algumas pessoas perseverarem e outras, em idênticas circunstâncias, desistirem. Assim que se formou, ela começou um doutorado em psicologia e passou a pesquisar o assunto.

O trabalho de Marty e Steve exerceu profunda influência sobre a jovem Carol. Ela acreditava nas conclusões a que eles chegaram, mas não estava satisfeita. Claro que atribuir nossa infelicidade a causas que estão além do nosso controle é desgastante, mas qual a origem dessa tendência? Por que uma pessoa se torna otimista e outra, pessimista?

Numa de suas primeiras pesquisas,[17] Carol trabalhou com alunos do final do ensino fundamental para identificar garotos e garotas que, por consenso entre seus professores, diretor e psicólogo da escola, ficavam particularmente "desamparados" ao se defrontar com o fracasso. Para ela, essas crianças estavam convencidas de que cometiam erros por falta de capacidade intelectual, e não por falta de esforço. Em outras palavras, Carol desconfiava de que não era *apenas* uma longa cadeia de fracassos tornava esses jovens pessimistas, mas também suas convicções íntimas sobre o sucesso e a aprendizagem.

Para testar essa hipótese, Carol dividiu as crianças em dois grupos. Um deles foi submetido a um programa de *só sucesso*. Durante semanas, seus integrantes resolveram problemas de matemática e, ao fim de cada sessão, a

ESPERANÇA

despeito de quantas questões tivessem resolvido, eram elogiados por seu êxito. O outro grupo foi submetido a um programa de *atribuição de causalidade*. Essas crianças também resolveram problemas de matemática, mas de vez em quando ouviam dos professores que não tinham solucionado uma quantidade satisfatória de questões e, sobretudo, que elas "deveriam se esforçar mais".

Depois disso, todas as crianças receberam um conjunto de problemas fáceis e muito difíceis para serem solucionados.

Segundo o raciocínio de Carol, se o fracasso anterior fosse a causa do desamparo, o programa de *só sucesso* teria aumentado a motivação. Se, ao contrário, o problema real fosse o modo como cada criança entendia o fracasso, o programa de *atribuição de causalidade* seria mais eficaz.

O que Carol descobriu foi que as crianças do programa de *só sucesso* desistiam dos problemas muito difíceis tão prontamente como faziam antes do treinamento. Em comparação, as crianças do programa de *atribuição de causalidade* se empenhavam com mais afinco ao encontrar dificuldades. Era como se tivessem aprendido a interpretar o fracasso como um estímulo para se esforçar, e não como confirmação de sua incapacidade.

Nas quatro décadas seguintes, Carol aprofundou suas pesquisas. Logo descobriu que pessoas de todas as idades têm as próprias teorias sobre como o mundo funciona. Esses pontos de vista são conscientes, pois as pessoas já têm as respostas prontas quando Carol faz uma pergunta. Mas assim como no caso dos pensamentos trabalhados durante uma terapia cognitivo-comportamental, a pessoa pode não estar consciente deles até ser indagada.

Eis aqui quatro afirmações utilizadas por Carol para avaliar a teoria de uma pessoa sobre inteligência.[18] Leia estas afirmações e analise o quanto está de acordo ou desacordo com elas:

Sua inteligência é um elemento básico, e você pouco pode fazer para alterá-la.

Você pode aprender coisas novas, mas não pode aumentar sua inteligência.

GARRA

Seja qual for o nível de sua inteligência, você sempre pode modificá-la um pouco.

Você sempre pode modificar substancialmente sua inteligência.

Se você concordou com as duas primeiras afirmações e negou as duas últimas, Carol diria que você tem uma mentalidade mais rígida. Se teve a reação oposta, ela diria que você é propenso a uma mentalidade de crescimento.

Gosto de pensar da seguinte forma sobre a mentalidade de crescimento: algumas pessoas acreditam que é possível mudar *de verdade*. Confiantes no crescimento, essas pessoas julgam ser possível, por exemplo, que alguém se torne mais inteligente *se* tiver as oportunidades certas e o apoio para isso; *se* trabalhar com afinco e *se* acreditar que é capaz. Outras pessoas, pelo contrário, acham que é possível aprender técnicas, como andar de bicicleta ou vender um produto, mas a *capacidade* de aprender essas técnicas — o talento — não pode ser treinado. O problema de acatar a opinião da mentalidade rígida — algo feito por muitas pessoas que se consideram talentosas — é que não existe caminho sem percalços. Mais cedo ou mais tarde, você vai encontrar uma dificuldade. Nesse ponto, o fato de ter uma mentalidade rígida torna-se uma tremenda desvantagem. É quando uma nota baixa, uma carta de rejeição, uma avaliação decepcionante de seu trabalho ou qualquer outro revés pode tirá-lo dos trilhos. Com uma mentalidade rígida, você é mais propenso a interpretar os reveses como prova de que, no final das contas, você não é "a pessoa certa"— não é bom o suficiente. Com uma mentalidade de crescimento, você acredita que pode aprender a melhorar.

Já se demonstrou que a mentalidade faz diferença nos mesmos domínios da vida afetados pelo otimismo. Por exemplo, se você tiver uma mentalidade de crescimento, terá mais chances de ir bem na escola, desfrutar de mais saúde física e emocional e de manter relacionamentos sociais mais sólidos e positivos.[19]

Há poucos anos, Carol e eu pedimos a mais de dois mil alunos no fim do ensino médio que preenchessem um questionário sobre a mentalidade de crescimento. Descobrimos que os estudantes com mentalidade de crescimento são substancialmente mais determinados que os de mentalidade rígi-

ESPERANÇA

da. Mais: os estudantes com mais garra tiram melhores notas e, depois de formados, são mais propensos a entrar numa universidade e concluí-la.[20] Desde então venho medindo as mentalidades de crescimento e a garra em crianças e adultos, e em cada amostragem descubro que a mentalidade de crescimento e a garra andam juntas.

Se você perguntar a Carol de onde vem nossa mentalidade, ela vai contar histórias pessoais de sucesso e fracasso e como as pessoas próximas aos protagonistas dessas histórias, sobretudo as que estavam em posição de autoridade, reagiram a esses resultados.

Analise, por exemplo, o que as pessoas lhe diziam quando você fazia alguma coisa muito bem na infância. Você era elogiado por seu talento? Ou por seu esforço? Seja como for, é provável que você use hoje os mesmos termos ao avaliar vitórias e derrotas.

Louvar o esforço e o aprendizado, mais do que "o talento natural", é o objetivo explícito do treinamento de professores das escolas do KIPP.[21] A sigla significa "Knowledge Is Power Program" (Programa Conhecimento é Poder) e foi criada em 1994 por Mike Feinberg e Dave Levin, dois jovens professores do Teach For America com alto grau de garra. Hoje em dia, as escolas do KIPP atendem setenta mil estudantes de nível fundamental e médio nos Estados Unidos. A grande maioria dos *KIPPsters*, como seus alunos se referem orgulhosamente a si mesmos, provêm de famílias de baixa renda. Contra todas as probabilidades, quase todos eles terminam o ensino médio, e 80% entram na faculdade.

Os professores do KIPP recebem um pequeno dicionário durante o treinamento. De um lado, estão os incentivos que professores costumam dizer a seus alunos com as melhores intenções. De outro, uma linguagem que manda de maneira sutil a mensagem de que na vida é preciso se desafiar e aprender a fazer o que não se consegue. Veja a seguir exemplos apropriados para pessoas de qualquer idade. Seja você pai, gerente, treinador ou qualquer tipo de mentor, sugiro que observe o próprio linguajar nos próximos dias, prestando

GARRA

atenção nas crenças que suas palavras podem estar reforçando em si mesmo e nos outros.

Minam a mentalidade de crescimento e a garra	Promovem a mentalidade de crescimento e a garra[22]
Você nasceu para isso! Sensacional!	Você aprendeu! Sensacional!
Bem, pelo menos você tentou!	Assim não deu certo. Vamos falar sobre como você fez e o que pode funcionar.
Muito bem! Você tem muito talento!	Muito bem! O que poderia ser ainda melhor?
Isto é difícil. Não se sinta mal se não conseguir.	Isto é difícil. Não se sinta mal se não conseguir ainda.
Talvez este não seja o seu forte. Não faz mal — você pode contribuir de outra forma.*	Sou muito exigente. Estou insistindo porque sei que juntos vamos chegar lá.

A língua é um meio de cultivar esperança. Mas modelar uma mentalidade de crescimento pode ser ainda mais importante — demonstrando por meio de nossas ações nossa crença na capacidade de aprendizado das outras pessoas.

O escritor e ativista James Baldwin diz o seguinte: "As crianças nunca foram muito boas em ouvir o que dizem os mais velhos, mas nunca deixaram de imitá-los."[23] Essa é uma das citações preferidas de Dave Levin, e já o observei usá-la ao iniciar oficinas de treinamento do KIPP.

Uma psicóloga de meu laboratório, Daeun Park, chegou recentemente a essa conclusão. Num estudo de um ano de duração com turmas de primeiro e segundo anos, ela descobriu que os professores que davam privilégios a bons alunos e os comparavam o tempo todo com os demais inculcavam sem

---

* Em esportes, é comum uma expressão que diz: "Supere seus pontos fortes e exercite seus pontos fracos." Concordo com ela, mas acho importante também que as pessoas reconheçam que a habilidade melhora com a prática.

ESPERANÇA

querer uma mentalidade rígida nos estudantes.[24] Ao longo do ano, os alunos de professores que agiam dessa forma passaram a preferir jogos e problemas mais fáceis, pois "assim podiam acertar muitas vezes". No fim do ano, eles estavam mais propensos a concordar com a afirmação "cada pessoa tem uma quantidade de inteligência que praticamente não muda".

De forma análoga, Carol e seus colaboradores estão chegando à conclusão de que as crianças são mais propensas a desenvolver mentalidade rígida quando seus pais reagem aos erros delas como se fossem prejudiciais e problemáticos.[25] Isso acontece mesmo quando esses pais *dizem* ter uma mentalidade de crescimento. Nossas crianças nos observam e imitam o que fazemos.

A mesma dinâmica se aplica ao ambiente empresarial.[26] Pouco tempo atrás, a professora Jennifer Chatman, de Berkeley, e seus colaboradores analisaram funcionários de algumas das empresas que estão entre as mil maiores dos Estados Unidos para investigar questões relativas a mentalidade, motivação e bem-estar. Descobriram que em cada empresa havia um consenso sobre mentalidade. Nas empresas de mentalidade rígida, os funcionários concordavam com afirmações do tipo: "Em relação ao sucesso, esta empresa parece acreditar que as pessoas têm certa quantidade de talento e não podem mudar isso." Eles acham que só alguns funcionários de alto desempenho são valorizados e que a empresa não investe de fato nos outros funcionários. Essas pessoas admitem também que guardam segredos, saltam etapas e trapaceiam para progredir. Em comparação, nas culturas de mentalidade de crescimento, os funcionários eram 47% mais propensos a dizer que seus colegas eram confiáveis, 49% mais propensos a dizer que a empresa incentiva a inovação e 65% mais propensos a dizer que a empresa aceita correr riscos.

Como *você* trata as pessoas de alto desempenho? Como reage quando outras pessoas o decepcionam?

Meu palpite é que não importa o quanto você concorda com a ideia da mentalidade de crescimento, muitas vezes descamba para uma mentalidade rígida. Pelo menos esse é o caso de Carol, Marty e eu. Todos nós sabemos como *gostaríamos* de reagir quando, por exemplo, alguém que estamos orientando nos apresenta um trabalho aquém de nossas expectativas. Gostaríamos

GARRA

que nosso reflexo automático nos levasse a manter a calma e continuar incentivando. Queremos ter uma atitude do tipo *Tudo bem, o que podemos aprender com isso?* em relação aos erros.

Mas somos humanos. Assim, com mais frequência do que gostaríamos, sentimo-nos frustrados. Demonstramos impaciência. Ao julgar o trabalho de uma pessoa, permitimos que uma centelha de dúvida nos distraia por um momento da tarefa maior que é o que podemos fazer dali por diante para melhorar.

A realidade é que a maioria das pessoas tem em seu interior uma mentalidade rígida pessimista ao lado da mentalidade de crescimento otimista. É importante reconhecer isso porque é fácil cometer o erro de mudar o que dizemos *sem mudar* nossa linguagem corporal, expressões faciais e comportamento.

Então, o que se pode fazer? Um primeiro passo seria procurar desacordos entre nossas palavras e nossos atos. Quando dermos uma escorregada — e isso *vai* acontecer — podemos simplesmente reconhecer que é difícil mudar uma visão de mundo rígida e pessimista. Uma colega de Carol que trabalha com CEOs, Susan Mackie, pede a eles que deem nomes a seus personagens internos de mentalidade rígida. Então eles podem dizer coisas como: "Epa! Acho que trouxe a Claire Controladora à reunião de hoje. Vou tentar de novo." Ou: "A Olivia Sobrecarregada está se esforçando para atender a todas as exigências simultâneas, você poderia me ajudar a resolver isso?"

Por fim, adotar uma perspectiva de garra implica reconhecer que as pessoas podem melhorar — elas *crescem*. Da mesma forma que pretendemos cultivar a capacidade de nos erguer quando a vida nos joga no chão, queremos dar àqueles que nos cercam o benefício da dúvida quando alguma coisa que eles tentam fazer não é um sucesso estrondoso. Sempre há um amanhã.

Há algum tempo perguntei a Bill McNabb o que achava disso. Desde 2008, Bill é CEO da Vanguard, a maior empresa de fundos mútuos do mundo.

"Nós acompanhamos líderes experientes[27] aqui na Vanguard e perguntamos por que alguns se saem melhor do que outros no longo prazo. Eu costumava usar o adjetivo 'complacente' para qualificar aqueles que fracassam, mas quanto mais reflito mais entendo que não é bem assim. Existe uma crença real de que 'Não consigo aprender mais. Sou o que sou. É assim que faço as coisas'."

E quanto aos executivos bem-sucedidos?

"As pessoas que continuaram a alcançar sucesso aqui persistiram numa trajetória de crescimento. Elas sempre surpreendem com seu crescimento. Se você lesse o currículo de alguns de nossos funcionários quando entraram aqui, perguntaria: 'Como foi que essa pessoa se tornou tão bem-sucedida?' E temos outros que chegaram com credenciais incríveis e você se pergunta: 'Por que não foram mais longe?'"

Quando Bill descobriu a pesquisa sobre mentalidade de crescimento e garra, viu confirmadas suas intuições, e não apenas como líder de uma empresa, mas como pai, como ex-professor de latim, técnico de remo e atleta. "Acredito mesmo que as pessoas criam teorias sobre si mesmas e o mundo, e isso vai determinar o que elas fazem."

Quando chegamos à questão de quando, exatamente, começamos a formular essas teorias, Bill afirmou: "Acredite ou não, quando comecei tinha uma mentalidade mais rígida." Ele atribui essa mentalidade, em parte, ao fato de ter sido inscrito pelos pais, ainda na escola primária, numa pesquisa feita por uma universidade próxima. Bill fez uma bateria completa de testes de inteligência e, ao final, disseram-lhe: "Você foi muito bem, com certeza vai se dar bem na escola."

Por algum tempo, um diagnóstico abalizado de talento, junto com sucessos precoces, aumentaram a autoconfiança de Bill. "Ficava muito orgulhoso por terminar as provas antes de todo mundo. Nem sempre tirava nota máxima, mas chegava perto, e sentia muita satisfação em não me esforçar para chegar àqueles resultados."

Bill atribui sua transformação para uma mentalidade de crescimento no momento em que entrou para a equipe de remo da faculdade. "Eu nunca tinha remado, mas descobri que gostava de estar na água. Gostava de estar ao ar livre. Gostava do exercício. Meio que me apaixonei pelo esporte."

Remar foi a primeira coisa que Bill quis fazer direito, mas que não aconteceu com facilidade: "Eu não tinha talento natural", contou-me ele. "Cometia um monte de erros no começo. Mas insisti e finalmente comecei a melhorar. De uma hora para outra, aquilo começou a fazer sentido: 'Baixe a cabeça e dê duro. O trabalho árduo é o que realmente importa.'" No fim de seu primeiro ano, Bill estava na equipe júnior. Não me pareceu tão ruim, mas Bill explicou que, do ponto de vista estatístico, essa situação indicava que ele não teria chance de algum dia entrar na equipe principal. Naquele verão, ele ficou no campus e remou até as aulas recomeçarem.

Todo esse treino compensou. Bill foi promovido a "proa" da equipe júnior, o remador que dá o ritmo aos outros sete. Naquele período, um dos remadores da equipe principal se machucou e Bill teve a oportunidade de mostrar sua habilidade. Segundo seu relato, e também do capitão da equipe, ele se saiu muitíssimo bem. No entanto, quando o remador lesionado se recuperou, o treinador rebaixou Bill de novo.

"Aquele treinador tinha uma mentalidade rígida — ele simplesmente não acreditava que eu tivesse melhorado tanto."

Houve outros altos e baixos, mas a mentalidade de crescimento continuou se confirmando em Bill. "Como eu tinha chegado tão perto de abandonar e mesmo assim continuei, e como as coisas afinal funcionaram, aprendi uma lição que nunca mais vou esquecer. A lição é que, quando você sofre reveses e fracassa, não pode ter uma reação intempestiva. Precisa parar, analisar as falhas e aprender com elas. Mas precisa também manter o otimismo."

Como essa lição ajudou Bill mais tarde? "Houve momentos em minha carreira nos quais me senti desanimado. Vi outra pessoa ser promovida antes de mim. Queria que as coisas acontecessem de determinado jeito e acontecia o contrário. Nesses momentos, eu dizia a mim mesmo: 'Continue trabalhando e aprendendo, e tudo vai dar certo.'"

"O que não me mata me fortalece",[28] disse Nietzsche. Kanye West e Kelly Clarkson fazem coro a essa afirmação,[29] e há um motivo para que as pessoas a repitam até hoje. Muita gente lembra o tempo em que, como Bill McNabb, deparou-se com dificuldades e mesmo assim chegou ao outro lado mais confiante do que no começo.[30]

ESPERANÇA

Vejamos, por exemplo, o programa Outward Bound, que manda adolescentes e adultos para regiões selvagens com guias experientes por algumas semanas. Desde sua criação, meio século atrás, a premissa do Outward Bound — assim chamado em alusão ao momento em que um navio sai do porto para o mar aberto — é de que as situações desafiadoras ao ar livre desenvolvem a "tenacidade da busca"[31] e um "espírito inquebrantável". Na verdade, depois de dezenas de pesquisas, o programa provou-se capaz de aumentar a independência, a segurança, a assertividade e a convicção de que boa parte do que acontece na vida está sob nosso controle. E mais: esses benefícios tendem a aumentar,[32] e não a diminuir, nos seis meses que se seguem à participação no programa.

Da mesma forma, é inegável que o que não nos mata às vezes nos *enfraquece*. Por exemplo, os cachorros que tomavam choques sem ter controle sobre a situação. Um terço deles tornou-se resiliente a essa adversidade, mas não há indício de que algum dos cachorros submetidos à condição de estresse incontrolável tenha tirado algum benefício da experiência. Pelo contrário, a maior parte deles ficou muito mais vulnerável ao sofrimento logo depois.[33]

Portanto, ao que tudo indica, o que não mata às vezes fortalece e às vezes enfraquece. A pergunta a ser feita, então, é: Quando? Quando a luta leva à esperança e quando leva ao desamparo?

Há alguns anos, Steve Maier e seus alunos[34] desenvolveram um experimento quase idêntico ao que ele e Marty Seligman haviam executado quarenta anos antes: um grupo de ratos recebia eletrochoques, mas se girassem uma pequena roda com as patas dianteiras, podiam se livrar do choque até a prova seguinte. Um segundo grupo recebia exatamente a mesma dose de choques, mas não tinha controle sobre sua duração.

A diferença crucial era que, no novo experimento, os ratos tinham apenas cinco semanas de idade — estavam na adolescência, segundo o ciclo de vida de um rato. Outra diferença era que os resultados desse experimento foram avaliados cinco semanas depois, quando os ratos já eram adultos. Nessa ocasião, os dois grupos de ratos foram submetidos a choques elétricos incontroláveis e, no dia seguinte, foram observados num teste exploratório.

GARRA

Eis o que Steve descobriu. Os ratos adolescentes submetidos a choques que não podiam controlar tornaram-se ratos adultos que, depois de submetidos pela segunda vez a choques incontroláveis, comportavam-se com timidez. Isso não é incomum — eles aprenderam a ser desamparados da mesma forma que qualquer outro rato. Em comparação, ratos adolescentes que experimentaram um estresse *controlável* tornaram-se adultos mais ousados e, o dado mais surpreendente, pareciam vacinados, na idade adulta, contra o desamparo aprendido. É isto mesmo: quando esses "ratos resilientes" cresceram, os choques de duração incontrolável já não os tornavam desamparados.

Em outras palavras: o que não matou os jovens ratos quando eles conseguiam *controlar* o que estava acontecendo tornou-os mais fortes para sempre.

Quando eu soube do novo trabalho experimental de Steve Maier, precisei falar pessoalmente com ele e peguei um avião para o Colorado.

Steve me levou a seu laboratório e mostrou as jaulas equipadas com rodinhas que, ao girar, cortavam a corrente elétrica do choque. Mais tarde, o aluno de pós-graduação que tinha executado o procedimento com ratos adolescentes deu uma palestra sobre os circuitos cerebrais e neurotransmissores envolvidos no processo. Por fim, quando Steve e eu nos sentamos, pedi a ele que explicasse a neurobiologia da esperança com base nesse experimento e em tudo o que tivesse feito em sua longa e eminente carreira.

Steve refletiu por um momento. "Em poucas palavras, o negócio é o seguinte: você tem no cérebro uma porção de lugares que reagem a experiências adversas, como a amígdala. Na verdade, há um monte de áreas límbicas que reagem ao estresse."[35]

Assenti.

"O que acontece nessas estruturas límbicas é regulado por áreas cerebrais superiores, como o córtex pré-frontal. Assim, quando você produz uma avaliação, um pensamento ou uma crença — chame como quiser —, essa área diz 'Um minuto, posso dar um jeito nisto!', 'Isto não é tão ruim assim!' ou algo desse tipo, e as estruturas inibidoras do córtex são ativadas. Elas mandam

ESPERANÇA

uma mensagem: 'Vá com calma por aqui! Não se ative tanto. Podemos fazer alguma coisa.'"

Entendi. Mas ainda não compreendia muito bem por que Steve se dera ao trabalho de testar ratos adolescentes.

"O caso do longo prazo precisa ser mais bem explicado", continuou. "Achamos que existe plasticidade nesse circuito. Se, quando jovem, você vivenciou uma adversidade — alguma coisa bem forte — que foi capaz de superar por si mesma, desenvolveu um modo diferente de lidar com a adversidade mais tarde. A adversidade deve ser significativa, porque de algum modo essas áreas cerebrais precisam se conectar, e isso não acontece no caso de reveses menores."

Então não basta *apenas* convencer uma pessoa que ela é capaz de lidar com dificuldades?

"Isso mesmo. Apenas dizer que ela é capaz de superar adversidades não basta. Para que a transformação ocorra, é preciso ativar o circuito de controle junto com as áreas inibidoras inferiores. Isso acontece quando você vivencia o domínio ao mesmo tempo em que experimenta a adversidade."

E que dizer de uma história de vida de dificuldades *sem* controle?

"Eu me preocupo muito com crianças que vivem na pobreza", disse Steve. "Elas vivenciam várias experiências de desamparo. E não vivem muitas experiências de domínio. Elas não estão aprendendo: 'Sou capaz de fazer isso. Posso me sair bem nisto.' Suponho que essas experiências precoces possam ter efeitos permanentes. É preciso aprender que existe uma contingência entre seus atos e o que acontece com você: 'Se você faz uma coisa, certa coisa acontece.'"

A ciência mostra com clareza que o trauma sem controle pode ser debilitante. Mas me preocupo também com pessoas que passam pela vida sem percalços e levam muito tempo para se deparar com o primeiro fracasso real. Elas têm pouca prática em cair e se levantar. Têm muitos motivos para permanecer com uma mentalidade rígida.

Vejo muitas pessoas bem-sucedidas que não deixam transparecer vulnerabilidade encontrarem um percalço na vida adulta e terem dificuldade para se levantar. Eu os chamo de "frágeis perfeitos". Às vezes me deparo com frágeis perfeitos em meu gabinete depois de um teste ou de uma prova final. Logo fica claro que essas pessoas brilhantes e magníficas sabem como ter sucesso, mas não sabem errar.

No ano passado conheci um calouro da Universidade da Pensilvânia chamado Kayvon Asemani. Kayvon tinha um currículo que o faz parecer um frágil perfeito: melhor aluno e orador da turma no ensino médio, presidente do grêmio, atleta de ponta... a lista não tem fim.

Mas garanto que Kayvon é a personificação da mentalidade de crescimento e do otimismo. Quando nos conhecemos, ele já era veterano na Milton Hershey School,[36] um internato gratuito fundado pelo chocolateiro Milton Hershey para meninos órfãos e até hoje um abrigo para crianças em situação de muita vulnerabilidade. Kayvon e seus irmãos foram para a Hershey pouco antes que ele passasse para o quinto ano — um ano depois que o pai deles quase matou a mãe por estrangulamento, deixando-a em coma permanente.

Em Hershey, Kayvon floresceu. Descobriu a paixão pela música e passou a tocar trombone em duas bandas escolares. E descobriu a liderança, dando palestras a políticos do estado, criando um site de notícias da escola escritas por alunos, presidindo comitês que arrecadavam dezenas de milhares de dólares para obras de caridade e, em seu último ano, como presidente do grêmio estudantil.

Em janeiro, Kayvon me enviou um e-mail para contar como tinha se saído em seu primeiro semestre. "Terminei o semestre com 3,5 [de 4]", disse ele. "Três As e um C. Não estou totalmente satisfeito. Sei o que fiz certo para tirar A e o que fiz de errado para tirar C."

E que dizer de sua pior nota? "Esse C em economia me pegou porque eu estava mergulhado em meus pensamentos conflitantes sobre este lugar e onde me encaixo nele [...]. Sem dúvida posso tirar mais de 3,5, e um 4,0 não está fora de questão. Minha conclusão do primeiro semestre era de que tenho muito o que aprender com estes jovens. Minha nova conclusão é que tenho muito a lhes ensinar."

O semestre seguinte também não foi exatamente um mar de rosas. Kayvon recebeu várias notas A, mas não chegou nem perto do que esperava nas duas

ESPERANÇA

matérias que envolviam números. Conversamos um pouco sobre a possibilidade de uma transferência de Wharton, a escola de administração altamente competitiva da Pensilvânia, e assinalei que não seria vergonha alguma mudar para outra especialidade. Kayvon não quis nem ouvir falar nisso.

Eis um trecho do e-mail que ele me mandou em junho: "Números e conceitos quantitativos sempre foram uma dificuldade para mim. Mas aceito o desafio e vou lançar mão de toda a garra dentro de mim para me aperfeiçoar e melhorar, mesmo que isso signifique me formar com uma média menor do que eu teria se escolhesse uma especialidade que não me exigisse lidar com números."

Não tenho dúvidas de que Kayvon vai continuar se levantando, de novo e de novo, sempre aprendendo e crescendo.[37]

Em conjunto, as evidências que apresentei contam a seguinte história: uma mentalidade rígida a respeito da própria capacidade leva a explicações pessimistas sobre a adversidade que, por sua vez, levam tanto a desistir diante de dificuldades quanto a evitá-las por antecipação. Em comparação, uma mentalidade de crescimento leva a modos otimistas de explicar a adversidade, o que por sua vez leva à perseverança e à busca de novos desafios que, em última instância, farão de você uma pessoa mais forte.

mentalidade de crescimento ➡️ **monólogo interior otimista** ➡️ **perseverança frente à adversidade**

Minha recomendação para que você ensine a si mesmo a ter esperança é dar cada passo da sequência acima e se perguntar: O *que posso fazer para impulsionar este passo?*

Minha primeira sugestão quanto a isso é: *atualize suas crenças sobre inteligência e talento.*

Quando Carol e seus colaboradores tentam convencer as pessoas de que a inteligência ou qualquer talento pode ser aperfeiçoada mediante esforço, ela começa explicando o cérebro. Menciona, por exemplo, uma pesquisa publicada na prestigiada revista científica *Nature* que rastreou o desenvolvimento cerebral de adolescentes. Muitos dos adolescentes dessa pesquisa aumentaram sua pontuação no teste de QI[38] desde os catorze anos, quando começou a pesquisa, até os dezoito, quando terminou. Esse fato — que a pontuação no teste de QI não se mantenha idêntica ao longo da vida de uma pessoa — costuma causar surpresa. Mais ainda, prossegue Carol, esses mesmos adolescentes revelaram mudanças significativas na estrutura do cérebro. "Os que melhoraram em matemática fortaleceram as áreas do cérebro relacionadas à matemática, e o mesmo aconteceu com o estudo da língua."

Carol explica ainda que o cérebro se adapta de maneira significativa. Assim como um músculo se fortalece com o uso, o cérebro muda quando você se esforça para superar um novo desafio. De fato, não há momento algum na vida em que o cérebro esteja completamente "rígido." Pelo contrário, durante a vida toda, nossos neurônios mantêm o potencial de desenvolver novas conexões entre si e fortalecer as conexões já existentes. Mais ainda, durante a vida adulta, conservamos a capacidade de produzir mielina,[39] uma espécie de bainha isolante que protege os neurônios e agiliza a circulação dos sinais entre eles.

Minha sugestão seguinte é *praticar o monólogo interior otimista*.

As ligações entre a terapia cognitivo-comportamental e o desamparo aprendido levaram à criação do "treinamento de resiliência".[40] Em essência, essa disciplina interativa é como uma dose preventiva de terapia cognitivo-comportamental.[41] Numa pesquisa, crianças que realizaram esse treinamento mostraram níveis mais baixos de pessimismo e desenvolveram menos sintomas de depressão durante os dois anos seguintes. Em outra pesquisa semelhante, universitários pessimistas demonstraram menos ansiedade durante os dois anos seguintes e menos depressão ao longo de três anos.

Se ao ler este capítulo você se reconhecer como uma pessoa extremamente pessimista, aconselho-o a procurar um terapeuta cognitivo-comportamental. Sei muito bem o quanto esse conselho pode parecer insatisfatório. Há muitos anos, quando eu ainda era adolescente, escrevi à coluna de conselhos Dear Abby sobre um problema que tinha. "Vá a um terapeuta", respondeu ela. Ras-

ESPERANÇA

guei a carta, furiosa porque ela não tinha proposto uma solução mais clara, rápida e direta. No entanto, seria ingênuo supor que a leitura de vinte páginas sobre a ciência da esperança fosse o bastante para eliminar uma tendência pessimista enraizada. Há muito mais a dizer sobre a terapia cognitivo-comportamental e o treinamento de resiliência do que eu poderia resumir aqui.

A questão é que você pode modificar seu monólogo interior e pode aprender a não deixar que ele interfira na busca de seus objetivos. Com prática e orientação, você pode transformar seu modo de pensar, de sentir e, o mais importante, de agir quando as coisas ficam difíceis.

Como transição para a parte final deste livro, "Cultivar a garra de fora para dentro", permitam-me uma última sugestão para aprender a ter esperança: *Peça ajuda.*

Há alguns anos, conheci uma matemática aposentada chamada Rhonda Hughes. Ninguém na família de Rhonda tinha chegado à faculdade, mas quando criança ela gostava bem mais de matemática que de estenografia. Acabou fazendo um doutorado em matemática e, depois de ter se candidatado sem sucesso para 79 vagas de professora universitária, conseguiu um emprego na única universidade que lhe fez uma proposta.

Uma das razões para que Rhonda entrasse em contato comigo foi me contar que tinha uma correção para um item da Escala de Garra. "Não gosto do item que diz 'reveses não me desanimam'. Isso não faz sentido. Afinal, quem não desanima com reveses? Eu com certeza desanimo. Acho que a frase deveria ser 'reveses não me desanimam *por muito tempo. Eu me ponho de pé novamente.*'"[42]

É claro que Rhonda tinha razão, e mudei a redação daquele item para torná-lo mais claro.

Mas o mais importante na história de Rhonda é que ela quase nunca se levantava sozinha. Ela achava que pedir ajuda era uma boa maneira de manter a esperança.

Esta é apenas uma das histórias que ela me contou: "Eu tinha um mentor que sabia, antes mesmo que eu soubesse, que eu seria matemática. Tudo começou quando, depois de ir muito mal numa de suas provas, fui ao gabinete dele e chorei. De repente, ele saltou da cadeira e, sem dizer uma palavra, correu para fora da sala. Quando por fim voltou, disse: 'Minha jovem, você deve fazer pós-graduação em matemática. Mas está escolhendo todas as disciplinas erradas.' Ele tinha mapeado todas as disciplinas que eu *deveria* cursar e a promessa de outros professores que me ajudariam."

Há cerca de vinte anos, Rhonda e a também matemática Sylvia Bozeman fundaram o programa EDGE (Enhancing Diversity in Graduate Education, ou "Aumentar a Diversidade na Pós-Graduação"), cuja missão é ajudar estudantes mulheres e integrantes de minorias a realizar um doutorado em matemática. "As pessoas acham que é preciso um talento especial para a matemática", afirma Sylvia. "Pensam que é algo que vem do nascimento. Mas Rhonda e eu continuamos afirmando: 'Você *desenvolve* sua capacidade para a matemática. *Não desista!*'"[43]

"Houve muitos momentos em minha carreira nos quais tive vontade de parar, desistir de tudo e fazer alguma coisa mais fácil", contou Rhonda. "Mas sempre houve alguém que, de uma forma ou outra, me aconselhou a seguir em frente. Acho que todos nós precisamos de alguém assim. Você não acha?"

Parte 3

CULTIVAR A GARRA DE FORA PARA DENTRO

→ *Capítulo 10*

EDUCAR PARA A GARRA

O que posso fazer para despertar a garra nas pessoas que são importantes para mim?

Ouço essa pergunta ao menos uma vez por dia.

Às vezes, quem pergunta é um treinador esportivo; outras vezes, é um empreendedor ou o CEO de uma empresa. Na semana passada, foi um professor do quinto ano e, uma semana antes, um professor de matemática de uma faculdade local. Já escutei essa pergunta também de generais e almirantes, mas em geral quem a faz é uma mãe ou um pai temendo que o filho não alcance todo o seu potencial.

Todas essas pessoas raciocinam como pais, é claro — mesmo que *não* o sejam. Agimos como pai ou mãe quando pedimos orientação sobre a melhor forma de estimular aqueles quatro recursos listados nos últimos capítulos — interesse, prática, propósito e esperança — nas pessoas importantes para nós.

Quando inverto a situação e peço às pessoas que formulem as próprias ideias de "educar para a garra", ouço respostas diferentes.

Há quem creia que a garra seja forjada na adversidade. Outros parafraseiam Nietzsche: "O que não me mata me fortalece."* Frases como essa evo-

---

* Às vezes, ao ouvir isso, interrompo a pessoa com um resumo da pesquisa de Steve Maier para explicar que, na verdade, o que fortalece é achar uma *saída* para o sofrimento.

GARRA

cam uma imagem de pais e mães de cara feia nas arquibancadas enquanto assistem a partidas de jogos que precisam acabar em vitórias, que acorrentam os filhos à banqueta do piano ou à estante de partituras, ou ainda que os põem de castigo por causa de uma nota que não seja a máxima.

Essa perspectiva pressupõe que oferecer apoio carinhoso e estabelecer padrões elevados são os dois extremos de uma escala, com os pais autoritários das crianças determinadas ocupando um ponto bem distante do centro.

Se eu estivesse em busca de opiniões um século atrás, esta teria sido a perspectiva de John Watson, então professor de psicologia na Universidade Johns Hopkins.

Num guia de orientação parental de 1928, o best-seller *Psychological Care of Infant and Child* [Cuidado psicológico do infante e da criança], Watson pontificou sobre a melhor forma de educar uma criança "que se entrega ao trabalho e às brincadeiras, que aprende sem demora a vencer as pequenas dificuldades de seu ambiente [...] e que por fim chega à maioridade tão protegida pelo trabalho contínuo e por bons hábitos emocionais que nenhuma adversidade pode subjugá-la".[1]

Eis algumas recomendações de Watson: "Nunca os abrace nem os beije. Nunca deixe que se sentem em seu colo. Se for mesmo preciso, beije-os uma vez na testa, quando eles derem boa-noite. Cumprimente-os com um aperto de mão pela manhã. Faça-lhes um afago na cabeça[2] se tiverem cumprido uma tarefa difícil de maneira irretocável." Watson aconselha ainda que os pais deixem os filhos resolverem seus próprios problemas "quase a partir do nascimento" e que mudem várias vezes de cuidadores para evitar a ligação prejudicial a um só adulto, bem como os mimos que impedem uma criança de "conquistar o mundo".

Às vezes, é claro, as pessoas assumem a posição oposta.

Elas têm certeza de que a perseverança e sobretudo a paixão florescem quando os pais esbanjam afeto e apoio incondicionais. Esses paladinos de uma criação mais amável e carinhosa defendem abraços apertados e cuidados contínuos, observando que as crianças são, pela própria natureza, criaturas que buscam desafios e cujo desejo inato de desenvolvimento só exige amor e

EDUCAR PARA A GARRA

afeição incondicionais por parte dos pais para se revelar. Uma vez libertadas das exigências de pais dominadores, as crianças hão de procurar seus próprios interesses pessoais, e a prática disciplinada e a resiliência virão naturalmente.

Na escala entre a criação carinhosa e a exigente, os defensores da atitude permissiva "centrada na criança" situam-se à esquerda do centro.

Mas então quem está certo? Será a garra forjada no cadinho implacável dos altos padrões ou é fomentada no abraço afetuoso de um amor terno?

Como cientista, sou tentada a responder que precisamos de mais pesquisas sobre o assunto. Há muitos estudos a respeito da criação dos filhos e alguma pesquisa sobre a garra, mas, por ora, nenhuma pesquisa sobre criação *e* garra.

No entanto, como mãe de duas adolescentes, não tenho tempo para esperar que alguém colete todos os dados. Da mesma forma que os pais que dirigem a *mim* essa pergunta, tenho que tomar decisões hoje. Minhas filhas estão crescendo depressa, e a cada dia que passa eu e meu marido as educamos — não sabemos se bem ou mal. Além disso, como professora e diretora de um laboratório, interajo com dezenas de jovens — e eu também gostaria de estimular sua garra.

Por isso, a fim de avançar no debate, avaliei o que dizem defensores das duas posições. Um defensor da criação à moda antiga e rígida sugeriu que eu conversasse com um modelo de garra, Steve Young, astro do futebol americano, cuja educação mórmon incluía um emprego como distribuidor de jornais, aulas sobre a Bíblia antes da escola e a proibição rigorosa de usar palavrões ou bebidas alcoólicas. Ao mesmo tempo, um defensor de uma atitude mais liberal falou-me da comediante britânica Francesca Martínez, cujos pais, um escritor e uma ambientalista, permitiram que ela deixasse a escola aos dezesseis anos e não pestanejaram quando ela publicou um livro de memórias intitulado *What the * * * * Is Normal?!*

Vamos começar com Steve Young.

O lendário atleta do time San Francisco 49ers recebeu duas vezes o título de Melhor Jogador da Liga Nacional de Futebol Americano (NFL, na sigla em

GARRA

inglês). E foi apontado como o Melhor Jogador do Super Bowl XXIX, quando registrou o recorde de seis passes para *touchdowns*. Ao se aposentar do esporte, era o mais bem classificado *quarterback* da história da NFL.

"Meus pais foram minha base",[3] declarou Steve. "Uma boa educação em casa é coisa que todo mundo deveria ter."

Eis a história que ele conta para ilustrar seu argumento.

Embora fosse a estrela do time de futebol americano no ensino médio e várias universidades o quisessem, Steve entrou para o time da Universidade Brigham Young (BYU) como oitavo *quarterback*. Como já havia outros sete jogadores para a mesma posição, o treinador o deixou no grupo dos jogadores menos importantes, cuja função consistia em fazer jogadas para que a defesa da BYU treinasse.

"Cara, eu queria voltar para casa", lembra-se Steve. "Passei todo aquele primeiro semestre na faculdade com as malas feitas [...]. Lembro que liguei [para o pai] e disse: 'Os treinadores nem sabem o meu nome. Eu não passo de um poste para a defesa treinar. Pai, é horrível. Não era nada disso que eu estava esperando... Eu gostaria de voltar para casa.'"[4]

O pai de Steve, que ele descreve como "o sujeito mais durão do mundo", lhe disse: "Você pode sair. [...] Mas não pode voltar para esta casa, porque não vou morar com um covarde. Você sabe disso desde que era criança. Para cá você não vai voltar."[5] Steve ficou na universidade.

Durante toda aquela temporada, ele foi o primeiro a chegar aos treinos e o último a sair. Depois do último jogo do time, ele passou a treinar mais sozinho: "Havia uma enorme rede de treinamento perto do campo. Eu me agachava atrás de um *center* imaginário; recebia a bola; fazia o recuo em três passos e jogava a bola na rede. Do começo de janeiro ao fim de fevereiro, lancei mais de dez mil espirais.[6] Meu braço doía. Mas eu queria ser um *quarterback*."

No segundo ano da universidade, Steve passou da oitava para a segunda posição no time; no terceiro, tornou-se o *quarterback* titular da BYU; e no quarto ano recebeu o prêmio Davey O'Brien de melhor *quarterback* do país.

Em sua carreira no esporte, houve várias ocasiões em que sua confiança vacilou. A cada vez que isso acontecia, ele desejava desesperadamente desistir. A cada vez, recorria ao pai — que não lhe permitia fazê-lo.

208

EDUCAR PARA A GARRA

Uma das primeiras experiências desse tipo ocorreu quando ele jogava beisebol no final do ensino fundamental. "Eu estava com treze anos", conta Steve. "Não consegui uma só rebatida durante o ano inteiro, e a situação ficou cada vez mais vergonhosa [...] Partida após partida, eu não conseguia rebater uma só bola."[7] Quando a temporada chegou ao fim, Steve informou ao pai que não aguentava mais. "Meu pai olhou firme para mim e disse. 'Você não pode desistir.[8] Você sabe rebater, então precisa voltar e treinar mais.'" Assim, ele e o pai voltaram para o campo. "Eu me lembro que fazia muito frio, e eu me sentia infeliz. Chovia granizo e nevava. Meu pai arremessava a bola e eu a rebatia."[9] No último ano do colégio, como capitão do time de beisebol, Steve estava rebatendo uma média de bolas impressionante.

Durante os quatro anos em que amargou o banco de reserva no San Francisco 49ers, Steve buscou apoio na lição de que a persistência vale a pena. Em vez de pedir para jogar em outro time, ele tentou aprender mais com Joe Montana, o *quarterback* titular, que foi capitão do time em quatro vitórias no Super Bowl. "Para descobrir até que nível eu poderia chegar, precisava ficar no San Francisco e aprender, ainda que fosse pelo método mais brutal. [...] Pensei muitas vezes em desistir [...]. Ouvia vaias à noite, quando não conseguia dormir, mas tinha medo de ligar para meu pai. Eu sabia o que ele iria dizer: 'Aguente até o fim, Steve.'"[10]

Nesse ponto da minha narrativa sobre a ascensão improvável de Steve Young, você poderia concluir que os pais de crianças que demonstram garra são autoritários. Você poderia pensar, apressadamente, que eles estão centrados em suas próprias exigências e não se mostram nada sensíveis às necessidades dos filhos.

Antes de emitir um veredicto final, porém, escutem o que têm a dizer os pais de Steve, Sherry e LeGrande Young. E, antes disso, saiba que LeGrande prefere ser chamado pelo apelido de infância que reflete como nenhum outro sua atitude na vida: "Grit" [Garra]. "Ele só pensa em trabalhar, é durão e não reclama de nada", disse certa vez Mike, irmão de Steve, sobre o pai. "O apelido cai nele como uma luva."[11]

GARRA

Advogado de empresas, Grit Young raramente perde um dia de trabalho. Há cerca de 25 anos, Grit estava malhando na Associação Cristã de Moços de sua cidade quando um colega de academia o desafiou numa competição de abdominais. Passado um ano, quando a competição chegou ao fim, cada um deles conseguia fazer mil abdominais, e o colega desafiante desistiu. A essa altura, porém, Grit estava competindo consigo mesmo. Continuou a treinar, durante anos, até ser capaz de fazer dez mil abdominais sem parar.[12]

Quando liguei para conversar com os pais de Steve sobre o filho celebridade e como ele havia sido criado, eu esperava rigor e formalidade. A primeira coisa que Sherry disse foi: "Vai ser um prazer conversar com você! Nosso Steve é um grande garoto!"[13] Em seguida, Grit brincou que, dado o meu campo de estudo, ele estava surpreso por eu ter demorado tanto para procurá-los.

Relaxei um pouco enquanto cada um deles me contava como tinha aprendido a dar duro bem cedo na vida. "Ao contrário de nossos pais, Grit e eu não precisamos trabalhar diretamente na lavoura", começou Sherry. "Havia expectativas." Aos dez anos, Sherry colhia cerejas. Grit fazia o mesmo e, para comprar luvas e uniforme de beisebol, cortava grama, entregava jornais de bicicleta em casas distantes e pegava qualquer trabalho de fazenda que encontrasse.

Quando chegou o momento de educar os filhos, Sherry e Grit decidiram submetê-los aos mesmos desafios. "O que eu queria era ensinar-lhes disciplina", explicou Grit. "E que precisavam lutar pelas coisas, como eu tinha aprendido. As pessoas têm que aprender essas coisas. Elas não caem do céu. Eu achava importante ensinar as crianças a irem até o fim no que começavam."

Steve e seus irmãos foram ensinados, sem meios-termos, que tudo o que começassem *tinha* que ser feito até o fim. "A gente dizia a eles: Vocês precisam ir a todos os treinos. Não podem dizer 'Ah, já enjoei disso'. Se você se comprometeu a fazer alguma coisa, tem que ter disciplina. Haverá ocasiões em que você não vai querer terminar, mas isso não pode acontecer."

Parece rígido, certo? E era. Mas, se prestarmos atenção, percebemos que os Young também davam muito apoio aos filhos.

Steve conta que um dia, quando tinha nove anos, estava jogando futebol americano quando foi derrubado. Ao olhar em torno, viu a mãe passar por ele

EDUCAR PARA A GARRA

e agarrar um menino do time adversário pelas ombreiras, dizendo-lhe para *não* derrubar Steve pelo pescoço de novo. Quando Steve e seus irmãos cresceram um pouco, a casa deles se tornou um ponto de encontro para os amigos. "Nossa casa vivia cheia de garotos", conta Sherry.

Como advogado de empresas, Grit viajava bastante. "Os outros caras da firma passavam o fim de semana onde estivessem, porque a gente não terminava o trabalho na sexta-feira, e tinha que começar tudo de novo na segunda. Eu não. Eu sempre, *sempre* fazia todo o possível para passar o fim de semana em casa." De vez em quando, as viagens para casa nos fins de semana eram também demonstrações da característica que justificam o apelido "Grit": a garra. "Certa vez, eu estava em Montana, negociando com uma fábrica de alumínio. Na noite de sexta-feira, peguei um táxi para o aeroporto, e havia um nevoeiro denso. Todos os voos tinham sido cancelados."

Pensei um pouco no que eu mesma teria feito na mesma situação e corei ao escutar o resto da história. Grit alugou um carro, dirigiu até Spokane, pegou um avião para Seattle e, depois, um segundo para São Francisco, e então um terceiro — um voo noturno que chegou ao aeroporto JFK, em Nova York, de madrugada. Alugou então outro carro e dirigiu até Greenwich, em Connecticut. "Não estou contando isso para me vangloriar", disse Grit. "É que eu achava importante estar com as crianças e apoiá-las, fosse em atividades esportivas ou qualquer outra coisa."

Sherry e Grit também eram atentos às necessidades emocionais dos filhos. Steve, por exemplo, era muito ansioso. "Notamos que havia coisas que ele não fazia de jeito algum", disse Grit. "Quando ele estava no terceiro ano, recusou-se a ir à escola. Aos doze anos, não quis ir para o acampamento dos escoteiros. Nunca dormia na casa de um amigo. De jeito nenhum."

Era difícil para mim imaginar Steve Young, um destemido *quarterback*, um astro do futebol americano, como o garoto tímido de quem Sherry e Grit falavam. Os medos do filho mais velho também intrigavam o casal. Certa vez, Grit foi buscar Steve na escola para levá-lo à casa dos tios, onde passaria o dia, e o filho simplesmente não parava de chorar. Sentia-se apavorado por ficar longe de casa. Grit ficou estupefato. Fiquei curiosa para saber como ele e Sherry tinham reagido. Teriam dito ao filho que agisse como homem? Ou o castigaram de outra forma?

Nada disso. A narrativa da conversa que Grit teve com o filho num dia em que o menino se recusou a ir à escola deixa claro que o pai preferia fazer perguntas e escutar o garoto, em vez de brigar com ele ou criticá-lo. "Eu perguntei: 'Alguém está implicando com você?' Ele respondeu que não. 'Você gosta da sua professora?' Ele disse que adorava a professora. 'Bem, então, por que não quer ir à escola?' 'Não sei. É só que não quero ir à escola.'"

Sherry precisou ficar na sala da terceira série com Steve durante semanas até que, por fim, o menino se sentiu à vontade para frequentar a escola sozinho.

"Ele estava sofrendo de angústia de separação", contou-me Sherry. "Na época, a gente nem sabia que isso existia. Mas percebíamos que havia uma tensão enorme dentro dele e sabíamos que ele precisava de tempo para superar tudo aquilo."

Mais tarde, quando pedi para Steve falar mais sobre o seu primeiro semestre na BYU, observei que, se alguém escutasse apenas aquela história do telefonema e nada mais, concluiria que o pai dele era um tirano. Que tipo de pai diria "não" a um filho que desejava voltar para casa?

"Certo", disse Steve. "Tudo bem. Tudo depende do contexto, não é?"[14]

Ouvi o que ele tinha a dizer.

"O contexto é que meu pai me *conhecia*. Sabia que tudo o que eu queria era correr para casa e sabia também que, se ele permitisse isso, estaria me deixando ceder aos meus medos."

"Foi um gesto de amor", concluiu Steve. "Ele foi duro, mas amoroso."

Mas há uma linha bem fina entre o amor bruto e a intimidação, não é? Onde está a diferença?

"Eu sabia que cabia a mim decidir", disse Steve. "E sabia que meu pai não desejava que eu fosse ele. Antes de tudo, os pais precisam preparar um ambiente que passe a seguinte mensagem ao filho: 'Não queremos apenas fazer com que você faça o que mandamos, ou controlar você, obrigar você a ser como nós, a fazer o que nós fazíamos, pedir a você que compense o que não pudemos fazer.' Meu pai logo me mostrou que o mais importante não era o que ele queria ou precisava. Na verdade, ele estava me dizendo: 'Estou lhe dando tudo o que tenho.'"

"Aquele amor bruto tinha um componente de altruísmo", continuou Steve. "Eu considero isso vital. Se em alguma medida esse amor bruto for apenas uma maneira de controlar o filho, a criança logo percebe isso. Eu sabia que em todos os sentidos meus pais estavam dizendo: 'Queremos ver o *seu* sucesso. Nós já ficamos para trás.'"

Conhecer os Young nos ajuda a entender que o "amor bruto" não é, necessariamente, uma contradição. Agora vamos conhecer Francesca Martínez e seus pais, Tina e Alex.

Apontada pelo *Observer* como uma das mais engraçadas comediantes da Grã-Bretanha,[15] Francesca apresenta-se para plateias lotadas no mundo inteiro. Em suas esquetes, ela quebra a proibição de palavrões da família Young e, depois do espetáculo, sem dúvida também desrespeita a proibição de bebidas. Tal como os pais, Francesca foi vegetariana a vida toda, não é religiosa e, no espectro político, está em algum ponto à esquerda dos progressistas.

Aos dois anos de idade, os médicos declararam que Francesca sofria de paralisia cerebral, mas ela prefere dizer que é "instável". Ao ouvirem que a filha "nunca teria uma vida normal", Tina e Alex logo decidiram que médico algum seria capaz de prever o que a filha poderia vir a ser. Tornar-se uma estrela do humor exige sempre garra, não importa quem você seja, mas talvez exija muito mais quando a pessoa tem dificuldade para pronunciar as consoantes ou caminhar até o palco. Como outros aspirantes a comediantes, Francesca já precisou viajar por quatro horas para uma apresentação não remunerada de dez minutos e ligou inúmeras vezes, em vão, para produtores de televisão impassíveis e ocupados. Mas, diferente da maioria de seus colegas, ela também precisa fazer exercícios de respiração e de voz antes de cada espetáculo.

"Não quero elogios pelo meu esforço nem pela minha dedicação ao trabalho", disse-me ela. "Acho que essas características vieram dos meus pais,[16]

GARRA

que foram muito carinhosos e firmes. Se minhas ambições não têm limites é por causa do tremendo apoio e do otimismo deles."

Não surpreende que os orientadores da escola de Francesca duvidassem que o mundo do entretenimento pudesse ser uma carreira viável para uma moça com dificuldade para caminhar e falar num ritmo normal. Desconfiavam mais ainda de que abandonar o ensino médio era a melhor maneira para isso. "Ah, Francesca", diziam com um suspiro, "pense em alguma coisa mais conveniente. Como computadores." Trabalhar num escritório era o destino mais cruel que Francesca podia imaginar. Pediu conselho aos pais.

"Siga os seus sonhos", disse Alex à filha. "E, se não der certo, você pode pensar em outra coisa."[17]

"Minha mãe também me encorajou", contou Francesca, acrescentando com um sorriso: "No fundo, ficaram felizes por eu largar a educação formal aos dezesseis anos[18] para aparecer na televisão. Deixavam que eu passasse os fins de semana em boates com os amigos, no meio de rapazes lascivos e drinks com nomes sexualmente explícitos."

Perguntei a Alex o que ele queria dizer quando aconselhou "siga seus sonhos" à filha. Antes de responder, ele contou que também haviam permitido que Raoul, irmão de Francesca, deixasse o colégio para se tornar aprendiz de um famoso pintor de retratos. "Nunca pressionamos nenhum deles a se tornar médicos, advogados ou qualquer coisa assim. Acredito de verdade que, quando você faz o que realmente quer, isso se torna uma vocação. Francesca e Raoul são muitíssimo dedicados ao trabalho, mas, como amam o que fazem, não se sentem oprimidos."

Tina concordou com tudo isso. "Sempre percebi, por instinto, que a vida, a natureza e a evolução plantam nas crianças seus próprios potenciais — o destino de cada um. Do mesmo modo que uma planta, se elas receberem nutrientes e água da maneira certa, crescem belas e fortes. É só uma questão de criar o ambiente correto — um solo adequado, que atenda às suas necessidades. Os jovens trazem em si as sementes de seu próprio futuro. Se confiarmos neles, seus próprios interesses irão aflorar."

Francesca combina o apoio incondicional que seus pais "muito descolados" lhe reservaram à esperança que ela cultivou mesmo quando toda a esperação parecia perdida. "Muito de levar uma coisa até o fim vem do fato de acreditar que é possível realizá-la. Essa convicção nasce da autoestima; e a autoestima vem de como as outras pessoas nos fizeram sentir em nossa vida."

Até aqui, Alex e Tina parecem o exemplo perfeito dos pais permissivos. Perguntei a eles se era assim que se viam.

"Na verdade, acho que tenho alergia a crianças mimadas", respondeu Alex. "As crianças devem ser amadas e aceitas, mas, sem muitas complicações, é preciso ensinar-lhes: 'Não, você não pode bater com um pau na cabeça de sua irmã. Isso mesmo, você tem que dividir as coisas. Não, você não pode ter tudo o que quer na hora que deseja.' É uma criação séria e sensata."

Como exemplo disso, Alex obrigou Francesca a fazer os exercícios de fisioterapia prescritos pelos médicos. Ela odiava esses exercícios. Durante anos, ela e o pai se enfrentaram. Francesca não conseguia entender por que não podia simplesmente contornar suas limitações, enquanto Alex achava que tinha a responsabilidade de se manter firme. Como ela conta em seu livro: "Ainda que felizes em muitos sentidos, os anos seguintes foram repletos de brigas intensas, com bater de portas, lágrimas e arremesso de objetos."[19]

Se esses conflitos poderiam ter sido tratados com mais habilidade, ninguém sabe. Alex acha que poderia ter explicado melhor à filha, ainda pequena, o *porquê* de sua insistência. Talvez isso seja verdade, mas o que de fato me chama a atenção nesse aspecto da infância de Francesca é que pais afetuosos que aconselham os filhos a seguir seus sonhos podem, ainda assim, se sentir obrigados a impor a lei em questões de disciplina. De repente, a visão unidimensional de Alex e Tina como pais meio hippies parece incompleta.

Foi revelador, por exemplo, ouvir Alex, que é escritor, discorrer sobre a ética de trabalho que definiu para os filhos: "Se você quer terminar as coisas, precisa se dedicar a elas. Quando eu era mais jovem, conheci muitas pessoas que escreviam. Elas me diziam: 'Ah, eu também sou escritor, mas nunca terminei nada.' Bem, nesse caso você não é escritor. É apenas uma pessoa que se senta a uma mesa e escreve coisas num pedaço de papel. Se você tem algo a dizer, vá em frente, diga e termine o texto."

GARRA

Tina concorda que, embora as crianças necessitem de liberdade, também precisam de limites. Além de ativista ambiental, ela também é professora particular e já viu muitos pais empenhados no que ela chama de negociações com os filhos, envolvendo pedidos e súplicas. "Ensinamos nossos filhos a seguir princípios claros e diretrizes morais", disse ela. "Explicávamos nossos raciocínios, mas eles sempre sabiam quais eram os limites."

"E nada de televisão", acrescentou ela. "Eu considerava a TV um veículo hipnótico, e não queria que aquele aparelho substituísse as interações com pessoas. Por isso, simplesmente não tínhamos televisão em casa. Se as crianças quisessem ver algum programa em especial, tinham que ir à casa dos avós."

O que podemos aprender com os casos de Steve Young e Francesca Martínez? E o que podemos concluir a partir do que outros modelos de garra contam sobre seus pais?

Na realidade, observei um padrão. Para nós que queremos ensinar nossos filhos a terem garra, esse padrão é um esquema útil, um guia que nos ajuda a tomar as diversas decisões envolvidas na criação de nossos filhos.

Antes de ir adiante, quero repetir uma advertência: como cientista, eu gostaria de reunir mais dados antes de chegar a conclusões consistentes. Depois de uma década, eu já deveria saber muito mais sobre a melhor forma de ensinar garra do que sei hoje. Mas como não existe um botão de pausa para deter o processo de criação dos filhos, darei meus palpites assim mesmo. Em boa medida, eu me sinto estimulada a isso porque o padrão que observei coincide com diversas pesquisas muito bem conduzidas sobre educação (mas não sobre garra). Esse padrão também faz sentido diante do que sabemos sobre a motivação humana desde que John Watson nos aconselhou a *Não mimar os filhos*. E, por fim, o padrão que vejo coincide com as entrevistas de atletas, artistas e acadêmicos, todos de renome mundial, feitas pelo psicólogo Benjamin Bloom há trinta anos. Embora a educação não fosse o foco explícito do estudo de Bloom — os pais foram incluídos originalmente na pesquisa como "observadores capazes de comprovar" detalhes biográficos — a importância da educação acabou sendo uma de suas principais conclusões.

O que eu vejo é o seguinte:

Antes de mais nada, não existe uma opção do tipo "ou isso ou aquilo" entre a educação compreensiva e a exigente. Um mal-entendido comum é considerar o "amor bruto" como um equilíbrio entre a afeição e o respeito, por um lado, e expectativas impostas com firmeza por outro. Na verdade, não há razão para que as duas posturas não possam coexistir. Fica claro que foi exatamente isso o que os pais de Steve Young e de Francesca Martínez fizeram. Os Young eram rígidos, mas também carinhosos; os Martínez eram carinhosos, mas também rígidos. As duas famílias estavam centradas nos filhos, no sentido de que punham os interesses das crianças em primeiro lugar, mas nem uma nem outra agia como se os filhos fossem sempre os melhores juízes para decidir o que fazer, o quanto se esforçar e quando desistir.

A figura a seguir mostra como alguns psicólogos hoje classificam os estilos parentais. Em vez de uma escala única, há duas. No quadrante superior direito estão os pais que são, ao mesmo tempo, exigentes e solidários. O termo técnico é "estilo parental autoritativo",[20] que, infelizmente, é muitas vezes confundido com "estilo autoritário". Para evitar essa confusão, chamarei o estilo autoritativo de *estilo sensato*, uma vez que os pais incluídos nesse quadrante avaliam com precisão as necessidades psicológicas dos filhos. Percebem que os filhos necessitam de amor, limites e espaço para alcançar seu pleno potencial. A autoridade que exercem baseia-se em conhecimentos e sabedoria, e não em poder.

GARRA

Nos outros quadrantes estão outros três estilos parentais comuns, entre os quais a postura pouco exigente e pouco afetuosa exemplificada por pais negligentes. O estilo negligente cria um clima emocional especialmente tóxico, mas não me estenderei sobre ele porque não constitui sequer um exemplo plausível para a criação de pessoas que tenham garra.

Os pais autoritários são exigentes e pouco compassivos — exatamente as atitudes que John Watson defendia com a intenção de fortalecer o caráter das crianças. Por outro lado, os pais permissivos são compassivos, mas não exigentes.

Em seu discurso na Society for Research on Adolescence (Sociedade de Pesquisa sobre a Adolescência), em 2001, o psicólogo Larry Steinberg — então presidente da associação —, propôs uma moratória em novas pesquisas[21] sobre os estilos parentais, pois para ele havia tantas evidências sobre os benefícios do estilo parental compassivo e exigente que talvez fosse melhor para os cientistas abordar questões mais espinhosas. Com efeito, nos últimos quarenta anos, estudos minuciosos constataram que os filhos de pais psicologicamente sensatos se saem melhor do que aqueles criados em qualquer outro tipo de família.

Num dos estudos de Larry, por exemplo, cerca de dez mil adolescentes americanos preencheram questionários sobre o comportamento dos pais. Qualquer que fosse o gênero, a etnia e a classe social desses jovens, ou ainda a relação marital dos pais, aqueles que tinham pais carinhosos, respeitosos e exigentes[22] tiravam notas mais altas na escola, eram mais autoconfiantes, menos ansiosos e depressivos e menos propensos a condutas delinquentes. O mesmo se repete em todos os países onde a questão foi estudada e em todas as fases do desenvolvimento da criança. A pesquisa longitudinal indica que os benefícios são mensuráveis ao longo de uma década ou mais.[23]

Uma das principais descobertas das pesquisas sobre estilos parentais foi que as mensagens recebidas pelos filhos são mais importantes do que aquelas que os pais pretendem transmitir.[24]

Aquilo que *parece* ser um claro estilo parental autoritário — o veto à televisão, por exemplo, ou a proibição do uso de palavrões — pode ou não ser

EDUCAR PARA A GARRA

coercivo. Por outro lado, o que *parece* permissivo — como permitir que o filho abandone a escola no ensino médio — pode simplesmente refletir diferenças nas regras que os pais consideram importantes. Em outras palavras, não se apresse a julgar o pai ou a mãe que, no supermercado, prega um sermão ao filho que insiste em comprar uma caixa de cereais. Na maior parte dos casos, não dispomos de informações contextuais suficientes para compreender como a criança interpreta a discussão — e, no fim das contas, o que realmente interessa é a experiência da criança.

Você é uma mãe ou um pai psicologicamente sensato? Para descobrir isso, use a avaliação de conduta parental[25] que apresentamos a seguir, desenvolvida pela psicóloga e especialista em educação Nancy Darling. Quantas dessas afirmações seu filho faria sem hesitar?

Note que algumas afirmações aparecem em itálico. São declarações em "sentido inverso" — ou seja, se seu filho concordar com elas, você pode ser menos psicologicamente sensato do que imagina.

Pais compassivos: afeto

Posso contar com a ajuda de meus pais se eu tiver um problema.

Meus pais dedicam tempo a conversar comigo.

Meus pais e eu fazemos coisas divertidas juntos.

Meus pais não gostam muito que eu lhes conte meus problemas.

Meus pais quase nunca me elogiam pelos meus sucessos.

Pais compassivos: respeito

Meus pais acham que tenho direito a meu próprio ponto de vista.

Meus pais me dizem que as ideias deles estão certas e que eu não devo contestá-las.

Meus pais respeitam minha privacidade.

Meus pais me dão muita liberdade.

Meus pais tomam a maioria das decisões sobre o que eu devo fazer.

GARRA

Pais exigentes

Meus pais com certeza esperam que eu siga as regras da família.

Meus pais com certeza deixam eu me safar dos problemas.

Meus pais indicam meios para que eu me saia melhor.

Quando faço alguma coisa errada, meus pais não me punem.

Meus pais esperam que eu me esforce ao máximo, mesmo quando é difícil.

Crescer cercado de apoio, respeito e padrões elevados confere muitos benefícios, e um deles é de especial importância para a garra. Em outras palavras, um estilo parental sensato incentiva os filhos a *emular* os pais.

Em certa medida, é claro, as crianças pequenas *imitam* a mãe e o pai. Quando não temos outro modelo, qual a nossa escolha que não repetir o sotaque, os hábitos e as atitudes das pessoas que nos rodeiam? Falamos como elas falam. Comemos o que elas comem. Adotamos seus gostos e suas aversões.

O instinto de copiar os adultos é fortíssimo numa criança pequena. Num experimento clássico realizado há mais de cinquenta anos na Universidade Stanford, por exemplo, crianças em idade pré-escolar foram postas para observar adultos brincando com diversos brinquedos, e depois lhes foi dada a mesma oportunidade. Metade dos meninos e das meninas observou um adulto brincar tranquilamente com um jogo de montar, ignorando uma boneca do tamanho de uma criança, que estava na mesma sala. A outra metade das crianças viu o adulto começar a montar o brinquedo e, depois de um minuto, agredir cruelmente a boneca. O adulto atacou a boneca com os punhos e, depois, com um malho, atirou a boneca no ar e, por fim, gritando a plenos pulmões, pôs-se a chutar a boneca pela sala.

Quando tiveram oportunidade de brincar com os mesmos objetos, as crianças que tinham visto o adulto brincar tranquilamente fizeram o mesmo. Já as crianças que tinham visto o adulto espancar a boneca mostraram-se igualmente agressivas. Em muitos casos, imitaram de tal forma os adultos violentos que os pesquisadores descreveram o comportamento delas como "cópias a carbono".[26]

EDUCAR PARA A GARRA

No entanto, há uma imensa diferença entre *imitação* e *emulação*.

Ao ficarmos mais velhos, adquirimos a capacidade de refletir sobre nossos atos e julgar o que admiramos e desdenhamos em outras pessoas. Se nossos pais são gentis, respeitosos e exigentes, não só seguimos o exemplo deles como o valorizamos. Não só atendemos aos pedidos deles como compreendemos por que os fazem. Ficamos ansiosos por buscar os mesmos interesses — não foi por coincidência, por exemplo, que o pai de Steve Young foi, ele próprio, um excelente jogador de futebol americano na Universidade Brigham Young, ou que Francesca Martínez, como o pai, adorava escrever.

Benjamin Bloom e sua equipe observaram o mesmo padrão em seus estudos sobre atores e outros artistas de renome mundial. Quase sem exceção, os pais compassivos e exigentes no estudo de Bloom foram "modelos de ética do trabalho, uma vez que eram vistos como esforçados, buscavam o melhor desempenho em tudo o que faziam, acreditavam que o trabalho era mais importante do que a diversão e que uma pessoa deveria cultivar metas distantes."[27] Além disso, "a maioria dos pais considerava natural incentivar os filhos a participar das atividades que eles os próprios os pais mais apreciavam". Com efeito, uma das conclusões de Bloom foi que "os interesses dos próprios pais[28] são transmitidos aos filhos. [...] Constatamos repetidas vezes que os pais dos pianistas não matriculavam os filhos em aulas de tênis, mas em aulas de piano. E verificamos que ocorria exatamente o contrário nas casas de tenistas".

Na verdade, muitos modelos de garra me disseram, com orgulho, que seus pais foram seus exemplos de vida mais admirados e influentes. Também é revelador que tantos dos meus entrevistados tenham, de uma forma ou de outra, cultivado interesses muito semelhantes aos dos pais. Sem dúvida, esses modelos de garra cresceram imitando os pais, mas também os emulando.

Essa lógica leva à conclusão especulativa de que nem *todos* os filhos de pais psicologicamente sensatos crescem com garra, porque nem todos os pais psicologicamente sensatos são *exemplos* de garra. Embora possam ser compassivos e exigentes, os pais e as mães do quadrante superior direito podem ou não demonstrar paixão e perseverança em relação a metas a longo prazo.

GARRA

Se você quiser fomentar garra em seu filho, pergunte primeiro a si mesmo quanta paixão e perseverança você demonstra em relação às suas próprias metas de vida. Depois, pergunte-se em que medida sua postura como pai ou mãe incentiva seu filho a emular você. Se a resposta à primeira pergunta for "muita" e à segunda for "em boa medida", você já está educando para a garra.

Não são apenas os pais e as mães que lançam os alicerces da garra.

Existe um ecossistema de adultos que se estende para além da família nuclear. Todos somos "pais" e "mães" de outros jovens — ou seja, somos coletivamente responsáveis por "educar" a próxima geração.[29] Nesse papel de mentores compassivos, mas exigentes, dos filhos alheios, podemos exercer um enorme impacto.

Tobi Lütke, empreendedor na área de tecnologia, é um modelo de garra que teve um mentor assim. Aos dezesseis anos, Tobi abandonou o colégio na Alemanha, sem experiência alguma de aprendizado que pudesse chamar de positiva. Como aprendiz numa empresa de engenharia em sua cidade, conheceu Jürgen, programador que trabalhava numa salinha no subsolo. Ao conversar comigo, Tobi descreveu Jürgen como "um roqueiro grisalho e cabeludo, nos seus cinquenta e poucos anos,[30] que poderia muito bem ser membro de uma gangue Hells Angels". Orientado por ele, Tobi descobriu que o transtorno de aprendizado com o qual fora diagnosticado na escola, onde tirava péssimas novas, não impedia em nada seu desenvolvimento como programador de computadores.

"Jürgen era um professor e tanto", contou Tobi. "Criou um ambiente onde não só era possível, mas também fácil, avançar dez anos de carreira em um só ano."

Toda manhã, ao chegar ao trabalho, Tobi encontrava uma folha impressa do código que havia escrito na véspera, cheia de comentários, sugestões e correções em caneta vermelha. Jürgen sempre apontava maneiras específicas para Tobi aprimorar seu trabalho. "Aquilo me ensinou a não misturar meu ego no código que eu escrevo", disse Tobi. "Sempre há meios de aprimorar o trabalho, e receber esse *feedback* é uma dádiva."

Certo dia, Jürgen pediu a Tobi que se encarregasse da preparação de um software para a General Motors, e lhe deu uma quantia extra para comprar seu primeiro terno para a apresentação e instalação. Tobi imaginou que Jürgen faria toda a exposição oral, mas na véspera da instalação Jürgen virou-se para Tobi e, com toda naturalidade, disse que tinha outro compromisso. Tobi teria que visitar a General Motors sozinho. Ele ficou meio assustado, mas foi. A apresentação foi um sucesso.

"Essas ocasiões se repetiram", contou Tobi. "Jürgen, não sei como, conhecia a extensão da minha zona de conforto e criava situações em que eu me sentia meio fora dela. Aos trancos e barrancos, eu as superei... E acabei me saindo bem."

Mais adiante, Tobi fundou uma empresa de software, a Shopify, que serve a dezenas de milhares de lojas on-line e há pouco tempo ultrapassou a marca de 100 milhões de dólares de receita.

Na verdade, novas pesquisas sobre o magistério[31] apontam paralelos inesperados com a criação de filhos. Ao que parece, professores psicologicamente sensatos podem exercer uma enorme influência na vida de seus alunos.

Ron Ferguson é um economista de Harvard que compilou mais dados comparativos sobre professores eficientes e ineficientes do que qualquer outra pessoa que eu conheça. Num estudo recente, Ron fez uma parceria com a Fundação Gates para analisar estudantes e professores em 1.892 salas de aula.[32] A pesquisa concluiu que os professores exigentes — aqueles cujos alunos dizem "Meu professor não aceita menos que o maior esforço possível" e "Os alunos da minha sala se comportam da maneira que meu professor quer" — provocam aumentos significativos nas notas dos alunos de ano para ano. Os professores compassivos e respeitosos — aqueles cujos alunos dizem "Meu professor parece adivinhar quando alguma coisa está me incomodando" ou "Meu professor quer que a gente fale sobre o que pensamos" — promovem a felicidade dos estudantes, o desejo de fazer um curso superior e o esforço voluntário em sala de aula.

GARRA

É possível, segundo as conclusões de Ron, ser um professor psicologicamente sensato, da mesma forma que é possível ser um professor permissivo, autoritário ou negligente. E são os professores sensatos que parecem promover a competência, além do bem-estar, da participação em sala de aula e de grandes expectativas para o futuro.

Recentemente, os psicólogos David Yeager e Geoff Cohen[33] realizaram um experimento para verificar o efeito sobre os estudantes de mensagens de expectativas elevadas combinadas com apoio inabalável. Pediram a professores do oitavo ano que escrevessem comentários sobre as redações dos alunos, com sugestões para aperfeiçoamento do texto e os incentivos que normalmente dariam. Os professores encheram de comentários as margens das redações.

Em seguida, os professores passaram todas essas redações para pesquisadores, que as dividiram aleatoriamente em duas pilhas. Em metade das redações, os pesquisadores afixaram um bilhete que dizia: *Estou fazendo esses comentários para que você saiba minha opinião sobre sua redação.* Esse era o grupo de controle por meio de placebo.

Na outra metade das redações, os pesquisadores colaram um bilhete que dizia: *Estou fazendo esses comentários porque tenho expectativas muito elevadas e sei que você pode atingi-las.*[34] Esse era o grupo de encorajamento sensato.

Para que os professores não vissem quais estudantes tinham recebido esta ou aquela mensagem, e para que os estudantes não vissem que alguns colegas tinham recebido uma mensagem diferente da sua, os pesquisadores puseram cada redação numa pasta que os professores devolveriam aos alunos em sala.

Os professores então disseram que os alunos poderiam revisar suas redações e entregá-las na semana seguinte.

Recebidos de volta os textos, David verificou que cerca de 40% dos alunos que tinham recebido o bilhete placebo tinham optado por entregar uma redação revisada. No caso dos estudantes que receberam o bilhete de encorajamento, esse percentual crescia substancialmente — nada menos que 80%.

Numa replicação desse estudo com outra amostragem, os alunos que receberam o bilhete de encorajamento — *"Estou fazendo esses comentários porque tenho expectativas muito elevadas e sei que você pode atingi-las"* — realizaram o dobro de modificações em suas redações em relação aos alunos da mensagem placebo.

Com toda certeza, bilhetes não podem substituir os gestos, comentários e atos cotidianos que transmitem afeto, respeito e expectativas elevadas. Entretanto, pesquisas como essa sem dúvida destacam o poderoso efeito motivador que um simples bilhete pode ter.

Nem todos os modelos de garra foram amparados por um pai ou uma mãe sensatos, mas todos os que entrevistei indicavam *alguém* em sua vida que, no momento certo e da maneira correta, incentivou-os a sonhar alto e proporcionaram a confiança e o apoio de que precisavam.

Vejamos o caso de Cody Coleman.[35]

Há alguns anos, Cody me mandou um e-mail. Tinha assistido à minha palestra TED sobre garra e queria saber se poderíamos conversar, pois achava que eu me interessaria por sua história pessoal. Ele estava se formando em engenharia elétrica e ciência da computação pelo Instituto de Tecnologia de Massachusetts (MIT), com uma média de notas altíssima. Em sua opinião, talento e oportunidade tinham muito pouco a ver com suas conquistas. Seu sucesso, pelo contrário, tinha sido obtido graças a paixão e perseverança, durante muitos anos.

"Claro", respondi. "Vamos conversar." Eis o que ele me contou.

Cody nasceu a cinquenta quilômetros de Trenton, Nova Jersey, no Instituto Correcional do Condado de Monmouth. O FBI havia interditado sua mãe por insanidade e, na época em que Cody nasceu, ela estava presa por ameaçar matar o filho de um senador. Cody nunca conheceu o pai. Sua avó assumiu a custódia legal do bebê e seus irmãos, e provavelmente salvou a vida deles por isso. No entanto, ela não era o protótipo de uma mãe sensata. Pode ter *desejado* ser afetuosa e exigente, mas seu corpo e sua mente estavam em declínio. Segundo Cody, não demorou muito para que ele exercesse mais o papel de pai — além de cozinhar e arrumar a casa — do que ela.

"Éramos pobres", contou Cody. "Quando minha escola fazia campanhas para recolher alimentos, os produtos recolhidos iam para a minha família, porque

GARRA

éramos os mais pobres no bairro. E o próprio bairro não era lá muito abastado. Meu distrito escolar estava abaixo da média em todas as categorias imagináveis."

E então, o que aconteceu?

"Um dia, meu irmão mais velho, que tinha dezoito anos a mais do que eu, foi nos visitar. Isso foi nas férias de verão, depois do meu primeiro ano no ensino médio. Ele tinha vindo de carro e quis me levar para passar duas semanas com ele. Enquanto viajávamos para o estado de Virgínia, ele se virou para mim e perguntou:

— Em qual faculdade você quer estudar?

— Não sei... — respondeu Cody. — Quero ir para uma universidade boa. Talvez uma como Princeton. — E então, quase imediatamente, acrescentou: — Uma universidade como Princeton nunca vai me aceitar.

— Por que Princeton não aceitaria você? — perguntou o irmão de Cody. — Você está indo muito bem no ensino médio. Se estudar mais, se continuar a se esforçar, você poderá chegar aonde quer. Vale a pena tentar.

"Naquele momento, pareceu que alguém tinha ligado um interruptor na minha cabeça", contou-me Cody. "Passei de 'Para que me dar ao trabalho?' para 'Por que não?'. Eu sabia que talvez não conseguisse entrar numa universidade de ponta, mas achei que se eu tentasse poderia ter uma chance. Se eu nunca tentasse, aí mesmo é que não conseguiria."

No ano seguinte, Cody dedicou-se de corpo e alma aos estudos. No penúltimo ano do colégio, só recebia notas máximas, uma atrás da outra. Prestes a se formar, Cody começou a buscar a melhor escola de ciências da computação e de engenharia no país. Foi então que a universidade de seus sonhos deixou de ser Princeton para se tornar o MIT. Durante esse período de transição, ele conheceu Chantel Smith[36], uma professora de matemática de sensatez excepcional que praticamente o adotou.

Foi Chantel quem pagou a autoescola de Cody. Foi Chantel que organizou o recebimento de um "fundo de dormitório universitário" para que Cody comprasse tudo de que precisava quando se mudou. Foi ela que lhe mandou pelo correio os suéteres, gorros, luvas e as meias de lã para Cody suportar os gélidos invernos de Boston. Foi ela quem se preocupou com ele a cada dia, que o rece-

EDUCAR PARA A GARRA

beu em sua casa em todos os feriados, que ficou ao lado de Cody no enterro da avó. Foi na casa de Chantel que Cody conheceu o prazer de receber presentes com seu nome no dia de Natal, foi lá onde pintou ovos de Páscoa pela primeira vez, e foi lá que, aos 24 anos, teve sua primeira festa de aniversário.

O MIT não foi inteiramente um mar de rosas, mas os novos problemas vieram com um "ecossistema de apoio", como descreveu Cody. Reitores, professores, estudantes mais antigos em sua fraternidade, colegas de quarto e amigos: em comparação com o que Cody teve na infância, o MIT era um refúgio abençoado.

Depois de se formar com louvor, Cody permaneceu no MIT para fazer um mestrado em ciências da computação e engenharia elétrica. Durante o curso, tirou apenas notas máximas e recebeu propostas de programas de doutorado e de empresas no Vale do Silício.

Enquanto pensava se escolhia uma carreira que lhe daria um bom salário de imediato ou um curso de pós-graduação, Cody refletiu bastante sobre o percurso que o levara até ali. No outono seguinte, ele começou um doutorado em ciências da computação em Stanford. Eis a primeira frase de seu texto de apresentação: "Considero minha missão utilizar minha paixão pela ciência da computação e pelo domínio das máquinas para beneficiar a sociedade em geral, ao mesmo tempo que me torno um exemplo do sucesso que transformará o futuro de nossa sociedade."

Portanto, Cody Coleman não teve uma mãe, um pai ou um avô que fossem psicologicamente sensatos. Eu gostaria que sim. O que ele teve *mesmo* foi um irmão que disse a coisa certa na hora certa, uma professora de matemática no colégio extraordinariamente sensata e maravilhosa e um ecossistema de outros professores, mentores e colegas de curso superior que, em conjunto, mostraram-lhe o que era possível e ajudaram-no a chegar lá.

Chantel não aceita levar crédito pelo êxito de Cody. "A verdade é que Cody mudou a minha vida mais do que eu mudei a dele. Ele me ensinou que nada é impossível e que nenhuma meta está fora de alcance. Ele é um dos seres humanos mais amáveis que já conheci, e quase morro de orgulho quando ele me chama de 'mãe'."

GARRA

Pouco tempo atrás, uma emissora de rádio de Trenton entrevistou Cody. Já quase no fim da entrevista, perguntaram-lhe o que ele teria a dizer a ouvintes que lutavam para superar problemas semelhantes aos seus. "Pensem positivo",[37] disse Cody. "Deixem de lado as ideias negativas sobre o que é possível e impossível e tentem vencer os obstáculos."

As palavras finais de Cody foram as seguintes: "Uma pessoa não precisa ser pai ou mãe para fazer a diferença na vida de alguém. Se você se importar com as pessoas e procurar saber o que está acontecendo, poderá exercer uma influência. Tente compreender o que está acontecendo na vida delas e ajude-as a superar as dificuldades. Isso foi uma coisa que vivi diretamente. E isso fez a diferença."

➡ *Capítulo 11*

AS ARENAS DA GARRA

Um dia, quando tinha mais ou menos quatro anos, minha filha Lucy sentou-se à mesa da cozinha, tentando abrir uma caixinha de passas. Estava com fome. Queria aquelas passas. No entanto, a tampa da caixa resistia teimosamente a seus esforços. Depois de um tempo, ela largou a caixa e afastou-se com um suspiro. Eu assistia à cena de outro cômodo e fiquei atônita. *Ah, meu Deus, minha filha foi derrotada por uma caixa de passas. Qual será a possibilidade de ela crescer com um mínimo de garra?*

Corri até Lucy e incentivei-a a tentar de novo. Fiz o que pude para me mostrar compassiva e exigente. Ainda assim, ela se recusou.

Algum tempo depois, descobri uma escola de balé perto de nossa casa e a matriculei.

Como muitas mães, eu acreditava firmemente na ideia de que a garra é estimulada por atividades como balé, piano, futebol ou, na verdade, qualquer atividade extracurricular estruturada. Tais atividades possuem duas características importantes que são difíceis de replicar em outro ambiente. Em primeiro lugar, são comandadas por um adulto (idealmente, um adulto compassivo e exigente) que *não* é um dos pais. Em segundo lugar, essas atividades são *projetadas* para cultivar interesse, prática, propósito e esperança. A escola de balé, a sala de recital, o tatame do judô, a quadra de basquete, a piscina... São essas as arenas onde uma pessoa aprende a ter garra.

GARRA

———

As evidências relativas a atividades extracurriculares são incompletas. Não há um único estudo no qual crianças tenham sido incumbidas aleatoriamente a praticar um esporte, tocar um instrumento musical, participar da equipe de debates, ter um emprego depois das aulas ou colaborar com o jornal da escola. Se você pensar no assunto um momento, vai entender por quê. Não há pais que se disponham a pôr (ou não pôr) os filhos para fazer coisas na base do cara ou coroa; e, por questões éticas, nenhum cientista pode obrigar crianças a se dedicar (ou não) estas ou aquelas atividades.

Entretanto, como mãe e cientista social, recomendo que você procure algo de que seu filho vá gostar de fazer *fora da escola*, assim que ele tiver idade suficiente. Na verdade, se eu tivesse uma varinha de condão, faria com que todas as crianças do mundo se empenhassem em ao menos uma atividade extracurricular, e no caso dos adolescentes do ensino médio, faria com que eles praticassem alguma atividade durante mais de um ano.

Isso significa que eu recomende reservar cada minuto do dia de uma criança para alguma atividade? De maneira alguma. Mas acredito de verdade que as crianças desabrocham quando passam ao menos parte da semana fazendo coisas difíceis pelas quais se interessam.

Como já disse, os dados para corroborar essa recomendação ousada são incompletos. No entanto, as pesquisas *já* realizadas são, em minha opinião, muito reveladoras. No conjunto delas, temos indícios bastante convincentes de que as crianças aprendem a ter garra graças a uma instrutora de balé sensata, um técnico de futebol ou um professor de violino.

Em um desses estudos, alguns pesquisadores muniram crianças de bípers, para que, ao longo do dia, eles pedissem para elas dizerem o que estão fazendo e como se sentem naquele momento. Quando as crianças estão em aula, informam que estão se sentindo desafiadas — mas especialmente desmotivadas. Já quando estão com amigos não é nada desafiador, mas muito divertido. Mas o que dizer das atividades extracurriculares? Quando as crianças estão praticando algum esporte, tocando um instrumento ou ensaiando para a apresentação de uma peça escolar, sentem-se, ao mesmo tempo, desafiadas e felizes.[1] Não existe outra experiência na vida delas que ofereça sem erro essa combinação de dificuldade e motivação intrínseca.

O ponto principal dessa pesquisa é o seguinte: a escola pode ser difícil, mas para muitas crianças não é intrinsecamente interessante. Trocar mensagens de texto com os amigos é interessante, mas não é difícil. E o balé? O balé pode ser as duas coisas.

A experiência vivida em um determinado momento é uma coisa, mas o que dizer sobre os benefícios de longo prazo? As atividades extracurriculares são compensadoras de alguma forma mensurável?

Inúmeras pesquisas mostram que as crianças mais envolvidas em atividades extracurriculares[2] apresentam melhores resultados em praticamente todas as métricas possíveis — tiram melhores notas, têm mais autoestima, são menos propensas a se envolver em problemas etc. Alguns desses estudos são longitudinais, ou seja, os pesquisadores esperaram para ver o que ocorria com as crianças numa fase posterior da vida. Esses estudos mais prolongados chegaram à mesma conclusão: maior participação em atividades extracurriculares prenuncia melhores resultados.[3]

A mesma pesquisa indica com clareza que *exagerar na dose* de atividades extracurriculares é muito raro. Hoje em dia, o adolescente americano médio informa que passa mais de três horas diárias vendo televisão e jogando videogames.[4] Mais algum tempo é perdido checando as redes sociais, mandando mensagens de texto para amigos com links para vídeos de gatos e rastreando as Kardashians para saber que roupa usar — o que torna difícil argumentar que não sobra tempo para o clube de xadrez ou para a peça da escola, ou ainda qualquer outra atividade estruturada na aquisição de uma habilidade e orientada por um adulto.

Mas e a garra? O que dizer de realizar algo que leva anos, e não alguns meses? Se a garra tem a ver com perseguir uma meta de longo prazo, e se ativi-

GARRA

dades extracurriculares são uma forma de praticar a garra, é lógico que tais atividades serão mais do que benéficas se a praticarmos *durante mais de um ano*.

Com efeito, em minhas entrevistas com paradigmas da garra, elas muitas vezes mencionam lições que aprenderam quando buscaram melhorar de um ano para outro.

Vejamos um exemplo. Depois de uma temporada medíocre no time de futebol americano em seu penúltimo ano do ensino médio, Steve Young — que no futuro seria incluído no Hall da Fama da NFL — entrou na marcenaria da escola e fez uma bola de madeira, com fita adesiva no lugar dos cordões. Numa ponta da bola, ele fixou um gancho, com o qual prendeu a bola num aparelho da academia de musculação. Agarrando a bola, ele a movimentava para a frente e para trás, simulando um arremesso. A ideia era usar a resistência para desenvolver a musculatura dos antebraços e dos ombros. No ano seguinte, a extensão de seus passes tinha duplicado.

Um estudo realizado pela psicóloga Margo Gardner na Universidade Columbia produziu evidências ainda mais convincentes dos benefícios de atividades extracurriculares duradouras. Margo e sua equipe acompanharam onze mil jovens americanos, da adolescência até os 26 anos, a fim de verificar se a participação em atividades extracurriculares no ensino médio durante dois anos — e não em apenas um — teria efeitos positivos na vida adulta.[5]

Margo verificou que os estudantes que haviam dedicado mais de um ano a atividades extracurriculares eram mais propensos a concluir um curso superior e, já adultos, a atuar como voluntários em suas comunidades. As horas semanais que os adolescentes dedicam a atividades extracurriculares também preveem que eles terão um emprego (em contraposição a estarem desempregados) e um salário maior, mas *apenas* no caso de adolescentes que se dedicaram a atividades extracurriculares durante dois anos, e não apenas um.

Warren Willingham foi um dos primeiros cientistas que estudaram a importância da dedicação prolongada (e não apenas ocasional) a atividades extracurriculares.

AS ARENAS DA GARRA

Em 1978, ele era diretor do Personal Qualities Project[6] (Projeto Qualidades Pessoais), que ainda hoje constitui a mais ambiciosa tentativa já empreendida de identificar os principais fatores do sucesso no começo da vida adulta.

O projeto foi financiado pelo Educational Testing Service (ETS), ONG que ocupa uma vasta área em Princeton, Nova Jersey, e emprega mais de mil estatísticos, psicólogos e outros profissionais, todos dedicados à criação de testes para a previsão de êxito nos estudos e no trabalho. Todos os estudantes que realizaram o SAT também completam algum teste criado pelo ETS. O mesmo pode ser dito em relação ao GRE (Graduate Record Examination), ao TOEFL (Test of English as a Foreign Language), ao Praxis (exame para certificação de professores nos Estados Unidos) e qualquer uma das mais de trinta provas de nivelamento avançado. Pode-se dizer que o ETS está para os testes padronizados como o Kleenex está para os lenços de papel. É claro que existem outras organizações que produzem testes padronizados, mas poucas pessoas lembram seus nomes de imediato.

Nesse caso, o que levou o ETS a ir além dos testes padronizados?[7]

Melhor do que ninguém, Willingham e outros cientistas do ETS sabiam que as notas no ensino médio e nas provas de fim de curso não bastam para prever o êxito na vida adulta. É bem comum que dois jovens com as mesmas notas escolares e a mesma pontuação no exame de conclusão do ensino médio percorram caminhos muito diferentes na vida. A pergunta que Willingham procurou responder era simples: *Quais qualidades pessoais são importantes?*

Para descobrir a resposta, a equipe de Willingham acompanhou vários milhares de estudantes durante cinco anos, a partir do último ano do ensino médio. No começo do estudo, os pesquisadores coletaram documentos de admissão, questionários, amostras de textos, entrevistas e fichas cadastrais de cada estudante. Essas informações foram usadas para gerar classificações numéricas referentes a *mais de cem* características pessoais diferentes. Essas características incluíam variáveis familiares, como a profissão dos pais e a situação socioeconômica, além de interesses profissionais, motivação para obtenção de um diploma universitário e metas educacionais (declaradas pelo próprio estudante), além de muitas outras.

GARRA

À medida que os estudantes avançavam num curso superior, colhiam-se também indicações objetivas de sucesso em três categorias amplas. Em primeiro lugar, o estudante se destacava academicamente? Em seguida, no começo da vida adulta, ele demonstrava liderança? E, por fim, em que medida esses rapazes e moças davam mostras de que viriam a se destacar nas áreas de ciência e tecnologia, nas artes, nos esportes, na comunicação, no empreendedorismo ou no serviço comunitário?

Em certo sentido, o Personal Qualities Project lembrava uma corrida de cavalos. Cada um dos mais de cem indicadores coletados no começo do estudo poderia vir a ser o melhor previsor de sucesso no futuro. Pela leitura do primeiro relatório, feito vários anos antes da coleta dos dados finais, fica evidente que Willingham foi absolutamente isento quanto a essa questão. De maneira metódica, ele descreveu cada variável, a razão de sua inclusão no estudo, como foi medida etc.

Entretanto, quando todos os dados foram reunidos, Willingham foi claro e enfático a respeito do que tinha descoberto. Um cavalo tinha ganhado a corrida, e por larga margem: *persistência*.

Willingham e sua equipe assim se expressaram: "A mensuração da persistência envolveu demonstrações de uma dedicação compromissada e contínua[8] a certos tipos de atividade (no ensino médio) em contraposição a esforços esporádicos em diversas áreas."

Os estudantes que receberam a classificação máxima de persistência participaram durante vários anos de duas atividades extracurriculares no ensino médio e em ambas obtiveram avanços significativos (por exemplo, tornando-se editor do jornal escolar, sendo considerado o melhor jogador da equipe de vôlei ou ganhando um prêmio por uma obra de arte). Para exemplificar, Willingham mencionou o caso de um estudante que fez parte "da equipe do jornal escolar durante três anos até se tornar editor-executivo, além de integrar a equipe de atletismo também por três anos e ganhar uma competição importante."[9]

Por outro lado, os estudantes que não haviam participado de qualquer atividade durante mais de um ano receberam a mais baixa classificação possível

AS ARENAS DA GARRA

de persistência. Alguns estudantes enquadrados nessa categoria não participaram de nenhuma atividade em todo o ensino médio. Muitos outros, porém, eram itinerantes, participando de um grupo ou de uma equipe num ano, para no ano seguinte passar para outra coisa inteiramente diferente.

O poder de previsão da persistência foi notável. Depois de levadas em conta as notas no ensino médio e a pontuação no SAT, a persistência em atividades extracurriculares durante o ensino médio previu, melhor do que qualquer variável, a conquista de um diploma universitário com mérito. A persistência também foi o melhor indicador para o alcance de uma posição de liderança por nomeação ou eleição no começo da vida adulta. E, por fim, a persistência predisse, melhor do que qualquer uma das mais de cem características pessoais mensuradas por Willingham, feitos brilhantes de um jovem adulto em todas as áreas, desde as artes e a literatura até o empreendedorismo e serviços comunitários.

Vale notar que não importava *o tipo* de atividade a que os estudantes tinham se dedicado no ensino médio. Podia ser tênis, grêmio estudantil ou grupo de debates. O importante é que os estudantes haviam se dedicado a *alguma coisa*, voltado a se interessar por ela *no ano seguinte* e tinham realizado algum tipo de *progresso* no decorrer do curso.

Conheci o Personal Qualities Project alguns anos depois de ter começado os estudos sobre a garra. Quando o relatório do estudo original chegou às minhas mãos, eu o li de ponta a ponta, refleti por alguns momentos e recomecei a lê-lo a partir da primeira página. Não consegui dormir naquela noite. Fiquei acordada, pensando: *Caramba! Isso que Willingham chama de "persistência" parece bastante com garra!*

Decidi na mesma hora verificar se eu seria capaz de repetir as conclusões a que ele tinha chegado.

Um dos motivos para isso foi de ordem prática.

Como acontece com qualquer teste de autoavaliação, é muito fácil falsificar a Escala de Garra. Em pesquisas, os participantes não têm motivos para mentir, mas é difícil crer que isso não possa acontecer em situações nas quais

GARRA

seja conveniente fazer de conta que "Eu termino tudo o que começo". Quantificar a garra, como fizera Willingham, era uma estratégia de mensuração que não podia ser manipulada com facilidade — ou, no mínimo, sem mentiras deliberadas. Segundo as palavras do próprio Willingham, "buscar sinais claros de persistência produtiva[10] é uma forma eficaz de confirmar ou não as declarações do estudante".

Entretanto, a meta mais importante era verificar se a persistência seria capaz de prever os mesmos resultados de "comparecer em vez de desistir" que constituem as marcas da garra.

Em busca de apoio para um novo estudo longitudinal, recorri à maior fonte de financiamento na área da educação: a Fundação Bill e Melinda Gates.

Logo vim a saber que a fundação tem um interesse especial em descobrir o motivo pelo qual tantos universitários abandonam os estudos. Hoje em dia, o índice de evasão em cursos superiores nos Estados Unidos é um dos maiores do mundo, tanto nos cursos de quatro anos como nos de dois anos. Dois fatores que contribuem para isso são o aumento das anuidades e o labirinto burocrático do sistema de crédito escolar. Um terceiro fator são os estudos preparatórios lamentavelmente insuficientes. No entanto, estudantes nas mesmas circunstâncias financeiras e com notas idênticas no SAT abandonam os cursos em proporções bastante distintas.[11] Prever quais serão os estudantes que persistirão até o fim do curso e quais abandonarão os estudos é um dos problemas mais contumazes da ciência social. Ninguém tem uma resposta muito satisfatória.

Numa reunião com Bill e Melinda Gates, tive a oportunidade de expor minha perspectiva ao vivo. Aprender a ser persistente em alguma atividade desafiadora no ensino médio, expliquei, parecia ser a melhor preparação possível para repetir o feito mais tarde, em outras situações.

Naquela conversa, vim a saber que o próprio Bill há muito percebe a importância de outras aptidões além do talento. Ele contou, por exemplo, que na época em que tinha um papel mais direto na contratação de criadores de softwares para a Microsoft, dava aos candidatos uma tarefa de programação que exigiria horas e horas de tediosa solução de problemas. A tarefa não pre-

AS ARENAS DA GARRA

tendia ser um teste de QI ou de técnica de programação, mas tinha o objetivo de medir a capacidade de superar as dificuldades, persistir e ir até a linha de chegada. Bill só contratava programadores que acabavam o que começavam.

Com um generoso financiamento da Fundação Gates, recrutei 1.200 estudantes no último ano do ensino médio e, tal como fizera Willingham, pedi--lhes que declarassem em quais atividades extracurriculares tinham se envolvido (se isso houvesse acontecido), em que época isso ocorrera e até que ponto tinham se destacado nelas. Nossa equipe de pesquisa passou a chamar essa mensuração de Grade de Garra.[12]

Instruções: Por favor, liste as atividades extracurriculares às quais você dedicou um tempo significativo fora da sala de aula. Mencione qualquer tipo de atividades, como esportes, serviços voluntários, trabalhos de pesquisas ou acadêmicos, trabalho remunerado ou hobbies. Se não houver uma segunda ou terceira atividade, favor deixar os espaços em branco.

Atividade	Níveis de participação no ano escolar 9º ano do ensino fundamental; 1º, 2º e 3º ano do ensino médio	Conquistas, prêmios, posições de liderança (se houver)
	□—□—□—□	
	□—□—□—□	
	□—□—□—□	

Seguindo o exemplo de Willingham, minha equipe de pesquisa aplicou a Grade de Garra para quantificar a participação e o progresso dos alunos em até duas atividades com mais de um ano de duração.

Cada atividade praticada pelos estudantes durante dois anos ou mais representava um ponto na Grade de Garra; as atividades praticadas durante apenas um ano não contavam ponto. Cada atividade praticada durante *vários*

GARRA

anos e sobre as quais os estudantes podiam mencionar algum tipo de progresso (por exemplo, participar da direção do grêmio estudantil durante um ano e tornar-se tesoureiro no ano seguinte) contava um segundo ponto. Por fim, se o progresso pudesse ser considerado "elevado" em vez de apenas "moderado" (presidente do grêmio, melhor jogador da equipe de basquete, funcionário do mês), contava-se um terceiro ponto de garra.

Em suma, os estudantes podiam obter de zero (se não participassem de qualquer atividade durante mais de um ano) a seis pontos (se participassem de duas atividades diferentes durante mais de um ano e obtivessem grandes progressos em ambas).

Como era de se esperar, os estudantes com maior pontuação na Grade de Garra atribuíam a si mesmos um alto grau de garra, assim como seus professores.

A partir daí, ficamos à espera.

Concluído o ensino médio, os estudantes de nossa amostragem se espalharam por dezenas de universidades em todo o país. Passados dois anos, somente 34% daqueles 1.200 estudantes continuavam inscritos em cursos superiores de dois ou quatro anos. Tal como havíamos esperado, a probabilidade de permanecerem no curso variava claramente em consonância com a pontuação obtida na Grade de Garra: 69% dos estudantes que fizeram seis pontos permaneciam na faculdade. Por outro lado, só 16% daqueles que não tinham obtido ponto algum ainda estavam no caminho para obter um diploma de graduação.

Num estudo separado, aplicamos o mesmo sistema de pontuação da Grade de Garra às atividades extracurriculares de professores em início de carreira,[13] e os resultados foram bem semelhantes. Os professores que no ensino médio tinham demonstrado persistência produtiva em algumas atividades extracurriculares eram mais propensos a continuar no magistério e, além disso, mostravam maior eficácia em estimular os avanços acadêmicos de seus alunos. Já a persistência e a eficácia no magistério não tinha absolutamente nenhuma relação mensurável com a pontuação dos professores no SAT, com a média de notas obtidas no curso superior ou com seu potencial de liderança, avaliado por um entrevistador.

AS ARENAS DA GARRA

Considerados em conjunto, os dados que apresentei até agora poderiam ser interpretados de duas formas. Venho argumentando que as atividades extracurriculares constituem para os jovens uma maneira de praticar a paixão e a persistência, e com isso desenvolvê-las, a fim de concretizar metas de longo prazo. No entanto, também é possível que a persistência em atividades extracurriculares seja uma postura exclusiva de pessoas que têm garra. Essas explicações não são mutuamente excludentes: é inteiramente possível que *ambos* os fatores — o cultivo e a seleção — exerçam seu papel.

Meu palpite é que, na adolescência, ir até o fim no que se começa *exige* garra ao mesmo tempo em que a *fortalece*.

Para mim, uma das razões para isso é que, em geral, as situações para as quais somos atraídos tendem a acentuar as características de nossa personalidade que nos levaram até lá. Essa teoria do desenvolvimento da personalidade foi chamada de *princípio corresponsivo (corresponsive principle)* por Brent Roberts, especialista em psicologia da personalidade que estuda os elementos que levam a mudanças permanentes na forma como as pessoas pensam, sentem e agem em diferentes situações.[14]

Quando Brent Roberts cursava a pós-graduação em psicologia, em Berkeley, prevalecia o entendimento segundo o qual, depois da infância, as personalidades ficam mais ou menos "endurecidas como gesso"[15]. Desde então, Brent e outros pesquisadores acompanharam, literalmente, *milhares* de pessoas ao longo de décadas, compilando dados longitudinais suficientes para demonstrar que, na verdade, as personalidades se modificam depois da infância.[16]

Brent e outros pesquisadores constataram que um processo essencial no desenvolvimento da personalidade envolve situações e traços de personalidade que "ativam" um ao outro. Segundo o princípio corresponsivo, as características que nos impelem a certas situações na vida são precisamente aquelas que são estimuladas, reforçadas e amplificadas por essas situações. Essa relação permite a formação de círculos virtuosos e viciosos.

Num de seus estudos, por exemplo, Brent e sua equipe acompanharam mil adolescentes na Nova Zelândia desde a chegada à maioridade até o primeiro emprego. Com o passar dos anos, adolescentes agressivos acabaram em empregos de pouco prestígio e enfrentaram dificuldades financeiras. Essas condições, por sua vez, levaram a um *aumento* da agressividade, o que prejudicou ainda mais as perspectivas de emprego dessas pessoas. Por outro lado, os adolescentes mais afáveis entraram num círculo virtuoso de desenvolvimento psicológico. Esses jovens "gente boa" obtiveram empregos de maior prestígio, que lhes proporcionavam mais segurança financeira — resultados que *intensificaram* a tendência deles para a sociabilidade.[17]

Até o presente, ninguém realizou um estudo da garra com base no princípio corresponsivo.

Entretanto, peço licença para especular. Deixada à sua própria sorte, uma garotinha que, sem conseguir abrir uma caixa de passas, pensa "Isso é difícil demais! Desisto!" poderia cair num círculo vicioso que reforça a abdicação dos desejos. Essa menina poderia aprender a desistir de uma coisa após outra, perdendo a cada vez a oportunidade de entrar no círculo virtuoso do esforço seguido por progresso e pela confiança para tentar alguma coisa ainda mais difícil.

Mas o que acontece com a garotinha cuja mãe a matricula num curso de balé, embora essa não seja uma atividade fácil? Ainda que a menina não esteja com a menor *vontade* de vestir o collant naquele momento, porque está meio cansada. Ainda que, na última aula, a professora a tenha repreendido por manter os braços na posição errada, o que a aborreceu. E se a garotinha fosse incitada a tentar mais uma vez, e de novo, e um dia experimentasse a sensação de progresso? Não seria possível que essa vitória a encorajasse a praticar *outras* coisas difíceis? Que lhe ensinasse a apreciar os desafios?

Um ano depois que Warren Willingham publicou o Personal Qualities Project, Bill Fitzsimmons tornou-se diretor de admissões de Harvard.

Dois anos depois, quando me candidatei a Harvard, foi Bill quem avaliou meu material de candidatura. Sei disso porque, em algum momento de minha graduação, eu me vi envolvida num projeto de serviço comunitário com Bill. "Ah, a Miss Espírito Escolar!", exclamou ele ao sermos apresentados. E então listou, com admirável precisão, as várias atividades extracurriculares que eu tinha realizado no ensino médio.

Pouco tempo atrás, liguei para Bill a fim de lhe perguntar o que ele pensava a respeito da persistência em atividades extracurriculares. Como era de se esperar, ele conhecia perfeitamente a pesquisa de Willingham.

"Ela está por aqui, em algum lugar", disse ele, enquanto aparentemente examinava sua estante de livros. "Nunca está muito longe de meu alcance."[18]

Certo, então ele concordava com as conclusões de Willingham? O setor de admissões de Harvard se importava de fato com alguma coisa além da pontuação no SAT e as notas durante o ensino médio?

Eu queria uma resposta porque, na época em que publicou suas conclusões, Willingham achava que os encarregados das admissões nas universidades não estavam levando em conta as atividades extracurriculares dos estudantes tanto quanto sua pesquisa levava a crer que deveriam.

Todo ano, explicava Fitzsimmons, centenas de estudantes entram em Harvard por terem credenciais escolares verdadeiramente notáveis. Seus êxitos até então levam a crer que em algum momento eles se tornarão pesquisadores de renome mundial.

Entretanto, Harvard aceita pelo menos um número equivalente de estudantes que, nas palavras de Bill, "comprometeram-se na busca de algo que amam, em que acreditam e que julgam importante — e [assim procederam] com singular energia, disciplina e o bom e velho trabalho árduo".[19]

Ninguém no departamento de admissões quer ou precisa que esses estudantes continuem a praticar as mesmas atividades ao entrarem na universidade. "Vejamos os esportes, por exemplo", disse Bill. "Digamos que a pessoa sofra uma contusão, decida não jogar ou não seja escolhida para uma equipe. Nossa tendência tem sido julgar que toda aquela energia, o empenho e a dedicação — toda aquela garra[20] —, fortalecidos na prática de esportes, quase sempre podem ser transferidos para outra coisa."

Bill me assegurou que, na verdade, Harvard estava dando atenção máxima à persistência. Depois que expliquei nossa pesquisa mais recente que confirmava

GARRA

as conclusões de Willingham, ele me disse que estão usando uma escala de classificação muito semelhante: "Pedimos ao nosso pessoal do setor de admissões que faça exatamente o que você parece estar fazendo com sua Grade de Garra."

Isso ajuda a explicar por que ele recordava com tanta clareza o que eu fazia fora da sala de aula no ensino médio, mais de um ano depois de ter lido minha candidatura para a universidade. Foram as minhas *atividades*, tanto quanto em qualquer outra coisa no meu histórico, que o fizeram considerar que eu estava preparada para os rigores — e as oportunidades — da universidade.

"Minha sensação, depois de trabalhar na área de admissões durante mais de quarenta anos", concluiu Bill, "é que a maior parte das pessoas nasce com um imenso potencial. A verdadeira pergunta é se elas são incentivadas a empregar ao máximo o bom e velho trabalho árduo — e a garra, se você assim preferir. No fim das contas, são essas as pessoas que parecem ser as mais bem-sucedidas."

Comentei que a persistência nas atividades extracurriculares poderia ser um mero sinal de garra, e não um sinal de que o estudante desenvolveria essa garra. Bill concordou, mas reafirmou sua opinião: as atividades extracurriculares não são *apenas* um sinal. A intuição lhe dizia que persistir em atividades desafiadoras ensina a um jovem lições importantes que se aplicam também a outras situações. "Você está aprendendo com outras pessoas, está descobrindo cada vez mais, por meio da experiência, quais são as suas prioridades, você está adquirindo caráter."

"Em alguns casos", prosseguiu Bill, "os estudantes escolhem esta ou aquela atividade porque outra pessoa, talvez um dos pais ou um orientador, sugeriu. Mas o que ocorre muitas vezes é que essas experiências são, na verdade, *transformadoras*. Nesses casos, os estudantes aprendem uma coisa importantíssima e assumem um papel ativo nas atividades, contribuindo e de uma forma que eles, os pais ou o orientador jamais teriam imaginado."

O que mais me surpreendeu em minha conversa com Bill foi o quanto ele se preocupava com os adolescentes que não tiveram a oportunidade de praticar a garra em atividades extracurriculares.

AS ARENAS DA GARRA

"Um número cada vez maior de escolas de ensino médio reduziu ou eliminou as aulas de artes, música e outras atividades", contou-me Bill. Ele acrescentou que, é claro, eram sobretudo as escolas em áreas de baixa renda que faziam esses cortes. "É a arena com as piores condições que se poderia imaginar."

Uma pesquisa realizada pelo cientista político Robert Putnam e sua equipe em Harvard mostra que, nas últimas décadas, uma parcela crescente de jovens de famílias abastadas nos Estados Unidos tem participado de atividades extracurriculares nas instituições de ensino médio. Por outro lado, a participação nessas atividades por parte de estudantes mais pobres vem caindo de forma acentuada.[21]

A lacuna cada vez maior entre estudantes ricos e pobres no que tange às atividades extracurriculares tem várias causas, explica Putnam. As equipes esportivas devem arcar com os custos de viagens (por exemplo, em torneios de futebol), o que é um obstáculo à participação igualitária. Mesmo quando a participação é "gratuita", nem todos os pais podem comprar os uniformes. Nem todos os pais podem ou querem levar os filhos de carro a treinamentos e jogos. No caso da música, o custo de aulas e instrumentos pode ser proibitivo.

Como Putnam teria previsto, há uma preocupante correlação entre a renda familiar e as pontuações na Grade de Garra de nossa pesquisa. Em geral, os alunos do último ano do ensino médio que tinham direito a refeições subsidiadas pelo governo federal ficaram com um ponto menos que os estudantes mais privilegiados.

Como Robert Putnam, Geoffrey Canada é um cientista social formado em Harvard.

Geoff é uma pessoa extremamente determinada. Sua paixão é ajudar jovens de baixa renda a perceber seu potencial de desenvolvimento. De algum tempo para cá, Geoff se tornou uma espécie de celebridade, mas durante décadas ele trabalhou, em relativa obscuridade, como diretor de um programa de educação bastante intensivo em Nova York chamado Harlem Children's Zone.[22] As primeiras crianças que participaram do projeto do princípio ao fim

GARRA

agora estão na faculdade, e o enfoque abrangente do programa, ao lado de seus bons resultados, tem atraído atenção nacional.

Há alguns anos, Geoff esteve na Universidade da Pensilvânia para uma cerimônia de formatura. Com esforço, consegui um espaço em sua agenda apertada para uma reunião. Como o tempo era curto, fui diretamente ao que me interessava.

— Sei que sua área são as ciências sociais — comecei. — E sei também que existem coisas amplamente comprovadas por pesquisas que continuam não sendo praticadas, assim como também existem coisas sem comprovação alguma que continuam sendo feitas. Mas o que eu quero saber, por tudo o que o senhor já viu e já fez, é o que *de fato* o senhor julga ser a forma de tirar as crianças da pobreza.

Geoff inclinou-se para a frente e uniu as mãos como se fosse rezar.

— Vou falar sem rodeios. Tenho quatro filhos. Já vi muitas crianças, que não eram as minhas, crescerem. Posso não dispor de estudos duplos-cegos e de distribuição aleatória dos participantes para provar o que digo, mas posso dizer do que as crianças pobres precisam. Elas precisam de todas as coisas que você e eu damos aos nossos filhos. As crianças pobres precisam de muitas coisas. Mas podemos simplificar dizendo que elas precisam é de uma infância decente.[23]

Mais ou menos um ano depois, Geoff deu uma palestra TED, e eu tive a sorte de estar na plateia. Grande parte do que o programa Harlem Children's Zone fazia, disse ele, baseava-se em dados científicos muito consistentes — educação infantil, por exemplo, e atividades de reforço escolar nas férias de verão.

"Sabe por quê?", perguntou ele. "Porque eu gosto *mesmo* de crianças."[24]

A plateia riu, e ele repetiu: *"Eu gosto mesmo de crianças."*

"Você nunca viu um estudo do MIT que diga que aulas de dança para seus filhos vai ajudá-los a aprender álgebra", admitiu Geoff. "Mas, se você dá aulas de dança a uma criança, vai se emocionar ao ver que ela gosta das aulas e, com isso, você vai ganhar o dia."

Geoffrey Canada tem razão. Todas as pesquisas a que me referi neste capítulo são não experimentais. Não sei se um dia a ciência resolverá a logística — e a ética — de fazer com que crianças tenham aulas de balé durante anos para, depois, verificar se seus benefícios se transferem para o domínio da álgebra.

Na verdade, porém, alguns cientistas *já* realizaram experimentos breves destinados a testar se a prática de atividades desafiadoras ensina uma pessoa a fazer outras coisas difíceis.

Robert Eisenberger,[25] psicólogo da Universidade de Houston, é a maior autoridade do país nessa área. Já realizou dezenas de estudos nos quais ratos selecionados aleatoriamente têm que cumprir uma tarefa difícil — como pressionar uma alavanca vinte vezes a fim de obter uma única pelota de ração — ou uma tarefa fácil, como pressionar a alavanca duas vezes para obter a mesma recompensa. Em experimentos sucessivos, ele chegou a resultados idênticos: em comparação com os ratos obrigados à "tarefa fácil", os ratos forçados a um trabalho árduo depois demonstraram maior vigor e resistência na segunda tarefa.

Entre os experimentos de Bob, o meu favorito é um dos mais interessantes. Ele observou que os ratos de laboratório costumam ser alimentados de duas formas. Alguns pesquisadores utilizam depósitos de alimentos, feitos de tela metálica, cheios de ração, o que obriga os ratos a roerem as pelotas de ração através das pequenas aberturas na tela. Outros pesquisadores simplesmente espalham as pelotas na gaiola. Bob imaginou que obrigar os ratos a trabalhar para comer, por assim dizer, poderia ensiná-los a se dedicarem mais a uma tarefa que exigisse esforço. Na verdade, foi exatamente este o resultado que ele obteve. Começou o experimento treinando filhotes para descer por uma tábua estreita a fim de obter a recompensa. Então, dividiu os ratos em dois grupos. Um deles vivia em gaiolas com depósitos alimentadores; o outro, em gaiolas nas quais o alimento era espalhado no chão. Depois de um mês se esforçando para tirar a ração do depósito, esses ratos se saíam melhor na tarefa de caminhar pela tábua do que os ratos que simplesmente pegavam a comida no chão quando tinham fome.

Como sua mulher era professora, Bob teve oportunidade de testar em crianças versões curtas dos mesmos experimentos. Num estudo, por exemplo, recompensou com moedinhas alunos do segundo e do terceiro ano por contar objetos, memorizar imagens e emparelhar figuras geométricas. À medida que

GARRA

a habilidade dessas crianças melhorava, Bob passou a aumentar a dificuldade das tarefas. Já o segundo grupo de crianças recebeu várias vezes versões fáceis das mesmas tarefas.

Todas as crianças receberam moedinhas e elogios.

Mais adiante, pediu-se aos dois grupos de crianças que realizassem uma tarefa tediosa totalmente diferente das anteriores: copiar uma lista de palavras numa folha de papel. As descobertas de Bob foram exatamente as mesmas que ele tinha obtido com os ratos: as crianças treinadas em tarefas difíceis se dedicaram mais à cópia de palavras.

O que Bob concluiu? Que a diligência pode ser aprendida com a prática.

Numa referência ao trabalho anterior de Seligman e Maier sobre o desamparo aprendido, situação na qual a impossibilidade de fugir à punição levava os animais a desistirem diante de uma segunda tarefa difícil, Bob chamou esse fenômeno de *diligência aprendida*. Sua principal conclusão foi que a associação de trabalho árduo e recompensa pode ser aprendida. Bob avançou ainda mais e disse que *sem* vivenciar diretamente a conexão entre esforço e recompensa, os animais, sejam eles ratos ou pessoas, caem na indolência. Afinal, o esforço de consumir calorias é uma coisa que a evolução nos preparou para evitar sempre que possível.

Minha filha Lucy ainda era bebê e sua irmã, Amanda, estava aprendendo a andar quando li o trabalho de Bob sobre a diligência aprendida. Ou seja, eu não tinha como repetir com as minhas meninas os experimentos de Bob com crianças maiores, nem desempenhar o papel que Bob exercera para elas. Seria muito difícil criar a situação necessária para o aprendizado — em outras palavras, um ambiente no qual a regra reconhecida fosse: *Se você trabalhar árduo será recompensado. Caso contrário, não terá recompensa nenhuma.*

Na verdade, eu me esforçava para oferecer o tipo de *feedback* de que minhas filhas precisavam. Eu as elogiava com entusiasmo, não importa o que fizessem. E essa é uma das razões pelas quais as atividades extracurriculares proporcionam ambientes excelentes para fortalecer a garra[26] — treinadores e professores são incumbidos de instigar garra em crianças que não são seus filhos.

Na aula de balé para a qual eu levava as meninas todas as semanas havia uma excelente professora à espera delas. A paixão dessa professora pelo balé era contagiante. Ela era tão compassiva quanto eu e, para dizer a verdade, muito mais exigente. Quando uma aluna chegava atrasada para a aula, ouvia um severo sermão sobre a importância de se respeitar o tempo alheio. Se outra criança se esquecia de ir vestida com a malha ou deixava a sapatilha em casa, ficava sentada, acompanhando os exercícios das outras crianças, sem participar. Quando um movimento era executado de forma incorreta, seguiam-se repetições e ajustes intermináveis até que, por fim, satisfizessem os padrões elevados da mestra. Às vezes havia breves aulas sobre a história do balé e a responsabilidade de cada bailarino de levar a tradição adiante.

Pesado? Não acho. Padrões elevados? Sem dúvida.

Assim, foi nas aulas de balé, mais do que em casa, que Lucy e Amanda aprenderam a desenvolver um interesse, praticar com disciplina coisas que ainda não conseguiam fazer, apreciar o objetivo maior de seus exercícios e, em dias ruins, aprender a ter a esperança de tentar de novo.

Em nossa família, seguimos a Regra da Atividade Difícil, que compreende três componentes. O primeiro é que todos — inclusive pai e mãe — precisam praticar uma atividade difícil. Uma atividade difícil é algo que exige prática diária e disciplinada. Já expliquei para minhas filhas que a pesquisa psicológica é minha atividade difícil, mas também faço ioga. O pai delas tenta ser um incorporador imobiliário cada vez melhor e faz o mesmo nas pistas de corrida. Amanda, minha filha mais velha, escolheu o piano como atividade difícil. Ela estudou balé durante anos, mas depois abandonou. Lucy fez a mesma coisa.

Isso me leva ao segundo componente da Regra da Atividade Difícil. A pessoa pode abandoná-la, mas não antes que o ano acabe, se o pagamento das mensalidades ainda estiver valendo ou não se tenha chegado ainda a algum ponto de parada "natural". Ao menos durante o período pelo qual se compro-

GARRA

meteu, a pessoa precisa terminar o que começou. Em outras palavras, não se pode largar tudo por ter levado uma bronca do professor, por ter perdido uma corrida ou porque não pode dormir na casa de uma amiga por causa de um recital na manhã seguinte. Não se pode desistir por aquele ser um mau dia.

E, por fim, a Regra da Atividade Difícil estipula que é *você* quem a escolhe. Nenhuma outra pessoa vai escolhê-la para você, porque, afinal de contas, não faria sentido você praticar uma atividade que nem de longe lhe interessa. Mesmo a decisão de tentar o balé se deu após um debate sobre vários outros cursos que minhas filhas poderiam ter escolhido.

Lucy, na verdade, experimentou várias atividades difíceis. Começou cada uma delas entusiasmada, mas por fim descobriu que *não* queria insistir com o balé, a ginástica, o atletismo, o artesanato e o piano. Por fim, optou pela viola. Estudou o instrumento durante três anos, durante os quais seu interesse por ele só cresceu, sem que esmorecesse. No ano passado, ela passou a integrar duas orquestras, a da escola e uma de jovens estudantes de música. E quando lhe perguntei, pouco tempo atrás, se queria trocar sua atividade difícil por alguma outra coisa, ela me olhou como se eu estivesse louca.

No ano que vem, Amanda entrará no ensino médio, e no ano seguinte será a vez da irmã. Nesse ponto, a Regra da Atividade Difícil sofrerá o acréscimo de um quarto componente: cada uma delas terá que escolher uma atividade extracurricular — alguma coisa inteiramente nova, ou o piano e a viola que já estudaram — e praticá-la durante pelo menos *dois anos*.

Um regime tirânico? Não creio que seja. E, se os comentários recentes de Lucy e Amanda sobre a questão não forem apenas para nos agradar, elas concordam comigo. Gostariam de ter mais garra com a idade e sabem que a garra, como qualquer aptidão, exige prática. Sabem também a sorte que essa oportunidade representa.

Aos pais que gostariam de encorajar a garra sem obliterar a capacidade de seus filhos de escolher seu próprio caminho, eu recomendo a Regra da Atividade Difícil.

→ *Capítulo 12*

UMA CULTURA DE GARRA

O primeiro jogo de futebol americano que assisti do começo ao fim foi o Super Bowl XLVIII. A partida entre o Seattle Seahawks e o Denver Broncos foi disputada em 2 de fevereiro de 2014. Os Seahawks ganharam por 43-8.

No dia seguinte, Pete Carroll, treinador do Seahawks, foi entrevistado por um ex-jogador do San Francisco 49ers.

— Sei que quando joguei no 49ers — disse o entrevistador — e você estava lá... Fazer parte daquele time era mais do que ser um simples jogador de futebol americano. Me diga uma coisa: quando você e John Schneider estão em busca de um jogador, o que significa ser um Seahawk?

Pete riu baixinho.

— Não vou lhe contar tudo, mas...

— Ah, vamos, cara. Conte pra mim, Pete.

— Posso lhe dizer que procuramos gente que tem a competição no sangue. Na verdade, é aí que a coisa começa. E esses são os sujeitos que realmente têm *garra*[1], que são determinados. A mentalidade de vencer sempre, de que eles têm alguma coisa a provar. Eles aguentam o tranco, não deixam que obstáculos os atrapalhem. Não vão ser derrotados por dificuldades, desafios ou outras coisas assim. É esta atitude o que nós chamamos de *garra*.

Não posso dizer que eu tenha ficado surpresa com os comentários de Pete ou com a atuação de seu time na véspera.

GARRA

Por quê? Porque nove meses antes eu tinha recebido uma ligação de Pete. Ao que parece, ele havia acabado de assistir à minha palestra TED sobre garra. Duas questões urgentes o levaram a ligar para mim.

Primeiro, ele estava curioso. Ou melhor, ansioso por aprender mais sobre garra do que eu tinha conseguido transmitir nos seis minutos que o pessoal do TED tinha me dado para isso.

Em segundo lugar, ele estava incomodado. Não com a maior parte do que eu dissera, só com o final. Eu havia confessado na palestra que a ciência tinha muito pouco a dizer sobre a aquisição de garra. Pete mais tarde me contou que quase tinha pulado da poltrona. Ele praticamente gritou para a minha imagem na tela que desenvolver garra era *exatamente* o objetivo da cultura dos Seahawks.

Acabamos conversando durante quase uma hora: eu numa ponta da linha, em minha sala na Filadélfia, e Pete e sua equipe na outra, reunidos em torno de um telefone com viva voz em Seattle. Eu lhe contei o que estava descobrindo em minha pesquisa, e Pete retribuiu explicando o que estava tentando realizar com os Seahawks.

"Venha aqui nos ver. Tudo o que fazemos é ajudar as pessoas a se tornarem excelentes competidores.[2] Nós lhes ensinamos a perseverar. Fazemos florescer a paixão delas. É *tudo* o que fazemos."

Quer percebamos ou não, a cultura em que vivemos e com a qual nos identificamos molda quase todos os aspectos do nosso ser. Por cultura refiro-me menos às fronteiras geográficas e políticas que dividem os povos do que às fronteiras psicológicas invisíveis que separam um *nós* de um *eles*. Em essência, a cultura é definida pelas normas e valores comuns de um grupo de pessoas. Em outras palavras, existe uma cultura distinta sempre que um grupo de pessoas forma um consenso sobre como se faz determinadas coisas — e por quê. Em relação à maneira como o resto do mundo atua, quanto mais nítido for o contraste, maiores serão os vínculos entre aqueles que formam o chamado *in-group*, na linguagem da psicologia.

UMA CULTURA DE GARRA

Assim, o Seattle Seahawks e as escolas que integram o Knowledge is Power Program (KIPP) — bem como qualquer nação — são verdadeiras culturas. Se você joga no Seattle Seahawks, não é um simples jogador de futebol americano. Se você é um aluno de uma das escolas do KIPP, não é apenas um estudante. Os jogadores do Seahawks e os alunos das escolas KIPP fazem as coisas de uma determinada maneira e por certos motivos. Do mesmo modo, West Point tem uma cultura específica — uma cultura com mais de dois séculos, mas que, como logo veremos, continua a evoluir.

Para muita gente, as empresas nas quais se trabalha são uma força cultural importante em suas vidas. Por exemplo, meu pai tinha o hábito de dizer que era um "homem da DuPont". Todos os lápis em nossa casa vinham da empresa, gravados com frases como *Segurança acima de tudo*, e o rosto de meu pai se iluminava toda vez que aparecia um comercial da DuPont na televisão. Às vezes ele chegava a pronunciar a frase do anúncio junto com o locutor: "Produtos melhores para uma vida melhor." Creio que meu pai só esteve com o CEO da DuPont algumas poucas vezes, mas contava histórias sobre o bom senso do chefe com a mesma admiração com que falaria de um parente que fosse herói de guerra.

Como alguém descobre que faz parte de uma cultura que, num sentido muito real, passou a fazer parte da pessoa? Quando se adota uma cultura e se estabelece uma lealdade *categórica* com aquele grupo. Não se pode ser "meio que" um torcedor do Seahawks ou "meio que" um admirador de West Point. Ou se é ou não se é. Só se pode estar *dentro* do grupo ou *fora* dele. Usa-se um substantivo, e não somente um adjetivo ou um verbo, para nomear a participação. Na verdade, muita coisa depende do grupo ao qual uma pessoa se liga.

O principal ponto sobre cultura e garra é o seguinte: *Se você quer ter mais garra, procure uma cultura com alto grau de garra e adote-a. Se você é um líder e quer que as pessoas em sua organização tenham mais garra, crie uma cultura de garra.*

Há pouco tempo liguei para Dan Chambliss, o sociólogo que vimos no capítulo 3 que passou seis anos de sua vida profissional estudando nadadores.

GARRA

Eu queria perguntar a Dan se, nas três décadas transcorridas desde seu estudo histórico, ele tinha mudado de opinião quanto a alguma de suas conclusões.

Por exemplo, ele ainda acreditava que o talento era, em grande medida, uma ilusão quando se tratava de entender as origens da excelência de nível mundial? Ele mantinha a afirmação de que entrar na equipe de natação municipal para depois competir no âmbito estadual, nacional e, mais tarde, em âmbito mundial e olímpico exigia melhorias qualitativas e não apenas "mais horas" na piscina? E será que o sucesso assombroso é de fato a confluência de incontáveis atos executados à perfeição, mas totalmente triviais?

Sim, sim e sim.

"No entanto, não mencionei o fato mais importante", disse Dan. "O verdadeiro caminho para se tornar um grande nadador é fazer parte de uma grande equipe."[3]

Essa lógica pode parecer estranha. Alguém poderia imaginar que *primeiro* uma pessoa se torna um grande nadador para, *depois*, entrar numa grande equipe. E é verdade, claro, que as grandes equipes não aceitam qualquer um. Há provas de seleção. Há um número limitado de vagas. Há exigências. E quanto maior for o nível da equipe, mais intenso será o desejo de seus membros de manter essas exigências bastante elevadas.

Dan estava se referindo à relação de reciprocidade entre a cultura específica de uma equipe e a pessoa que passa a integrá-la. Em seus muitos anos como nadador e como psicólogo, ele tinha visto a relação de mão dupla entre uma grande equipe e um atleta excepcional. Havia testemunhado o princípio corresponsivo no desenvolvimento da personalidade: tinha visto que as características que conduzem a certas situações são, por sua vez, reafirmadas por elas.

"Quando comecei a estudar atletas olímpicos, pensei: 'Que tipo de maluco acorda todos os dias às quatro da manhã para praticar natação?' E imaginei: 'Aqueles que fazem isso só podem ser pessoas extraordinárias.' Mas o fato é que, se você frequenta um lugar onde basicamente *todo mundo* ali acorda às quatro da manhã para treinar, você percebe que não há nada de mais nisso. A coisa se torna um hábito."

UMA CULTURA DE GARRA

Inúmeras vezes, Dan tinha observado novos nadadores entrarem numa equipe que obtinha resultados um pouco melhores do que aqueles aos quais estavam habituados. Com rapidez, o novato adaptava-se às normas e padrões da equipe.

"Falando por mim, eu não tenho essa disciplina toda", acrescentou Dan. "Mas, se eu estiver cercado de pessoas escrevendo artigos, fazendo palestras e dando duro, minha tendência é agir da mesma forma. Se estou no meio de um monte de gente que age de certa maneira, faço o mesmo."

O impulso de ajustar-se, de se moldar ao grupo, é realmente forte. Alguns dos mais importantes experimentos na história da psicologia demonstraram a rapidez com que as pessoas de adequam a um grupo que age ou pensa de forma diferente — em geral sem perceberem.[4]

"Por isso", concluiu Dan, "parece-me que há uma maneira difícil e uma fácil de adquirir garra. A maneira difícil é trabalhar sozinho. A maneira fácil é utilizar o impulso humano básico da adequação. Porque se você estiver cercado de pessoas que têm garra, vai agir com mais garra."

Não são os efeitos de curto prazo da adequação que me entusiasmam em relação ao poder da cultura para influenciar a garra.

O que mais me empolga é a ideia de que, em longo prazo, a cultura tem o poder de moldar nossa identidade. Com o tempo e nas circunstâncias certas, as normas e os valores do grupo a que pertencemos tornam-se nossos. Nós os internalizamos. Passam a ser parte de nós. *O nosso jeito de fazer as coisas aqui* torna-se *O meu jeito de fazer as coisas*.

A identidade influencia todos os aspectos de nossa personalidade, mas tem relevância especial para a garra. Com frequência, as decisões importantes que tomamos, com ou sem garra — levantar e sacudir a poeira mais uma vez, aguentar as pontas até o fim de um verão tórrido e exaustivo, correr oito quilômetros com nossos companheiros de equipe quando gostaríamos de correr só cinco —, são mais uma questão de identidade do que de qualquer outra coisa. Com frequência, nossa paixão e nossa perseverança não provêm de

GARRA

uma análise fria e calculada dos custos e benefícios. A fonte de nossa força é a pessoa que sabemos que somos.

James March,[5] psicólogo da Universidade Stanford e especialista em tomada de decisões, explica assim a diferença: às vezes, recorremos a análises de custos e benefícios para fazer escolhas. É claro que March não acha que usamos um bloquinho e uma calculadora para decidir o que vamos almoçar ou a que hora vamos dormir. A ideia é que, às vezes, ao optarmos por isto ou aquilo, levamos em consideração como podemos nos beneficiar, qual será o custo e a probabilidade de que esses benefícios e custos sejam de fato os que imaginamos. Podemos fazer tudo isso na cabeça e, na verdade, ao decidir o que vou almoçar ou a que horas vou me deitar, com frequência peso os prós e os contras antes de resolver. É tudo muito lógico.

Em outros momentos, porém, explica March, não refletimos sobre as consequências de nossos atos. Não nos perguntamos: *Quais são os benefícios? Quais são os custos? Quais são os riscos?* O que fazemos é nos perguntar: *Quem sou eu? Que situação é esta? O que uma pessoa como eu faz numa situação assim?*

Cito um exemplo. Tom Deierlein se apresentou a mim assim: "Eu me formei em West Point,[6] sou um Airborne Ranger e fui CEO de duas empresas. Fundei e dirijo uma organização sem fins lucrativos. Não tenho nada de especial ou notável em nenhum sentido. Mas tenho garra."

Servindo em Bagdá no verão de 2006, Tom foi baleado por um franco-atirador. O projétil despedaçou seu quadril e seu osso sacro. Não havia como saber se os ossos se uniriam de novo e que funcionalidade teriam quando isso acontecesse. Os médicos disseram a Tom que ele nunca mais voltaria a andar.

"Vocês não me conhecem", respondeu ele. Em seguida, para si mesmo, Tom se comprometeu a disputar a corrida de Dez Milhas do Exército, para a qual vinha se preparando antes de ser baleado.

Sete meses depois, quando estava em condições de sair da cama e começar a fisioterapia, Tom passou a se esforçar de corpo e alma, sem cansar, fazendo todos os exercícios prescritos e mais. Às vezes gemia de dor ou murmurava frases de incentivo para si mesmo. "No começo, os outros pacientes ficaram

UMA CULTURA DE GARRA

meio alarmados", disse Tom, "mas logo se acostumaram,[7] e depois — sem nenhuma maldade — começaram a fazer graça, fingindo gemidos também."

Depois de uma sessão de exercícios particularmente difícil, Tom sentiu choques que corriam pelas pernas. "Não duravam mais do que um ou dois segundos", conta Tom. "Mas ocorriam em momentos inesperados ao longo do dia, fazendo com que as pernas literalmente dessem um pulo." Todos os dias, sem exceção, Tom fixava uma meta, e em alguns meses a dor e a transpiração começaram a diminuir. Por fim, passou a caminhar com um andador, depois com uma bengala e, então, sem ajuda. Passou a andar cada vez mais depressa e logo tornou-se capaz de correr numa esteira ergométrica durante alguns segundos, segurando-se nas alças fixas; não demorou a conseguir fazer o mesmo durante um minuto, e cada vez mais, até que, depois de quatro meses de recuperação, atingiu um patamar tido como máximo.

"Minha fisioterapeuta me disse: 'Você já fez o que pôde. Muito bem.' E eu respondi: 'Vou fazer mais.' Ela disse: 'Você fez o que precisava. Já basta.' Mas eu insisti: "Não, ainda não. Eu vou melhorar.'"

A partir daí, Tom continuou a fisioterapia durante mais oito meses, embora não houvesse melhoras perceptíveis. Tecnicamente, a fisioterapeuta não tinha mais autorização para tratá-lo, mas mesmo assim Tom continuou a utilizar os equipamentos.

Esses meses adicionais geraram algum benefício? Talvez sim, talvez não. Tom não tem como afirmar com certeza se os exercícios extras produziram bons resultados. Ele sabe que pôde começar a treinar para as Dez Milhas do Exército no verão seguinte. Antes de ser baleado, sua ideia era correr uma milha em sete minutos, completando a corrida em setenta minutos ou menos. Depois de baleado, revisou a meta: fixou o objetivo de correr uma milha em doze minutos e terminar a corrida em duas horas. Qual foi seu tempo? Uma hora e 56 minutos.

Tom não pode dizer que disputar as Dez Milhas do Exército e, depois disso, dois triatlos, tenham sido decisões baseadas em custos e benefícios. "Eu simplesmente não deixaria de fazer isso por falta de interesse ou por não querer tentar. Eu não sou essa pessoa."

GARRA

De fato, nem sempre o cálculo dos custos e benefícios da paixão e da perseverança fazem sentido, pelo menos em curto prazo. Com frequência, é mais "conveniente" deixar para lá e ir em frente. Podem passar anos ou mais tempo antes que os dividendos da garra produzam resultados profícuos.

É exatamente por isso que a cultura e a identidade têm tanta importância para entendermos como as pessoas com alto grau de garra levam a vida. A lógica dos custos e benefícios não explica muito bem suas escolhas. No entanto, a lógica da identidade as justifica perfeitamente.

A população da Finlândia não é muito superior a cinco milhões de habitantes. Existem no mundo menos finlandeses do que nova-iorquinos. Esse minúsculo e gélido país nórdico — situado tão ao norte que mal recebe seis horas de luz solar por dia no auge do inverno — já foi invadido diversas vezes por vizinhos maiores e mais poderosos. Essas dificuldades meteorológicas e históricas contribuem para a maneira como os finlandeses veem a si mesmos? Boa pergunta. Entretanto, é inegável que a população da Finlândia se considera um dos povos com mais garra do mundo.

No finlandês, a palavra mais próxima de *garra* é *sisu* (pronuncia-se *sissu*). A tradução não é perfeita. Garra designa o desejo intenso de alcançar uma meta importante, acompanhado da perseverança para realizar esse desejo. Já *sisu*, na verdade, refere-se somente a perseverança. O termo designa, sobretudo, uma fonte interna de força — uma espécie de patrimônio psicológico — que os finlandeses creem ser uma característica inata deles, uma parte de sua herança nacional. Num sentido muito literal, *sisu* designa o interior de uma pessoa, suas entranhas.

Em 1939, a Finlândia era a pobre coitada na chamada "guerra de inverno", enfrentando um exército soviético que se jactava de dispor do triplo de soldados, de trinta vezes mais aviões e de cem vezes mais tanques. As tropas finlandesas resistiram durante vários meses — muitíssimo mais do que os soviéticos ou quem quer que fosse poderiam ter esperado. Em 1940, a revista *Time* publicou uma matéria sobre o *sisu*:

UMA CULTURA DE GARRA

Os finlandeses possuem aquilo que chamam de *sisu*. Trata-se de uma mistura de ousadia e de coragem, de furor e tenacidade, de capacidade de continuar lutando muito depois que a maioria das pessoas teriam desistido, e lutar com a vontade de vencer. Os finlandeses traduzem *sisu* como "o espírito finlandês",[8] mas a palavra é muito mais visceral do que isso.

No mesmo ano, o *The New York Times* publicou uma reportagem intitulada "Sisu: uma palavra que explica a Finlândia". Um finlandês assim explicou ao jornalista como eram seus compatriotas: "Um finlandês típico é um sujeito obstinado que acredita poder levar a melhor sobre o azar provando que é capaz de aguentar coisas piores."[9]

Quando dou uma aula sobre garra para turmas de graduação, gosto de incluir uma breve digressão sobre o *sisu*. Faço a meus alunos uma pergunta retórica: será que podemos forjar uma cultura (como garante Pete Carroll, treinador do Seattle Seahawks) que admire e promova qualidades como o *sisu* e a garra?

Há alguns anos, por absoluto acaso, uma jovem finlandesa chamada Emilia Lahti estava na plateia quando, durante uma palestra, falei do *sisu*. Depois da apresentação, ela foi me cumprimentar e confirmou que meu entendimento do *sisu* estava correto. Concordamos que havia uma necessidade premente de uma pesquisa sistemática do *sisu*, para entender como os finlandeses veem esse traço e como ele se propaga.

No ano seguinte, fui orientadora de Emilia, que completava sua tese de mestrado exatamente sobre essas questões. Ela havia perguntado a mil finlandeses[10] o que eles pensavam sobre o *sisu* e descobrira que a maioria deles considerava que esse traço se desenvolvia ao longo do tempo. Nada menos que 83% dos entrevistados responderam sim à pergunta "Você acredita que o *sisu* pode ser aprendido ou pode se desenvolver mediante um esforço consciente?". Outro entrevistado comentou: "Por exemplo, as excursões de escoteiros finlandeses parecem ter alguma correlação com o *sisu*. Nessas excursões, sozinhos em acampamentos florestais, adolescentes de treze anos às vezes ficam responsáveis por crianças de dez."

GARRA

Como cientista, não levo a sério a ideia de que os finlandeses ou os membros de qualquer outra nacionalidade tenham de fato reservas de energia escondidas em suas entranhas e à espera de liberação no momento crítico. Ainda assim, podemos tirar do *sisu* duas lições importantes.

Primeira lição: ver a si mesmo como uma pessoa capaz de superar enormes adversidades muitas vezes leva a um comportamento que confirma essa ideia. Se você for um finlandês com aquele "espírito de *sisu*" você vai se levantar, não importa o que tenha acontecido. Do mesmo modo, se você é um jogador do Seattle Seahawks, você é um lutador. Você possui o que é necessário para ter sucesso. Você não permite que reveses o detenham. Você tem garra.

Segunda lição: mesmo que a ideia de uma verdadeira fonte interna de energia seja absurda, a metáfora não poderia ser mais feliz. Às vezes achamos que não temos mais nada para dar, mas, nesses momentos sombrios e desesperados, descobrimos que, ao apenas pôr um pé diante do outro, há *sim* uma maneira de realizar o que a razão julga ser impossível.

A ideia do *sisu* faz parte da cultura finlandesa há séculos. No entanto, é possível criar culturas em muito menos tempo. Em minha tentativa de descobrir o que estimula a garra, encontrei algumas organizações dirigidas por líderes com bastante garra — líderes que, em meu entender, forjaram com sucesso uma cultura de garra.

Vejamos, por exemplo, Jamie Dimon, CEO do JPMorgan Chase. Jamie não é o único dos mais de 250 mil funcionários do banco que diz: "Visto esta camisa[11] e dou o meu sangue." Outros funcionários muito abaixo na hierarquia da empresa dizem coisas como: "O que eu faço a cada dia para nossos clientes é realmente importante. Ninguém aqui é destituído de valor.[12] E cada detalhe, cada empregado, é importante [...] Eu me orgulho de fazer parte desta grande empresa."

Faz mais de uma década que Jamie é CEO do JPMorgan Chase, o maior banco dos Estados Unidos. Durante a crise financeira de 2008, Jamie conduziu o banco a um porto seguro, e, enquanto outros bancos naufragavam, o JPMorgan Chase conseguiu um lucro de cinco bilhões de dólares.

Por coincidência, o lema da escola onde Jamie estudou, a Browning School, é "grytte",[13] grafia em inglês arcaico de *grit*, termo definido no anuário da escola em 1897 como "firmeza, coragem, determinação, garra [...], uma qualidade que por si só conquista a coroa do sucesso em todas as empreitadas". No último ano de Jamie na Browning,[14] seu professor de cálculo sofreu um ataque cardíaco, e o professor substituto não sabia a matéria. Metade dos alunos deixou a escola; a outra metade, da qual Jamie fazia parte, decidiu seguir em frente e passou todo o ano numa sala separada, aprendendo cálculo sozinha.

"Você precisa aprender a superar os percalços da estrada, assim como erros e reveses", disse-me Jamie quando o visitei para conversarmos sobre a cultura que ele construiu no JPMorgan Chase. "Percalços sempre vão aparecer, e saber lidar com eles pode ser a coisa mais importante para você ser bem-sucedido. Você precisa de muita resolução. Precisa assumir responsabilidades. Você chama isso de garra. Eu chamo isso de força moral."[15]

A força moral é para Jamie Dimon o que o *sisu* é para a Finlândia. Jamie acredita que o fato de ter sido demitido do Citibank aos trinta e três anos e ter passado um ano inteiro refletindo sobre o episódio fez com que ele se tornasse um líder melhor. E ele acredita na força moral a ponto de fazer com que ela se torne um valor vital para todo o banco JPMorgan Chase. "O mais importante de tudo[16] é que precisamos crescer com o passar do tempo."

Será realmente possível, perguntei, que um líder influencie a cultura de uma empresa enorme como aquela? Na realidade, a cultura do JPMorgan já foi descrita, com certa emoção, como "o culto de Jamie". No entanto, existem no JPMorgan Chase milhares e milhares de funcionários que Jamie nunca conheceu pessoalmente.

"Claro que sim", diz Jamie. "Isso exige comunicação incessante — incessante mesmo. A questão é o que você diz e como diz."

Pode ser também a *frequência* com que você fala. Diz-se que Jamie é um evangelista incansável, que cruza o país de um lado a outro para se fazer presente em reuniões de seus funcionários. Num desses encontros, pergunta-

GARRA

ram-lhe: "O que o senhor procura em sua equipe de líderes?" Ele respondeu: "Competência, caráter e a maneira como eles tratam as pessoas."[17] Mais tarde, ele me disse que faz a si mesmo duas perguntas a respeito dos altos executivos do Morgan. Primeira: "Eu deixaria que eles comandassem os negócios sem mim?" Segunda: "Eu deixaria meus filhos trabalharem para eles?"[18]

Jamie gosta de citar um longo trecho de Teddy Roosevelt:

> Não é o crítico que importa, nem o homem que mostra que o forte também tropeça ou que o herói poderia ter agido melhor. O crédito cabe ao homem que está de fato na arena,[19] aquele cuja face se cobre de pó, suor e sangue; que luta com valentia; que erra, que falha uma e outra vez, pois não existe esforço sem erros e senões; mas que se desdobra para cumprir sua missão; que conhece as grandes exultações, as grandes devoções; que se esfalfa numa causa meritória; que, se vitorioso, conhece ao final o triunfo da proeza, e que, se abatido, ao menos tomba combatendo bravamente, e por isso seu lugar jamais será junto daquelas almas frias e tímidas que não conhecem nem a vitória nem a derrota.

E vejam como Jamie traduz a poesia de Roosevelt na prosa de um manual do JPMorgan Chase, intitulado *How We Do Business* (Como fazemos negócios): "Aja com firme resolução em tudo o que fizer." "Demonstre garra, perseverança e tenacidade." "Não deixe que reveses temporários se tornem desculpas permanentes." E, por fim: "Use os erros e os problemas como oportunidades para melhorar — e não como motivos para desistir."[20]

Anson Dorrance enfrenta o desafio de instilar garra num número de pessoas bem menor — apenas 31 moças, ou seja, toda a equipe de futebol feminino na Universidade da Carolina do Norte em Chapel Hill. Anson é o técnico com maior número de vitórias na história do futebol feminino nos Estados Unidos, tendo conquistado 22 campeonatos nacionais em 31 anos de competição. Em 1991, levou a seleção feminina americana a seu primeiro título mundial.

UMA CULTURA DE GARRA

Em seus tempos de jogador, Anson era o capitão do time masculino de futebol da Universidade da Carolina do Norte. Não era um craque, mas seu estilo enérgico e agressivo em cada minuto dos treinos e das partidas lhe valeu a admiração de seus companheiros. Uma vez o pai lhe disse: "Anson, você é o perna de pau mais confiante que eu já vi na vida." Anson respondeu na hora: "Pai, considero isso um elogio."[21] Muitos anos depois, quando já atuava como treinador, Anson comentou: "Ter talento é comum. O quanto você se dedica para desenvolver esse talento é a medida final e mais importante da grandeza."[22]

Muitos admiradores de Anson atribuem seu sucesso incomparável às contratações feitas pela equipe. "Isso é um equívoco", disse-me ele. "Normalmente somos superados em contratações por cinco ou seis universidades. Nosso enorme sucesso se deve ao que fazemos quando as jogadoras chegam aqui. É a nossa cultura."[23]

A construção de uma cultura, disse Anson, é feita com contínua experimentação. "Basicamente, a gente tenta qualquer coisa e, se dá certo, continuamos a fazê-la."

Por exemplo, ao conhecer minha pesquisa sobre garra, Anson pediu a cada uma de suas jogadoras que preenchesse a Escala de Garra e fez questão de que cada uma delas soubesse sua pontuação. "Para ser franco, fiquei pasmo. Afora uma ou duas exceções, a pontuação que elas obtiveram no teste coincidia com a forma como eu teria avaliado a garra de cada uma delas." Anson agora faz questão que todas as atletas respondam ao teste todos os anos, para que "entendam melhor as qualidades fundamentais das pessoas bem-sucedidas". Cada jogadora é informada de sua pontuação porque, como diz Anson, "em alguns casos, a escala mostra como elas são, mas em outros casos, as *desmascara*". As jogadoras que continuam no time refazem o teste todos os anos para que possam comparar sua garra de hoje com a do passado.

Outro experimento que "pegou" foi o Teste do Bipe,[24] que marca o início de cada temporada de esportes na Universidade da Carolina do Norte. Todas as jogadoras formam uma linha e, ao soar de um bipe eletrônico, correm na direção de uma linha traçada a vinte metros de distância. Ao ali chegarem, escutam outro bipe, viram-se e correm de volta para a linha de partida. As

GARRA

atletas correm de uma linha a outra várias vezes, aumentando a velocidade à medida em que o intervalo entre os bipes se reduz. Em alguns minutos, estão correndo de um lado para outro como se disputassem uma prova de velocidade — e nesse ponto o intervalo entre os bipes é mínimo. Uma a uma, elas se retiram da prova e invariavelmente desabam no chão, exaustas. O número de idas e voltas das jogadoras, como tudo o que fazem nos treinos ou em competições, é cuidadosamente anotado e, sem demora, afixado numa parede do vestiário, para que todos possam ver a marca de cada um.

O Teste do Bipe foi criado por fisiologistas canadenses para testar a capacidade aeróbica máxima, mas o fato de ser um bom aferidor da aptidão física é apenas um dos motivos pelos quais Anson o aprecia. Tal como os pesquisadores do Laboratório de Fadiga de Harvard, que em 1940 criaram um teste de esteira ergométrica para avaliar a perseverança por meio de dor física, Anson vê o Teste do Bipe como uma prova de caráter. "Antes de começar o teste, falo um pouco sobre o que ele vai me mostrar", contou-me ele. "Se você se sair bem, será porque é uma pessoa disciplinada que treinou durante as férias todas ou tem a firmeza mental para lidar com uma dor que a maioria das pessoa não suporta. O ideal, claro, é que você tenha as duas coisas." Um momento antes de soar o primeiro bipe, Anson anuncia: "Garotas, esse teste vai medir a mentalidade de vocês.[25] *E já!*"

De que outras maneiras Anson cultiva uma cultura de garra? Do mesmo modo que Jamie Dimon, ele atribui enorme importância à comunicação. É claro que não é sua única ferramenta, mas, formado em filosofia e em inglês, Anson nutre especial admiração pelo poder das palavras. "Para mim, a linguagem é tudo",[26] afirma.

Ao longo dos anos, Anson listou doze valores essenciais, cuidadosamente descritos, para definir o que significa ser uma atleta da Universidade da Carolina do Norte, e não apenas uma jogadora de futebol qualquer. "Se você pretende criar uma cultura forte", contou-me ele, "precisa ter uma coleção de valores essenciais que oriente a vida de todos os integrantes do grupo." Metade dos valores essenciais da equipe feminina de futebol da universidade envolve trabalho em equipe. Juntos, esses valores definem uma cultura que Anson e suas jogadoras chamam de "caldeirão competitivo".

UMA CULTURA DE GARRA

Entretanto, ressaltei que muitas organizações têm valores essenciais que são ignorados no dia a dia. Anson concordou. "É claro, não há nada de motivador na declaração de que em sua cultura você trabalha arduamente. Quer dizer, isso é uma enorme *banalidade*."

A solução de Anson para resgatar os valores essenciais dessa atmosfera de banalidade é, em certos aspectos, muito imprevisível, mas, em outros, exatamente o que se poderia esperar de uma pessoa com a formação humanística dele.

A inspiração veio depois que Anson leu um artigo sobre o poeta russo Joseph Brodsky, exilado nos Estados Unidos e ganhador do prêmio Nobel. Brodsky exigia que seus alunos na Universidade Columbia decorassem dezenas de poemas russos todos os semestres. A maioria dos estudantes, é claro, considerava essa exigência absurda e antiquada, e um dia um grupo de alunos foi à sala de Brodsky para lhe dizer isso. O professor disse que poderiam agir como quisessem, mas que, se não decorassem os tais poemas, não receberiam seus doutorados. "Diante disso", contou Anson, eles saíram da sala de Brodsky com o rabo bem metido entre as pernas e foram estudar." O que aconteceu em seguida foi "uma verdadeira transformação". De repente, depois de memorizar um poema, os alunos de Brodsky "sentiam, viviam e respiravam a Rússia". Letras mortas numa página tinham ganhado vida.

Em vez de ler essa historinha e logo em seguida esquecê-la, Anson percebeu sua relevância para a meta de alto nível que estava tentando implantar. E, como sempre faz, refletiu: *Em que medida isso pode me ajudar a promover a cultura que desejo?*

Em cada ano que uma jogadora atua sob o comando de Anson Dorrance, ela precisa decorar três citações literárias, cada qual selecionada para transmitir um valor essencial. "Vocês serão examinadas na presença da equipe antes do início da temporada", escreve Anson em seu comunicado às jogadoras. "E depois serão examinadas de novo em cada reunião do time. Devem não só decorá-las, como também compreendê-las. Por isso, também reflitam sobre elas [...]."

No último ano da universidade, as atletas de Anson sabem de cor todas as doze citações, começando com o primeiro valor essencial — *Não reclamamos* — e sua citação correspondente, tirada da obra de George Bernard Shaw: "A

GARRA

verdadeira alegria de viver é ser uma força da prosperidade, e não um idiota egoísta cheio de mazelas e queixumes a reclamar que o mundo não se dedica a fazer você feliz."[27]

A memorização é uma tradição prezada e secular em West Point. Um documento conhecido na academia como "Bugle Notes"[28] compila uma longuíssima lista de cantos, poemas, códigos, credos e outras coisas que os cadetes devem decorar.

No entanto, o atual superintendente de West Point, o tenente-general Robert Caslen, é o primeiro a afirmar que palavras, mesmo as decoradas, não sustentam uma cultura se divergirem dos atos.

Vejamos, por exemplo, a Definição de Disciplina de Schofield. Essas palavras, pronunciadas pela primeira vez em 1879 num discurso que o então superintendente John Schofield fez aos cadetes, são aquilo que se esperaria que um aluno de West Point soubesse de cor. O trecho que os cadetes têm que decorar começa assim: "A disciplina que torna os soldados de um país livre confiáveis em batalha *não* será adquirida por meio de um tratamento cruel ou tirânico. Pelo contrário, é muito mais provável que um tratamento dessa natureza destrua um exército do que o construa."[29]

A seguir, Schofield declara — e os cadetes precisam memorizar isto também — que se pode dar uma mesma ordem de forma a inspirar lealdade ou semear ressentimento. E a diferença se resume a um elemento crucial: respeito. Respeito dos subordinados por seu comandante? Não, diz Schofield. A origem de uma grande liderança começa com o respeito do comandante por seus subordinados.

Pronunciar as palavras altissonantes de Schofield, ao mesmo tempo em que se é xingado e tratado aos berros pelos colegas mais velhos encerrava uma ironia que Caslen notou de imediato ao decorá-las como novato em 1971. Naquele tempo, o trote não só era tolerado como encorajado. "Eram os sobreviventes que se saíam bem", lembra-se Caslen. "O problema era menos a parte física do que a firmeza necessária para resistir aos gritos e xingamentos."[30]

UMA CULTURA DE GARRA

De fato, em 1975, 170 dos cadetes que começaram o treinamento Beast Barracks desistiram antes do fim. Esse número representava 12% dos cadetes, o dobro do percentual de desistência de quando cheguei a West Point para estudar a garra, em 2005. No ano passado, esse índice caiu para menos de 2%.[31]

Uma explicação para essa queda é o trote, ou melhor, a ausência de trote. Durante muito tempo, o costume de infligir sofrimento físico e psicológico aos cadetes recém-chegados foi considerado necessário para fortalecer os futuros oficiais. Um segundo benefício dos trotes, acreditava-se, estava em extirpar os fracos. O trote eliminava de forma eficaz a fraqueza na corporação, afastando quem fosse incapaz de suportá-lo. Com o passar dos anos, a lista de trotes permitidos foi sendo reduzida, até o trote ser proscrito por completo em 1990.

Ou seja, o fim do trote talvez explique o menor percentual de desistência durante o treinamento no fim do século XX. Mas o que explica a queda vertiginosa desse percentual na última década? Será que o setor de admissões de West Point está selecionando pessoas mais garra? Com base nos dados anuais sobre garra que pude analisar, a resposta a essa pergunta é um claro não. A pontuação média de garra obtida pelos novos cadetes não mudou desde que West Point começou a calculá-las.

De acordo com o general Caslen, o que aconteceu na academia foi uma mudança deliberada na cultura. "Quando só os 'sobreviventes' se davam bem, havia um *modelo de atrito*", explica ele. "Hoje existe outro tipo de liderança, que eu chamo de *modelo de desenvolvimento*. Os padrões continuam elevados como sempre, mas antes a ferramenta utilizada para que os subordinados os alcançassem era o medo. Agora, nós comandamos da frente."

No campo de batalha, comandar da frente significa que o comandante se põe literalmente na frente de combate com os soldados, fazendo o mesmo trabalho pesado e correndo os mesmos riscos de vida. Em West Point, isso significa tratar os cadetes com respeito incondicional e, quando eles ficam aquém dos altíssimos padrões da academia, prestar o apoio de que necessitam para corrigir a situação.

"Por exemplo, no teste de aptidão física", explicou Caslen, "se eu for o líder de cadetes que estão com problemas na corrida de três quilômetros, o que vou

GARRA

fazer é conversar com eles e definir um programa de treinamento. Vou garantir que o plano seja exequível. Haverá algumas tardes em que direi: 'Muito bem, vamos correr' ou 'Vamos fazer musculação' ou 'Vamos fazer um intervalo nos exercícios'. Vou comandar da frente para elevar o cadete ao nosso padrão. Muitas vezes, o cadete que não consegue fazer determinado exercício sozinho de repente se sente motivado e, assim que começa a melhorar, a motivação aumenta. Quando ele atinge os objetivos designados, ganha mais confiança ainda. Chega um momento em que eles descobrem como fazer as coisas sozinhos."

O exemplo de Caslen fez com que eu me lembrasse do episódio que Tom Deierlein me contou sobre um treinamento, ainda mais severo que o Beast, ao qual ele se submeteu para se tornar um Airborne Ranger, a elite do Exército americano. Numa etapa do treinamento, ele estava pendurado na parede de um rochedo — uma escalada na qual ele já havia fracassado antes — e com todos os músculos do corpo se rebelando. "Não posso!", gritou Tom para o instrutor, que estava acima dele. "Eu esperava que ele gritasse de volta: 'Está certo. Desista! Você está fora!' Mas esse sujeito, sei lá por quê, falou assim: 'Não, você consegue! Suba para cá!' E foi o que eu fiz. Subi e jurei para mim mesmo que nunca mais voltaria a dizer 'Não posso'."

Quanto aos que criticam a nova cultura de desenvolvimento de West Point, Caslen observa que se algo mudou nas normas acadêmicas, físicas e militares da Academia foi o fato de que, com o tempo, elas se tornaram mais rigorosas. Ele não tem dúvidas de que hoje a instituição prepara líderes mais competentes, mais fortes e mais hábeis do que antes. "Se alguém quiser avaliar West Point com base no nível de berros e xingamentos que se ouvem aqui, muito bem, eu nada direi. Os rapazes e as moças de hoje não reagem bem a gritos e insultos."

Além dos padrões objetivos de desempenho, o que *não* mudou em West Point nos últimos dez anos? As normas de polidez e decoro continuam tão rígidas que durante minha visita eu checava o relógio com frequência para ter certeza de que estava sempre alguns minutos antes do horário marcado para cada reunião. Além disso, sem pensar, eu me dirigia à pessoa com quem falava como "senhor" e "senhora". Os uniformes de gala acinzentados usados pelos cadetes em ocasiões formais continuam os mesmos, integrando os cadetes de hoje à "longa linha cinza" já bissecular em West Point. Por fim, a gíria antiga dos cadetes ainda é corrente na academia e inclui termos incompreensíveis para quem é de fora, como *firsties* (cadetes do quarto ano), *spoony* (com boa aparência física) e *huah* (expressão de concordância ou aprovação que se aplica a praticamente qualquer coisa).

Caslen não é ingênuo a ponto de imaginar que quatro anos de cultura de desenvolvimento em West Point transformarão dois ou três pontos na Escala de Garra em cinco. Mas também é verdade que os atletas, os representantes de classe e os oradores de turmas que conseguem superar as dificuldades desse processo de admissão não são pessoas com pouca garra. O mais importante é que Caslen viu as pessoas mudarem. Viu cadetes se desenvolverem. Caslen tem uma mentalidade de crescimento. "Nunca sabemos quem vai se tornar um Schwarzkopf ou um MacArthur", afirmou ele.

Dois anos depois que Pete Carroll me telefonou para falar sobre garra, peguei um avião para Seattle. Minha intenção era ver pessoalmente o que ele queria dizer ao afirmar que os Seahawks estavam construindo a cultura de maior nível de garra da NFL.

A essa altura, eu já tinha lido sua autobiografia, *Win Forever*, na qual ele fala sobre a descoberta do poder da paixão e da perseverança em sua própria vida:

> Quanto a mim, descobri que se você cria uma *visão* para si mesmo e não se afasta dela, torna-se capaz de realizar coisas extraordinárias na vida. Segundo minha experiência, depois que você cria essa visão clara, são a *disciplina* e o *esforço* empregados para mantê-la que fazem com que tudo aconteça. As duas coisas andam de mãos dadas. Só de criar essa visão você já está no caminho certo, mas é a diligência com que você se apega a ela que lhe permite chegar aonde deseja.[32]

Transmitir essa mensagem aos jogadores é uma ocupação constante.

Eu também havia visto Pete falar sobre garra e cultura em várias entrevistas. Numa delas, ele estava no palco de um auditório da Universidade do Sul

GARRA

da Califórnia. Era convidado de honra da instituição onde havia treinado os Trojans, time que levou a um recorde de seis vitórias em sete finais de campeonato em nove anos. "O que há de novo? O que você está aprendendo?", perguntou o entrevistador. Pete contou que havia descoberto minha pesquisa sobre garra e que ela refletia sua postura como treinador, que ele cultivava havia décadas. Disse que sua comissão técnica buscava fortalecer uma cultura de garra por meio de inúmeras "oportunidades, momentos e exemplos de competição. [...] Na verdade, apenas tentamos fazer com que eles tenham mais garra. Estamos tentando ensiná-los a perseverar. Estamos tentando fazê-los compreender de que forma podem demonstrar mais paixão."[33]

Em seguida, ele deu um exemplo. Nos treinos, os Seahawks jogam para ganhar — atacantes e defensores competem entre si com a agressividade e a disposição para massacrar o inimigo de uma partida real. O ritual de um treino semanal que imita uma partida de verdade, chamado de Quartas de Competição, remonta a Anson Durrance, cujo livro sobre treinamento foi devorado por Pete quando ele estava desenvolvendo sua própria filosofia. "Se você encarar o jogo em termos de quem está vencendo e quem está perdendo, perde o ponto principal. [...] Na verdade, é o nosso adversário que nos faz ser quem somos." Nosso oponente, explicou Pete, cria os desafios que nos levam a aprimorar quem somos.

Quem não participa da cultura dos Seahawks não capta esse aspecto crucial. "As pessoas não entendem", disse Pete. "Não percebem o que estamos fazendo, mas com o passar do tempo chegamos lá." Para Pete, isso significa compartilhar, da maneira mais transparente possível, tudo o que se passa em sua cabeça, seus objetivos, o raciocínio que existe por trás de sua filosofia. "Se eu não falasse sobre isso, a questão nunca ocorreria aos jogadores, que se limitariam a pensar: 'Vou ganhar ou vou perder?' Mas, quando falamos sobre o assunto, eles passam a entender o *porquê* da competição."

Pete reconheceu que alguns jogadores talvez tenham mais a ensinar do que a aprender. Sobre Earl Thomas, jogador do Seahawks, por exemplo, ele disse que é "o sujeito mais competitivo e com maior grau de garra que se possa imaginar. [...] Ele se esforça e treina com intensidade total. Ele se concentra, estuda, faz de tudo." Mas a mágica de uma cultura como essa é que

UMA CULTURA DE GARRA

a garra de uma pessoa pode servir de modelo para outras. Todos os dias, Earl "demonstra de várias maneiras diferentes quem ele é". Se a garra de uma pessoa suscita o mesmo em outra, pode acontecer o que o cientista social Jim Flynn chama de efeito "multiplicador social". Em certo sentido, trata-se de uma situação análoga ao efeito do cubo infinito de espelhos que Jeff Bezos construiu na infância — a garra de uma pessoa reforça a de outras, o que, por sua vez, inspira mais garra naquela primeira pessoa, e assim por diante, num processo sem fim.

O que Earl Thomas diz a respeito de jogar no Seahawks? "Meus companheiros de time me instigam desde o primeiro dia. Eles me ajudam a melhorar,[34] e vice-versa. A gente precisa apreciar os companheiros que dão duro, que dão a vida pelo time. Nunca nos satisfazemos com o presente, queremos melhorar sempre. É inacreditável ver os resultados que estamos obtendo a partir dessa atitude de humildade."

Quando visitei o campo de treinamento dos Seahawks, minha curiosidade tinha dobrado. Todos sabem como é difícil chegar à final do campeonato de futebol americano, o Super Bowl, vários anos seguidos, mas os Seahawks tinham desafiado a lei da probabilidade e chegaram à final mais uma vez naquele ano. Num claro contraste com a vitória no ano anterior, quando os torcedores comemoraram desfilando sob uma chuva de papel picado azul e verde na maior manifestação pública na história de Seattle, a derrota desse ano deixou um rastro de gritos, lágrimas e ranger de dentes, por aquilo que cronistas esportivos classificaram como "a pior decisão na história da NFL".[35]

Para quem não sabe ou não se lembra do que aconteceu, vou fazer um retrospecto. Faltando 26 segundos para o jogo acabar, os Seahawks tinham a posse da bola e estavam a uma jarda de distância do *touchdown* com que ganhariam o jogo. Todos esperavam que Pete pedisse uma jogada sem passe. Não apenas porque a zona final estava tão perto, mas também porque os Seahawks contavam com Marshawn Lynch, que muitos consideravam o melhor *running back* de toda a NFL.

GARRA

Contra todas as expectativas, Russell Wilson, o *quarterback* dos Seahawks, deu um passe, a bola foi interceptada e o New England Patriots levou o troféu.

Como aquele Super Bowl era apenas a terceira partida de futebol americano que eu via sem interrupção em toda a minha vida — a segunda fora a partida do título da National Football Conference que os Seahawks tinham vencido na semana anterior —, não sou capaz de emitir uma opinião e dizer que passar a bola, em vez de correr com ela, foi uma péssima opção. O que mais me interessava ao chegar a Seattle era a reação de Pete e a de toda a equipe.

Um ídolo de Pete, o treinador de basquete John Wooden, gostava de dizer que "O sucesso nunca é final; a derrota nunca é fatal.[36] O que conta é a coragem". O que eu queria descobrir era como se sente uma cultura de garra não só após o brilho do sucesso, mas também após o amargor da derrota. Queria saber como Pete e os Seahawks estavam reunindo coragem para continuar.

Hoje, ao recordar aquela visita, sinto que ela aconteceu na hora mais do que certa.

Meu compromisso começou com uma reunião no escritório de Pete. É uma sala muito bem situada, com vista para dois lados da cidade, mas não é enorme nem luxuosa, e a porta aparentemente está *sempre* aberta, permitindo que o rock nas alturas chegue até o corredor. "Angela", começou Pete, "como posso ajudá-la?"

Expliquei minha motivação. Naquele dia eu era uma antropóloga, estava ali para fazer anotações sobre a cultura dos Seahawks. Se eu tivesse um chapéu de safari, estaria com ele na cabeça.

É claro que minha resposta deixou Pete empolgado. Ele me disse que não se tratava de uma única coisa. Eram milhões de coisas. Milhões de detalhes. Era uma questão de atitude e de estilo.

Depois de passar um dia inteiro com os Seahawks, tive que concordar. Eram incontáveis coisinhas, cada qual perfeitamente factível — mas muito fáceis de serem feitas pela metade, esquecidas ou ignoradas. E, embora os detalhes sejam infinitos, existem algumas características gerais.

UMA CULTURA DE GARRA

A mais óbvia é a linguagem. Um dos auxiliares de Pete disse em certo momento: "Eu falo Carroll fluentemente." E falar Carroll é falar um Seahawk fluente: *Você tem que competir sempre. Ou você está competindo ou não está. É preciso competir em tudo o que você fizer. Você é um Seahawk 24 horas por dia, sete dias por semana. Forte até o fim. Pensamento positivo. O time em primeiro lugar.*

Ao longo do dia que passei com a equipe, não posso dizer quantas vezes ouvi alguém — um jogador, um auxiliar técnico, um olheiro — emitir uma dessas observações, mas não ouvi em momento algum uma variação. Uma das expressões prediletas de Pete é "Nada de sinônimos". Por que não? "Porque, se você quer se expressar com eficiência, tem que usar palavras claras."

Toda a equipe dos Seahawks que conheci tempera suas frases com esses *carrollismos*. E embora ninguém tenha a energia adolescente e poderosa do treinador de 63 anos, os demais membros família Seahawk, como eles gostam de ser chamados, demonstram a mesma disposição para me ajudar a decodificar o que essas frases realmente significam.

Descubro que "competir" não é o que eu achava que era. Não se trata de triunfar sobre os outros, uma ideia que sempre me deixou meio desconfortável. Competir significa alcançar o nível de excelência. "O verbo competir vem do latim", explica Mike Gervais, antes surfista profissional e agora psicólogo de esportes, que é um dos colaboradores de Pete na construção de uma cultura. "Literalmente, significa *empenhar-se junto*. Em sua origem, não tem nada a ver com o fato de outra pessoa perder."

Mike me diz que dois fatores vitais promovem excelência em pessoas e equipes: "apoio firme e estímulo constante para o aprimoramento". Ao ouvi-lo dizer isso, uma lâmpada se acende em minha cabeça. Uma postura parental compassiva e exigente é psicologicamente conveniente e incentiva os filhos a imitarem os pais. É claro que uma liderança compassiva e exigente terá o mesmo efeito.

Começo a entender. A meta daquele time de futebol americano profissional não é apenas derrotar os outros times, é ir além do que cada jogador pode fazer hoje, para que amanhã ele esteja um pouco melhor. É a excelência. Portanto, para os Seahawks, *você tem que competir sempre* significa *Seja o máximo que você puder ser, seja lá o que isso signifique para você. Procure alcançar o seu melhor.*

GARRA

Depois de uma das reuniões, um treinador auxiliar vem falar comigo no corredor e diz:

— Por acaso alguém lhe falou sobre *o fim*?

O fim?

— Uma coisa em que realmente acreditamos aqui é na ideia de sermos fortes até o fim.

Em seguida, ele me dá exemplos: os Seahawks vão com força total até o fim de cada partida, se esforçando até o último segundo. Os Seahawks chegam com força ao fim do campeonato. Os Seahawks chegam com força ao fim de cada treinamento.

— Mas por que só chegar ao fim com força? Não faz sentido também começar com força total? — pergunto.

— Claro — respondeu o rapaz. — Mas começar com força total é fácil. E, para os Seahawks, "o fim" não significa literalmente "o fim".

Claro que não. Chegar com força até o fim significa concentrar-se sempre e fazer absolutamente todo o possível em cada momento, do começo ao fim.

Não demorou para eu perceber que não era somente Pete quem fazia a pregação. Num dado momento, numa reunião de que participavam mais de vinte auxiliares técnicos, a sala inteira de repente pôs-se a entoar um cântico em perfeita cadência: *Sem reclamações. Sem queixas. Sem desculpas.* Era como ouvir um coro só de barítonos. Antes disso, entoaram: *Sempre proteja a equipe.* E depois: *Chegue cedo.*

Chegue cedo? Contei a eles que, depois de ler o livro de Pete, eu havia transformado "Chegue cedo" numa resolução de vida. Até então, eu não chegava cedo para praticamente nada. Isso provocou alguns risos. Ao que parece, não sou a única pessoa que luta com esse problema. O importante, porém, foi o fato de essa confissão incentivar um dos presentes a explicar por que é importante chegar cedo: "É uma questão de respeito. É uma questão de detalhe. É uma questão de excelência." Certo, certo, estou entendendo.

Por volta do meio-dia, dei uma palestra sobre garra para a equipe. Isso aconteceu depois de fazer apresentações semelhantes para os técnicos e olheiros e antes de falar para todo o pessoal da administração.

UMA CULTURA DE GARRA

Quando a maior parte da equipe saiu para almoçar, um dos Seahawks me consultou sobre o que deveria fazer em relação a um irmão menor. O menino era muito inteligente, afirmou, mas a partir de certo momento suas notas na escola começaram a cair. Para incentivá-lo, ele comprou um X-box e o pôs, ainda embalado, no quarto do irmão. O acordo era que, quando o boletim viesse com algumas notas dez, ele poderia abrir o presente. No começo, o plano pareceu dar certo, mas logo depois a situação voltou ao que era antes.

— Devo dar a ele o X-box? — perguntou o rapaz.

Antes que eu tivesse tempo de responder, outro jogador disse:

— Bem, cara, talvez ele não seja *capaz* de tirar dez.

Balancei a cabeça e completei:

— Pelo que você me disse, seu irmão é perfeitamente capaz de tirar dez. Ele tirava antes.

O jogador concordou:

— Ele é um garoto inteligente. Pode acreditar, ele é inteligente.

Eu ainda estava pensando quando Pete interveio e disse, num arroubo:

— Antes de tudo, você não pode dar esse jogo ao seu irmão, de jeito nenhum. Você fez com que ele ficasse motivado. Muito bem, isso foi um começo, não foi? E agora? Ele precisa de um pouco de *orientação*! Precisa que alguém explique a ele o que precisa fazer, os detalhes, para voltar a tirar boas notas! Ele precisa de um plano! Ele precisa que você o ajude a definir esses passos seguintes.

Isso me lembrou uma coisa que Pete tinha falado no começo de minha visita: "Toda vez que eu tomo uma decisão ou digo uma coisa a um jogador, eu penso: 'Como é que eu trataria meu próprio filho?' Você sabe o que eu faço melhor? Eu sou um grande pai. E, de certa forma, é assim que eu comando o time."

No fim do dia, eu estava no saguão, à espera do meu táxi. Pete estava comigo, para se certificar de que eu não teria problemas na saída. Lembrei-me de que não havia lhe perguntado diretamente como ele e os Seahawks tinham reunido coragem para continuar depois que ele deu "a pior orientação da história". Mais tarde, Pete diria à revista *Sports Illustrated* que aquela não tinha sido a pior orientação, e sim "o pior resultado possível". Explicou que, como todas as outras experiências negativas e também todas as positivas,

GARRA

"ela se torna parte de você. Não vou ignorá-la. Vou enfrentá-la. E quando a questão vier à tona de novo, vou pensar nela e seguirei em frente. E vou usá-la. Vou *usá-la*!"[37]

Pouco antes de sair, eu me virei e olhei para cima. E lá, a seis metros do chão, em letras cromadas de mais de um palmo de altura, estava a palavra CARÁTER. Eu segurava uma sacola de materiais promocionais dos Seahawks em verde e azul, entre os quais vários de bracelete azuis de borracha. Em verde, as letras LOB: Love Our Brothers (Amemos Nossos Irmãos).

Capítulo 13

CONCLUSÃO

Este livro fala do poder da garra, o que poderá ajudar você a concretizar seu potencial. Eu o escrevi porque aquilo que realizamos na maratona da vida depende em altíssimo grau de nossa garra — de nossa paixão e de nossa perseverança nas metas de longo prazo. A obsessão pelo talento nos desvia dessa verdade simples.

Este livro foi o meu jeito de convidar você para tomar um café e lhe contar o que eu sei.

Está quase acabando.

Antes de pôr um ponto final, eu gostaria de fazer algumas considerações. A primeira é que você *pode* aumentar sua garra.

Vejo duas formas de fazer isso. Por conta própria, você pode aumentar sua garra "de dentro para fora": pode cultivar seus interesses; pode adquirir o hábito de praticar todos os dias a superação de dificuldades; pode ligar seu trabalho a um objetivo que vai além de você mesmo; e pode aprender a manter a esperança quando tudo parece estar perdido.

Você também pode desenvolver sua garra "de fora para dentro". Aumentar sua garra pessoal depende criticamente de outras pessoas — pais, orientadores, professores, chefes, mentores, amigos.

Minha segunda reflexão final diz respeito à felicidade. O sucesso — seja ele medido por quem ganha uma competição nacional de soletração, conclui um treinamento do exército ou lidera o setor nas vendas anuais — não é a única questão que lhe interessa. É claro que você também quer ser feliz. E, embora felicidade e sucesso estejam entrelaçados, não são a mesma coisa.

Você pode estar pensando: se eu tiver mais garra e for bem-sucedido, minha felicidade vai despencar?

Há alguns anos, tentei encontrar uma resposta a essa pergunta entrevistando dois mil americanos adultos. O gráfico abaixo mostra a correlação entre a garra e a satisfação com a vida, medida numa escala que variava de 7 a 35. O questionário incluía afirmações como "Se eu pudesse viver minha vida outra vez, não mudaria quase nada". No mesmo estudo, medi emoções positivas (como entusiasmo) e negativas (como vergonha). Concluí que quanto mais garra tiver uma pessoa, mais provável será que ela desfrute de uma vida emocional saudável. Mesmo no alto da Escala de Garra, a garra acompanhava de perto o bem-estar,[1] a despeito de como fosse medida.

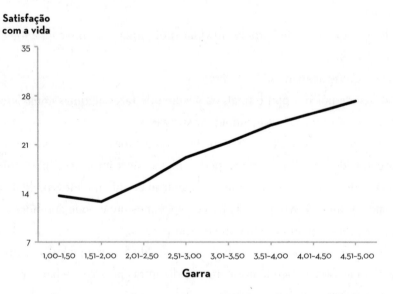

Ao publicar esse resultado, meus alunos e eu concluímos nosso relatório assim: "Os cônjuges e os filhos das pessoas com grau maior de garra também

CONCLUSÃO

são mais felizes? O que dizer de seus colegas de trabalho e seus funcionários? É preciso realizar pesquisas adicionais a fim de explorar as possíveis desvantagens da garra."

Ainda não tenho respostas para essas perguntas, que considero importantes. Quando converso com pessoas que têm muita garra e as ouço falar da emoção que sentem por trabalhar com tanto empenho em prol de um objetivo maior do que eles próprios, não sei se a família deles sente o mesmo.

Não sei, por exemplo, se todos esses anos dedicados a uma meta de nível superior representa um custo que ainda não medi.

O que acabei fazendo foi perguntar às minhas filhas, Amanda e Lucy, como é a vida ao lado de uma mãe que tem garra. Elas me viram tentar coisas que eu nunca tinha feito antes — como escrever um livro — e me viram chorar em alguns momentos difíceis. Viram o tormento que pode ser resolver, pouco a pouco, os inúmeros probleminhas que não são um bicho de sete cabeças, mas são complicados. Houve ocasiões em que elas perguntaram, durante o jantar: "Será que *sempre* temos que conversar *sobre* prática disciplinada? Por que é que *tudo* sempre envolve a sua pesquisa?"

Amanda e Lucy gostariam que eu relaxasse um pouco e, por exemplo, conversasse mais sobre Taylor Swift.

No entanto, ficam muito felizes por ter uma mãe que é um modelo de garra.

Na realidade, Amanda e Lucy aspiram à mesma coisa. Tiveram um vislumbre da satisfação que sentimos quando realizamos algo importante — para nós mesmos e para os outros — e o fazemos bem, apesar das dificuldades. Elas querem que isso se repita. Admitem que a complacência tem seus encantos, mas que nenhum deles compensa a felicidade que sentimos quando realizamos todo o nosso potencial.

Há ainda outra pergunta para a qual não achei uma boa resposta em minha pesquisa. Uma pessoa pode ter garra *demais*?

Aristóteles disse que uma dose excessiva (ou insuficiente) de uma coisa boa é ruim. Considerou, por exemplo, que a insuficiência de coragem é covar-

GARRA

dia, mas que coragem demais é insensatez. Essa questão foi retomada pelos psicólogos Adam Grant e Barry Schwartz. Segundo eles, há uma função em U invertido que representa os benefícios de qualquer característica; a quantidade ideal fica num ponto entre os extremos.[2]

Em relação à garra, até agora não encontrei a espécie de U invertido que Aristóteles previu, ou que Barry e Adam determinaram para outras características, como a extroversão. No entanto, reconheço que em qualquer escolha há meios-termos e consigo entender que isso poderia aplicar-se à garra. Não é difícil imaginar situações em que não fazer nada seria a melhor atitude. Qualquer pessoa pode citar ocasiões em que manteve uma ideia, um passatempo, um emprego ou um caso amoroso durante mais tempo do que deveria.

Em minha própria experiência, foi uma boa decisão abandonar o piano quando ficou claro que eu não tinha grande interesse pela música nem muito talento. Na verdade, eu poderia ter feito isso antes e poupado minha professora de me ouvir tocar os exercícios que eu lia sem ter estudado na semana anterior. Desistir de falar francês com fluência também foi uma boa ideia, embora eu realmente gostasse da língua e a aprendesse mais depressa do que tocar piano. Deixar de dedicar tempo ao piano e ao francês me proporcionou mais horas para atividades que eu julgava mais gratificantes.

Ou seja, terminar tudo o que você começa, *sem exceção*, é uma boa maneira de perder oportunidades de começar coisas diferentes e, talvez, melhores. Idealmente, mesmo se você estiver interrompendo uma atividade e optando por metas diferentes e de nível inferior, poderia ainda estar perseguindo seu objetivo maior.

Um dos motivos pelos quais não me preocupo muito com a possibilidade de uma epidemia de garra é que essa perspectiva parece bem distante de nossa realidade atual. Quantas vezes você voltou do trabalho para casa e comentou: "Puxa vida, o pessoal do escritório anda com garra demais! Nunca deixam de lado seus ideais! Trabalham com uma dedicação absurda! Eu gostaria que fossem menos apaixonados pelo que fazem!"

Há pouco tempo, pedi a trezentos americanos adultos que fizessem o teste da Escala de Garra e que, depois de receberem suas pontuações, me disses-

CONCLUSÃO

sem como se sentiam. Muitos disseram que estavam satisfeitos com o resultado, e alguns opinaram que gostariam de ter mais garra.[3] Entretanto, em toda a amostra não houve um único caso de alguém que, após refletir, aspirasse a ter *menos* garra.

Tenho certeza de que a maioria das pessoas estaria em melhor situação financeira se tivesse mais garra, e não menos. Talvez haja exceções — pessoas excepcionais que não precisam ter mais garra —, mas são raras.

Mais de uma vez, já me perguntaram por que eu acho que a garra é a única coisa que importa. Na verdade, eu não penso assim.

Posso afirmar, por exemplo, que a garra *não* é a única virtude que desejo para minhas filhas ao passarem da juventude para a maturidade. Se quero que elas tenham sucesso em tudo o que fizerem? É claro que sim. Mas sucesso e bondade são coisas diferentes, e se eu fosse obrigada a escolher, daria preferência à bondade.

Como psicóloga, posso afirmar que a garra não é de modo algum o aspecto mais importante do caráter de uma pessoa. Na verdade, em estudos sobre como as pessoas julgam as outras, a moralidade ultrapassa em importância todos os outros aspectos do caráter.[4] Com certeza, todos notamos se um vizinho parece preguiçoso, mas ficamos escandalizados se ele dá mostras de falta de honestidade ou integridade.

Ou seja, a garra não é tudo. Uma pessoa precisa de muitas outras qualidades para se desenvolver. O caráter é plural.[5]

Uma boa forma de encarar a garra é pensar em como ela se relaciona com outros elementos do caráter. Ao avaliar o grau de garra junto com outras virtudes, encontro três conjuntos confiáveis de características. Posso chamá-los de dimensões intrapessoal, interpessoal e intelectual do caráter.[6] Poderia chamá-los também de forças da vontade, da alma e da mente.

O caráter intrapessoal inclui garra. Esse grupo de virtudes compreende ainda o autocontrole, sobretudo quando se trata de resistir a tentações como passar horas trocando mensagens de texto e jogando videogames. Isso signi-

GARRA

fica que as pessoas com mais garra tendem a ter autocontrole, e vice-versa.[7] Coletivamente, as virtudes que possibilitam a concretização de metas importantes para a pessoa já foram chamadas também de "caráter de desempenho" ou "qualificações de autogestão". O escritor David Brooks, colunista do *The New York Times*, chama-as de "virtudes de currículo", pois são elas as responsáveis por arranjarmos empregos e nos mantermos ocupados.

O caráter interpessoal inclui gratidão, inteligência social e autocontrole sobre emoções como a raiva. São virtudes que nos ajudam a conviver com outras pessoas e colaborar com elas. Às vezes, são chamadas de "caráter moral". David Brooks prefere a expressão "virtudes do obituário",[8] porque, no fim das contas, podem ser mais importantes para a maneira como seremos lembrados do que qualquer outra coisa. Quando dizemos, com admiração, que alguém é uma pessoa "de imensa generosidade", creio que é nesse conjunto de virtudes que estamos pensando.

Por fim, o caráter intelectual abrange virtudes como a curiosidade e a alegria de viver, que estimulam um envolvimento ativo e aberto com o mundo das ideias.[9]

Meus estudos longitudinais mostram que esses três grupos de virtudes apontam para diferentes resultados.[10] Para as conquistas na área dos estudos, o que inclui notas excelentes, o grupo que inclui a garra é mais importante. Mas para uma atuação social positiva, que inclui a facilidade para fazer amigos, o caráter interpessoal é o mais importante. E, para uma postura positiva e independente em relação ao saber, a virtude intelectual supera as demais.

No fim das contas, a pluralidade do caráter faz com que nenhuma virtude seja muito mais importante do que as outras.

Muitas vezes me perguntam se incentivar a garra não constitui um desserviço às crianças, ao fixar expectativas altas demais. "Cuidado, dra. Duckworth, ou muitas crianças vão crescer achando que podem ser um Usain Bolt, um Wolfgang Mozart ou um Albert Einstein."

CONCLUSÃO

Se não podemos ser Einstein, vale a pena estudar física? Se não podemos ser Usain Bolt, para que dar uma corrida de manhã? Adianta alguma coisa tentar correr um pouco mais depressa ou uma distância pouco maior do que ontem? Considero essas perguntas absurdas. Se minha filha me disser "Mamãe, não vou estudar piano hoje porque eu nunca vou ser Mozart", responderei: "Você não está estudando piano para ser Mozart."

Todos nós temos limites, não só em relação a talento, mas também no que se refere a oportunidades. Entretanto, com mais frequência do que pensamos, nós mesmos nos impomos essas limitações. Tentamos, fracassamos e concluímos que batemos de cabeça no teto da possibilidade. Ou, talvez, depois de dar apenas alguns passos, mudamos de direção. Nos dois casos, nunca vamos até onde poderíamos ter chegado.

Ter garra é não deixar de pôr um pé diante do outro. Ter garra é buscar uma meta interessante e significativa. Ter garra é se dedicar, dia e noite, semana após semana, durante anos a fio, a uma atividade desafiadora. Ter garra é cair sete vezes e levantar oito.

Recentemente fui entrevistada por um jornalista. Enquanto ele guardava suas anotações, falou: "Bem, é evidente que você poderia ter falado o dia todo. Dá para ver como você adora esse assunto."

"Ora! Existe *alguma coisa* mais interessante do que a psicologia do êxito? Ou *alguma coisa* mais importante?"

Ele riu. "Sabe", disse, "eu também adoro o que eu faço. Fico impressionado com o número de pessoas que conheço, já com seus quarenta e tantos anos, que na verdade não se dedicam de verdade a nada. Não sabem o que estão perdendo."

Uma reflexão final.

Há alguns meses, foram anunciados os ganhadores do prêmio MacArthur deste ano. Um deles foi Ta-Nehisi Coates, jornalista cujo segundo livro, *Entre o mundo e eu*, alcançou enorme sucesso de público.

Em 2007, Coates estava desempregado, depois de ter sido demitido pela revista *Time*, e procurando trabalhos como *freelancer*. Foi uma épo-

GARRA

ca difícil, e ele calcula que a tensão fez com que ganhasse quase quinze quilos. "Eu sabia que tipo de escritor eu queria ser. Mas não estava no caminho para isso. Estava dando murros em ponta de faca, sem nenhum resultado."[11]

Sua esposa, conta ele, o apoiou de todas as formas. No entanto, eles tinham um filho pequeno. Havia realidades práticas. "Cheguei a pensar em trabalhar como taxista."

Por fim, ele se levantou da queda e, depois de vencer o "estresse extraordinário" do livro, começou a acertar o passo. "Meu texto se tornou muito, muito diferente. As frases tinham muito mais força."

No vídeo de três minutos postado no site do prêmio MacArthur, a primeira coisa que Coates diz é o seguinte: "O fracasso é provavelmente o fator mais importante em todo o meu trabalho. Escrever é fracassar.[12] O tempo todo, sem parar." Em seguida ele explica que, quando menino, sua curiosidade era insaciável. Criado em Baltimore, era obcecado especialmente pela questão da segurança física — ou melhor, da insegurança física —, uma obsessão que ainda hoje o persegue. O jornalismo, diz ele, lhe permite fazer as perguntas que lhe interessam.

Quase no fim do vídeo, Coates faz a melhor descrição que já vi do ato de escrever. Para dar uma ideia de sua entonação e da cadência de seu texto, dispus as palavras como *eu* as ouvi — como um poema:

O desafio de escrever
Está em ver no papel como somos horríveis.
Como somos terríveis
E depois ir dormir.

E acordar no outro dia
E pegar o horrível e o terrível
E refiná-los
E torná-los menos terríveis e menos horríveis.
E depois ir dormir de novo.

> *E no dia seguinte,*
> *Refiná-los um pouquinho mais,*
> *Torná-los um pouco menos ruins.*
> *E depois ir dormir no outro dia.*
>
> *E fazer isso de novo,*
> *E tornar o texto, talvez, mediano.*
> *E, em seguida, mais uma vez,*
> *E, se você tiver sorte,*
> *Talvez o texto até fique bom.*
>
> *E se você tiver feito isso,*
> *É um sucesso.*

Você pode pensar que Coates tem muita modéstia. Ele *tem*. Mas também tem muita garra. E ainda estou para ver um ganhador do MacArthur, ou do Nobel, ou um campeão olímpico dizer que sua conquista foi alcançada de alguma outra forma.

"De gênio você não tem nada", dizia meu pai quando eu era pequena. Hoje entendo que ele estava falando tanto para si mesmo quanto para mim.

Se definirmos genialidade como a capacidade de realizar grandes coisas na vida sem esforço, nesse caso ele tinha razão. Não sou genial — nem ele.

Mas, se definirmos genialidade como trabalhar no rumo da excelência, sem parar e com todas as fibras do seu ser, neste caso meu pai é um gênio, como também eu, Coates e, provavelmente, você.

AGRADECIMENTOS

Sempre que começo a ler um livro, vou direto para os Agradecimentos. Como muitos outros leitores, fico ansiosa para dar uma olhada nos bastidores. Quero conhecer o elenco e os técnicos responsáveis pelo espetáculo. E a escrita deste livro ampliou meu respeito pelo esforço em equipe que qualquer trabalho representa. Se você gostou deste livro, saiba que o crédito por sua criação deve ser dividido entre os seres humanos maravilhosos que menciono aqui. Eu gostaria que todas essas pessoas subissem ao palco por um momento e recebessem os merecidos aplausos. Se deixei alguém nos bastidores, peço perdão. Todas as possíveis omissões foram involuntárias.

Antes de tudo, quero agradecer a meus colaboradores. Escrevi este livro na primeira pessoa do singular, dizendo "eu" quando, na realidade, quase tudo o que fiz como pesquisadora ou autora foi realizado por um grupo. O "nós" merecedor de crédito — sobretudo os coautores de pesquisas publicadas, são mencionados nas Notas. Em nome deles, deixo aqui um sincero agradecimento às nossas equipes de pesquisa que, como um todo, possibilitaram este estudo.

Quanto ao livro em si, tenho que agradecer sobretudo três pessoas. Primeiro, sou eternamente grata a meu editor, Rick Horgan, que aperfeiçoou meu texto e meu raciocínio mais do que julguei ser possível. Se eu tiver sorte, ele deverá trabalhar comigo outras vezes. Max Nesterak foi, no dia a dia, meu editor, assistente de pesquisa e minha consciência. Se não fosse Max, este livro

GARRA

simplesmente não estaria em suas mãos hoje. E, por fim, meu queridíssimo agente, Richard Pine, foi o responsável por tornar este livro uma realidade. Em 2007, Richard enviou-me um e-mail em que perguntava: "Alguém já lhe disse que você deveria escrever um livro?" Contestei. Com garra e carisma, ele continuou a insistir, sem nunca me forçar, até que me senti pronta. Obrigada, Richard, por tudo.

Os pesquisadores listados a seguir tiveram a bondade de revisar rascunhos deste livro, discutir trechos relevantes ou ambas as coisas (fica claro, porém, que sou responsável por quaisquer erros que tenham permanecido): Elena Bodrova, Mihaly Csikszentmihalyi, Dan Chambliss, Jean Côté, Sidney D'Mello, Bill Damon, Nancy Darling, Carol Dweck, Bob Eisenberger, Anders Ericsson, Lauren Eskreis-Winkler, Ronald Ferguson, James Flynn, Brian Galla, Margo Gardner, Adam Grant, James Gross, Tim Hatton, Jerry Kagan, Scott Barry Kaufman, Dennis Kelly, Emilia Lahti, Reed Larson, Luc Leger, Deborah Leong, Susan Mackie, Steve Maier, Mike Matthews, Darrin McMahon, Barbara Mellers, Cal Newport, Gabrielle Oettingen, Daeun Park, Pat Quinn, Ann Renninger, Brent Roberts, Todd Rogers, James Rounds, Barry Schwartz, Marty Seligman, Paul Silvia, Larry Steinberg, Rong Su, Phil Tetlock, Chia-Jung Tsay, Eli Tsukayama, Elliot Tucker-Drob, George Vaillant, Rachel White, Dan Willingham, Warren Willingham, Amy Wrzesniewski e David Yeager.

Fiquei surpresa e profundamente comovida com a disposição das pessoas listadas a seguir para narrar suas histórias pessoais. Mesmo que não tenha sido possível incluir mais detalhes neste livro, suas experiências aprofundaram meu entendimento da garra e de seu crescimento: Hemalatha Annamalai, Kayvon Asemani, Michael Baime, Jo Barsh, Mark Bennett, Jackie Bezos, Juliet Blake, Geoffrey Canada, Pete Carroll, Robert Caslen, Ulrik Christensen, Kerry Close, Roxanne Coady, Kat Cole, Cody Coleman, Daryl Davis, Joe de Sena, Tom Deierlein, Jamie Dimon, Anson Dorrance, Aurora Fonte, Franco Fonte, Bill Fitzsimmons, Rowdy Gaines, Antonio Galloni, Bruce Gemmell, Jeffrey Gettleman, Jane Golden, Temple Grandin, Mike Hopkins, Rhonda Hughes, Michael Joyner, Noa Kageyama, Paige Kimble, Sasha Kosanic, Hester Lacey, Emilia Lahti, Terry Laughlin, Joe Leader, Michael Lomax,

AGRADECIMENTOS

David Luong, Tobi Lütke, Warren MacKenzie, Willy MacMullen, Bob Mankoff, Alex Martinez, Francesca Martinez, Tina Martinez, Duff McDonald, Bill McNabb, Bernie Noe, Valerie Rainford, Mads Rasmussen, Anthony Seldon, Will Shortz, Chantel Smith, Are Traasdahl, Marc Vetri, Chris Wink, Grit Young, Sherry Young, Steve Young, Sam Zell e Kai Jang.

Muitos amigos e parentes me ajudaram a melhorar as primeiras versões. Pelos comentários valiosos, agradeço a Steve Arnold, Ben Malcolmson, Erica Dewan, Feroz Dewan, Joe Duckworth, Jordan Ellenberg, Ira Handler, Donald Kamentz, Annette Lee, Susan Lee, Dave Levin, Felicia Lewis, Alyssa Matteucci, David Meketon, Evan Nesterak, Rick Nichols, Rebecca Nyquist, Tanya Schlam, Robert Seyfarth, Naomi Shavin, Paul Solman, Danny Southwick, Sharon Parker, Dominic Randolph, Richard Shell, Paolo Terni, Paul Tough, Amy Wax e Rich Wilson.

As ilustrações deste livro são cortesia de Stephen Few. Especialista mundial em visualização de dados, Stephen é também exemplo de generosidade e paciência.

Sou imensamente grata pelo apoio incansável de muitas pessoas na Simon & Schuster. Na tarefa de escrever este livro, minha única dificuldade consistiu em escrever; tudo o mais foi facilitado por estas pessoas admiráveis. Cabe um agradecimento especial a Nan Graham, cujo otimismo, energia e afeto genuíno por seus autores não têm paralelo. Katie Monaghan e Brian Belfiglio orquestraram uma fantástica campanha publicitária, garantindo que este livro acabasse nas mãos dos leitores. Agradeço também a Carla Benton e a sua equipe pelo magnífico trabalho de produção deste livro. David Lamb, você é um profissional como poucos; sua busca de excelência em todas as etapas do processo editorial fez toda a diferença. E, por fim, sou grata a Jaya Miceli pela bela capa do livro.

Um imenso obrigada à equipe da InkWell Management, em especial a Eliza Rothstein, Lindsey Blessing e Alexis Hurley. Vocês resolvem muitas coisas de forma magistral e com enorme profissionalismo.

Tal como os modelos de garra apresentados neste livro, contei com o apoio de professores dedicados e exigentes. Matthew Carr ensinou-me a escrever

GARRA

e a amar as palavras. Kay Merseth lembrou-me, em muitos momentos críticos, que cada um de nós é autor da própria biografia. Marty Seligman mostrou-me que a pergunta correta é pelo menos tão importante quanto a resposta correta. O falecido Chris Peterson me fez ver que o verdadeiro professor é aquele que coloca os estudantes em primeiro lugar. Sigal Barsade demonstrou para mim, de inúmeras maneiras, o que significa ser professor. Walter Mischel me mostrou que, em seu ápice, a ciência é uma arte. E Jim Heckman me ensinou que uma curiosidade genuína é a melhor companheira da verdadeira garra.

Sou profundamente grata às instituições e às pessoas que deram apoio à minha pesquisa: o National Institute on Aging, a Fundação Bill & Melinda Gates, a Fundação Pinkerton, a Fundação Robert Wood Johnson, a Fundação KIPP, a Fundação John Templeton, a Fundação Spencer, a Fundação Lone Pine, a Fundação Família Walton, a Fundação Família Richard King Mellon, a Fundação de Pesquisa da Universidade da Pensilvânia, a Acco Brands, o Michigan Retirement Research Center, a Universidade da Pensilvânia, Melvyn e Carolyn Miller, Ariel Kor e Amy Abrams.

Agradeço também à diretoria e à equipe do Character Lab, pois eles são o passado, o presente e, sem dúvida, o futuro de tudo o que faço.

Por fim, agradeço à minha família. Amanda e Lucy, foram a paciência, o bom humor e as histórias de vocês que tornaram este livro possível. Mãe e pai, vocês deram tudo a seus filhos, e nós os amamos por isso. Jason, você me faz ser uma pessoa melhor a cada dia. Este livro é para você.

LEITURAS RECOMENDADAS

Brooks, David. *The Road to Character*. Nova York: Random House, 2015.

Brown, Peter C., Henry L. Roediger III e Mark A. McDaniel. *Make It Stick: The Science of Successful Learning*. Cambridge, MA: Belknap Press, 2014.

Damon, William. *O que o jovem quer da vida?* São Paulo: Summus, 2009.

Deci, Edward L., com Richard Flaste. *Por que fazemos o que fazemos: entendendo a automotivação*. São Paulo: Negócio, 1998.

Duhigg, Charles. *O poder do hábito: Por que fazemos o que fazemos na vida e nos negócios*. Rio de Janeiro: Objetiva, 2012.

Dweck, Carol. *Por que algumas pessoas fazem sucesso e outras não: saiba como você pode ter êxito entendendo o código da sua mente*. Rio de Janeiro, Fontanar, 2008.

Emmons, Robert A. *Agradeça e seja feliz!: Como a ciência da gratidão pode mudar sua vida para melhor*. Rio de Janeiro: Best Seller, 2009.

Ericsson, Anders e Robert Pool. *Peak: Secrets from the New Science of Expertise*. Nova York: Houghton Mifflin Harcourt, 2016.

Heckman, James J., John Eric Humphries e Tim Kautz (orgs.). *The Myth of Achievement Tests: The GED and the Role of Character in American Life*. Chicago: University of Chicago Press, 2014.

Kaufman, Scott Barry e Carolyn Gregoire. *Wired to Create: Unraveling the Mysteries of the Creative Mind*. Nova York: Perigee, 2015.

Lewis, Sarah. *O poder do fracasso: como a capacidade de enfrentar adversidades e se superar é fundamental para o sucesso.* Rio de Janeiro: Sextante, 2015.

Matthews, Michael D. *Head Strong: How Psychology is Revolutionizing War.* Nova York: Oxford University Press, 2013.

McMahon, Darrin M. *Divine Fury: A History of Genius.* Nova York: Basic Books, 2013.

Mischel, Walter. *The Marshmallow Test: Mastering Self-Control.* Nova York: Little, Brown, 2014.

Oettingen, Gabriele. *Rethinking Positive Thinking: Inside the New Science of Motivation.* Nova York: Penguin Group, 2014.

Pink, Daniel H. *Motivação 3.0: Os novos fatores motivacionais que buscam tanto a realização pessoal e profissional.* Rio de Janeiro: Campus, 2010.

Renninger, K. Ann e Suzanne E. Hidi. *The Power of Interest for Motivation and Engagement.* Nova York: Routledge, 2015.

Seligman, Martin E. P. *Aprenda a ser otimista.* Rio de Janeiro: Nova Era, 2005.

Steinberg, Laurence. *Age of Opportunity: Lessons from the New Science of Adolescence.* Nova York: Houghton Mifflin Harcourt, 2014.

Tetlock, Philip E. e Dan Gardner. *Superforecasting: The Art and Science of Prediction.* Nova York: Crown, 2015.

Tough, Paul. *Uma questão de caráter: por que a curiosidade e a determinação podem ser mais importantes que a inteligência para uma educação de sucesso.* Rio de Janeiro: Intrínseca, 2014.

Willingham, Daniel T. *Why Don't Students Like School: A Cognitive Scientist Answers Questions About How the Mind Works and What It Means for the Classroom.* São Francisco: Jossey-Bass, 2009.

NOTAS

CAPÍTULO 1: SUPERAÇÃO

1 Para mais informações sobre West Point, inclusive sobre seu processo de admissão, ver www.usma.edu.

2 Dados fornecidos pela United States Military Academy.

3 "Information for New Cadets and Parents", United States Military Academy-West Point, 2015, www.usma.edu/parents/SiteAssets /Info-4-New-Cadets_Class-of-19.pdf.

4 Ibid.

5 Para mais opiniões de Jerry sobre previsão de resultados em West Point, ver Jerome Kagan, *An Argument for Mind* (New Haven, CT: Yale University Press, 2006), pp. 49-54.

6 Para mais informações sobre o Escore Integral do Candidato e sua história, ver Lawrence M. Hanser e Mustafa Oguz, *United States Service Academy Admissions: Selecting for Success at the Military Academy/West Point and as an Officer* (Santa Monica, CA: RAND Corporation, 2015).

7 Angela L. Duckworth, Christopher Peterson, Michael D. Matthews e Dennis R. Kelly, "Grit: Perseverance and Passion for Long-term Goals", *Journal of Personality and Social Psychology* 92 (2007): pp. 1087-1101.

8 Michael D. Matthews, *Head Strong: How Psychology Is Revolutionizing War* (Nova York: Oxford University Press, 2014), p. 16.

9 Mike Matthews, professor de engenharia na U.S. Military Academy at West Point, em conversa com a autora, 25 de maio de 2015.

10 Hanser e Oguz, *Selecting for Success*.

11 Duckworth et al., "Grit".

12 Lauren Eskreis-Winkler, Elizabeth P. Shulman, Scott A. Beal e Angela L. Duckworth, "The Grit Effect: Predicting Retention in the Military, the Workplace, School and Marriage", *Frontiers in Psychology* 5 (2014): pp. 1-12.

13 Duckworth, et al., "Grit".

14 Para mais informações sobre índices de abandono de cursos superiores nos Estados Unidos, ver "Institutional Retention and Graduation Rates for Undergraduate Students", Na-

GARRA

tional Center for Education Statistics, atualizado em maio de 2015, http://nces.ed.gov/ programs/coe/indicator_cva.asp.

15 Dick Couch, *Chosen Soldier: The Making of a Special Forces Warrior* (Nova York: Three Rivers Press, 2007), p. 108.

16 Eskreis-Winkler et al., "The Grit Effect".

17 Ibid. Cumpre notar que as associações bivariadas entre garra e resultados também foram significativas em todos os casos.

18 Duckworth et al., "Grit".

19 Ibid. Ver também Kennon M. Sheldon, Paul E. Jose, Todd B. Kashdan e Aaron Jarden, "Personality, Effective Goal-Striving, and Enhanced Well-Being: Comparing 10 Candidate Personality Strengths", *Personality and Social Psychology Bulletin* 1 (2015), pp. 1-11. Nesse estudo longitudinal de um ano, a garra apareceu como um previsor de consecução de metas mais confiável do que qualquer outro traço mensurado de personalidade. Meus colegas Phil Tetlock e Barbara Mellers também concluíram num estudo longitudinal por eles realizado que as pessoas que preveem o futuro com notável exatidão são bem mais garra do que outras: "O mais forte previsor de ascensão às fileiras dos superprevisores é o beta perpétuo, o grau em que uma pessoa se dedica à atualização das convicções e à melhoria pessoal. É um previsor quase três vezes mais poderoso do que seu rival mais próximo, a inteligência." Ver Philip E. Tetlock e Dan Gardner, *Superforecasting: The Art and Science of Prediction* (Nova York: Crown, 2015), p. 192.

CAPÍTULO 2: ENGANADA PELO TALENTO

1 A escola em que lecionei foi criada por Daniel Oscar, um dos fundadores da organização Teach For America; em minha opinião, o melhor professor na escola se chamava Neil Dorosin. Tanto Daniel quanto Neil ainda estão na vanguarda da reforma educacional.

2 David Luong, em entrevista com a autora, 8 de maio de 2015.

3 Karl Pearson, *The Life, Letters and Labours of Francis Galton*, v. 1 (Cambridge, RU: Cambridge University Press, 1930), p. 66.

4 Francis Galton, *Hereditary Genius* (Londres: Macmillan, 1869), p. 38. É importante destacar que o fascínio de Galton pela hereditariedade estava equivocado. Embora suas conclusões sobre a importância da dedicação, do trabalho árduo e da aptidão tenham sido confirmadas por pesquisas modernas, o mesmo não aconteceu em relação a suas conclusões errôneas a respeito da hereditariedade.

5 Charles Darwin, carta a Francis Galton, 23 de dezembro de 1869. Frederick Burkhardt et al., ed., *The Correspondence of Charles Darwin*, v. 17, 1869 (Cambridge, Reino Unido: Cambridge University Press, 2009), p. 530.

6 Ver Leonard Mlodinow, *The Upright Thinkers: The Human Journey from Living in Trees to Understanding the Cosmos* (Nova York: Pantheon Books, 2015), p. 195. Catharine Morris Cox, "The Early Mental Traits of Three Hundred Geniuses", *in Genetic Studies of Genius*, v. 2, Lewis M. Terman, org. (Stanford, CA: Stanford University Press, 1926), p. 399.

7 Charles Darwin, *The Autobiography of Charles Darwin* (London: Collins Clear-Type Press, 1958), pp. 140-41.

8 Adam S. Wilkins, "Charles Darwin: Genius or Plodder?" *Genetics* 183 (2009): pp. 773-77.

9 William James, "The Energies of Men," *Science* 25 (1907): pp. 321-32.

NOTAS

10 É claro que os talentos são plurais. Os leitores interessados devem ver Howard Gardner, *Frames of Mind: The Theory of Multiple Intelligences* (Nova York: Basic Books, 1983). Também Ellen Winner, *Gifted Children: Myths and Realities* (Nova York: Basic Books, 1996). Robert J. Sternberg e James C. Kaufman, "Human Abilities", *Annual Review of Psychology* 49 (1998): pp. 479-502.

11 Survey of America's Inner Financial Life, *Worth Magazine*, novembro de 1993.

12 "CBS News Poll: Does Practice Make Perfect in Sports?," site da CBS News, 6 de abril de 2014, www.cbsnews.com/news/cbs-news -poll-does-practice-make-perfect-in-sports.

13 The *60 Minutes/Vanity Fair* Poll, *Vanity Fair*, janeiro de 2010.

14 Chia-Jung Tsay e Mahzarin R. Banaji, "Naturals and Strivers: Preferences and Beliefs About Sources of Achievement," *Journal of Experimental Social Psychology* 47 (2011): pp. 460-65.

15 Chia-Jung Tsay, "Privileging Naturals Over Strivers: The Costs of the Naturalness Bias", *Personality and Social Psychology Bulletin* (2015).

16 Ibid.

17 "Juilliard Pre-College", The Juilliard School, acessado em 10 de agosto de 2015, http:// www.juilliard.edu/youth-adult-programs /juilliard-pre-college.

18 Robert Rosenthal, "Pygmalion Effect", *in The Corsini Encyclopedia of Psychology*, Irving B. Weiner e W. Edward Craighead, orgs. (Hoboken, NJ: John Wiley & Sons, Inc., 2010), pp. 398-99.

19 Chia-Jung Tsay, professora assistente da University College London School of Management, em entrevista com a autora, 8 de abril de 2015.

20 Elizabeth Chambers et al., "The War for Talent", *McKinsey Quarterly* 3 (1998): pp. 44-57.

21 Ed Michaels, Helen Handfield-Jone e Beth Axelrod, *The War for Talent* (Boston: Harvard Business School Press, 2001).

22 Ibid., p. xii.

23 John Huey, "How McKinsey Does It," *Fortune*, novembro de 1993: pp. 56-81.

24 Ibid., 56.

25 Duff McDonald, "McKinsey's Dirty War: Bogus 'War for Talent' Was Self-Serving (and Failed)," *New York Observer*, 5 de novembro de 2013.

26 Malcolm Gladwell, "The Talent Myth", *New Yorker*, 22 de julho de 2002.

27 Clinton Free, Norman Macintosh e Mitchell Stein, "Management Controls: The Organizational Fraud Triangle of Leadership, Culture, and Control in Enron", *Ivey Business Journal*, julho de 2007, http://iveybusinessjournal.com/publication/management-controls-the-organi zational-fraud-triangle-of-leadership-culture-and-control-in-enron/.

28 Ibid.

29 Scott Barry Kaufman, diretor do Imagination Institute, em entrevista com a autora, 3 de maio de 2015. Ver também www.scottbarrykaufman.com.

30 Scott Barry Kaufman, "From Evaluation to Inspiration: Scott Barry Kaufman at TEDxManhattanBeach", vídeo no YouTube, postado em 6 de janeiro de 2014, https://youtu.be/HQ6fW_GDEpA.

31 Ibid.

32 Kaufman, entrevista.

33 Conheço duas outras pessoas cujos testes de aptidão não prognosticaram bem o que viriam a realizar. A primeira é Darrin McMahon, eminente historiador do Dartmouth College. No

livro de Darrin, *Divine Fury: A History of Genius* (Nova York: Basic Books, 2013), ele observa que o gênio induz a ambivalência. Por um lado, a ideia de que algumas pessoas situam-se acima das demais, devido a dons concedidos por Deus, exerce uma atração eterna. Por outro lado, a ideia de igualdade nos é grata, pois gostamos de pensar que todos temos as mesmas chances de vencer na vida. Numa conversa recente sobre essa questão, Darrin me disse: "O que estamos vendo hoje em dia é a democratização do gênio. Uma parte de nós deseja acreditar que todo mundo pode ser gênio." Nunca fui uma boa estudante de história, e às vezes fui péssima. Por isso fiquei mais que um pouco surpresa ao ver que não conseguia parar de ler o livro de Darrin. Era muito bem escrito. A pesquisa meticulosa e a argumentação judiciosa não serviam de obstáculo à narração de uma história. E no finzinho do livro, na p. 243, cheguei aos agradecimentos: "Sem dúvida fui vítima de muitas ilusões na vida — e sem dúvida ainda sou vitimado por muitas. Mas ser genial não é uma delas." Em seguida Darrin conta, com humor e carinho, que quando era adolescente seus pais cuidavam para que o filho "nunca crescesse mais do que as calças". E, melhor ainda, ele se lembra de quando fez um teste para o programa de estudos avançados na escola. Havia "figuras e imagens, essa coisa toda", mas a única coisa de que ele se lembra com certeza é "não passei". Darrin se lembra de ver colegas seus "sair da sala, a cada semana, a fim de ter aulas especiais para alunos superdotados". E a seguir ele pensa se ser rotulado como estudante apenas mediante foi, no fim das contas, uma bênção ou uma maldição: "Já em tenra idade, foi-me dito, com toda a objetividade da ciência, que eu não tinha dons especiais. Eu poderia ter simplesmente jogado a toalha ali mesmo, mas sou um sujeito teimoso e passei muitos anos contestando o veredito, me esforçando para provar a mim mesmo e aos outros, droga, que eu não tinha sido desfeiteado ao nascer." Também Michael Lomax não era facilmente identificado como qualquer espécie de prodígio. No entanto, ele tem um currículo brilhante: é presidente e CEO do United Negro College Fund, cargo que exerce há mais de uma década. Antes disso, Lomax foi presidente da Universidade Dillard. Lecionou inglês na Universidade Emory, no Spelman College e no Morehouse College, além de ter se candidatado duas vezes a prefeito de Atlanta. "Francamente, nunca foi visto como um aluno muito adiantado", disse-se Michael há pouco tempo. Ainda assim, quando ele tinha dezesseis anos sua mãe escreveu uma carta ao Morehouse College, perguntando se o filho poderia ser matriculado em sua escola preparatória para a universidade. "Só que, é claro, não havia esse tipo de curso no Morehouse!", diverte-se Michael. Com base nas notas excelentes de Michael, o presidente do Morehouse decidiu aceitá-lo como calouro na faculdade. "Comecei a estudar ali. Odiei o lugar. Queria ir embora. Eu era o primeiro aluno da classe, mas queria ser transferido. Meti na cabeça que eu me daria melhor no Williams College, de modo que requeri minha matrícula nele. Eu tinha cumprido todos os requisitos, e eles já estavam para me aceitar quando o diretor de admissões disse: 'Ah, a propósito, precisamos de seus resultados no SAT.'" Como ele tinha sido matriculado no Morehouse sem um requerimento formal, Michael não tinha feito o exame do SAT. "Aquele exame vital para mim. Eu o fiz. E não me saí bem. O Williams College não me aceitou." Por isso Michael permaneceu no Morehouse, formando-se em inglês com honras, como membro da fraternidade Phi Beta Kappa. Mais tarde, fez seu mestrado em inglês na Universidade Columbia e doutorou-se em literatura americana e afroamericana na Universidade Emory. Já aos 68 anos, Michael me disse: "Com a idade que tenho hoje,

NOTAS

considero o caráter mais importante que o gênio. Conheço toda espécie de pessoas muito talentosas que desperdiçam seus talentos ou que se sentem insatisfeitas e infelizes porque acham que o talento basta. Na verdade, não basta nem de longe. O que eu digo a meus filhos, que tento passar a meus netos ou a qualquer pessoa que eu tenha chance de ajudar é o seguinte: o importante é o suor, é o trabalho árduo, é a persistência, é a garra. É se levantar e sacudir a poeira. É só isso." Por prever críticas violentas a este trecho sobre programas para estudantes superdotados e talentosos, quero dizer o seguinte: sou de corpo e alma a favor de dar aos jovens todo o estímulo intelectual que eles possam administrar. Ao mesmo tempo, insisto em que esses programas sejam franqueados a todos os jovens que possam ser beneficiados por eles. Há trinta anos, Benjamin Bloom se expressou melhor: "Passamos a acreditar, neste país, que podemos prever quem será um grande músico por meio de testes de aptidão musical ou quem há de ser um grande matemático mediante testes de aptidão para a matemática. Proceder assim equivale a ungir certas pessoas e excluir outras cedo demais. [...] Todas as crianças devem ter oportunidades de explorar os campos pelos quais possam se interessar." Ronald S. Brandt, "On Talent Development: A Conversation with Benjamin Bloom", *Educational Leadership* 43 (1985): pp. 33-35.

CAPÍTULO 3: O ESFORÇO CONTA EM DOBRO

1 Daniel F. Chambliss, "The Mundanity of Excellence: An Ethnographic Report on Stratification and Olympic Swimmers", *Sociological Theory* 7 (1989): pp. 70-86.

2 Ibid., 81.

3 Ibid., 86.

4 Ibid., 78.

5 Ibid, 78.

6 Ibid., 79.

7 Daniel F. Chambliss, professor de sociologia no Hamilton College, em entrevista com a autora, 2 de junho de 2015.

8 Esta é uma tradução livre, Friedrich Nietzsche, *Menschliches, Allzumenschliches: Ein Buch für Freie Geister* (Leipzig: Alfred Kröner Verlag, 1925), p. 135.

9 Friedrich Nietzsche, *Human, All Too Human: A Book for Free Spirits*, trad. de R. J. Hollingdale (Cambridge, RU: Cambridge University Press, 1986), 80. 39

10 Ibid., 86.

11 Ibid.

12 Ibid.

13 Ibid.

14 Marty Seligman defende a psicologia positiva em sua alocução à Associação Psicológica Americana, publicada em *American Psychologist* 54 (1999): pp. 559-62.

15 A palavra *talento* é usada em sentidos diferentes por diferentes pessoas, mas creio que a definição mais intuitiva é a que dou aqui. Para comprovações de que as pessoas diferem na rapidez com que adquirem qualificações, ver Paul B. Baltes e Reinhold Kliegl, "Further Testing of Limits of Cognitive Plasticity: Negative Age Differences in a Mnemonic Skill Are Robust", *Developmental Psychology* 28 (1992): pp. 121-25. Ver também Tom Stafford e Michael Dewar, "Tracing the Trajectory of Skill Learning with a Very Large Sample of Online Game Players", *Psychological Science*, 25 (2014), pp. 511-18. Por fim, ver o

GARRA

trabalho de David Hambrick e colegas sobre os fatores, além da prática, que provavelmente afetam a aquisição de qualificações; por exemplo, ver Brooke N. MacNamara, David Z. Hambrick e Frederick L. Oswald, "Deliberate Practice and Performance in Music, Games, Sports, Education, and Professions: A Meta-Analysis", *Psychological Science* 25 (2014): pp. 1608-18. Uma crítica dessa meta-análise pelo psicólogo Anders Ericsson, cujo trabalho analisamos no capítulo 7, foi postada em sua página na internet: https://psy.fsu.edu/faculty/ericsson/ericsson.hp.html.

16 "Oral History Interview with Warren MacKenzie, 29 de outubro de 2002," Archives of American Art, Smithsonian Institution, www.aaa.si.edu/collections/interviews/oral-history-interview-warren-mackenzie-12417.

17 Ibid.

18 Warren MacKenzie, ceramista, em entrevista com a autora, 16 de junho de 2015.

19 Warren MacKenzie, Artist's Statement, Schaller Gallery, https://www.schallergallery.com/artists/macwa/pdf/MacKenzie-Warren-statement.pdf.

20 "Oral History", Archives of American Art.

21 Ibid.

22 Alex Lauer, "Living with Pottery: Warren MacKenzie at 90", blog do Walker Art Center, 16 de fevereiro de 2014, http://blogs.walkerart.org/visualarts/2014/02/16/living-with-pottery--warren-mackenzie-at-90.

23 John Irving, *The World According to Garp* (Nova York: Ballantine, 1978), p. 127.

24 Peter Matthiessen, citgazdo em "Life & Times: John Irving", *New York Times*, http://www.nytimes.com/books/97/06/15/lifetimes/irving.html.

25 Irving, *Garp,* 127.

26 John Irving, *The Imaginary Girlfriend: A Memoir* (Nova York: Ballantine, 1996), p. 10.

27 Sally Shaywitz, *Overcoming Dyslexia: A New and Complete Science-based Program for Reading Problems at Any Level* (Nova York: Alfred A. Knopf, 2003), pp. 345-50.

28 Ibid., 346.

29 Irving, *Imaginary Girlfriend*, p. 9.

30 Shaywitz, *Overcoming Dyslexia*, p. 346.

31 Ibid., p. 347.

32 Ibid.

33 John Irving, "Author Q&A', Random House Online Catalogue, 2002.

34 Shaywitz, *Overcoming Dyslexia*, p. 347.

35 *60 Minutes*, CBS, 2 de dezembro de 2007, http://www.cbsnews.com/news/will-smith-my--work-ethic-is-sickening. A letra de um dos raps de Will Smith diz: "Se você disser que vai correr cinco quilômetros, mas só correr três, nunca não vou ter medo de perder alguma coisa para você." Ver "Will Smith Interview: Will Power', *Reader's Digest*, dezembro de 2006.

36 Tavis Smiley, PBS, 12 de dezembro de 2007.

37 Clark W. Heath, *What People Are: A Study of Normal Young Men* (Cambridge, MA: Harvard University Press, 1945), p. 7.

38 Katharine A. Phillips, George E. Vaillan e Paula Schnurr, "Some Physiologic Antecedents of Adult Mental Health", *The American Journal of Psychiatry* 144 (1987): pp. 1009-13.

39 Heath, *Normal Young Men*, p. 75.

NOTAS

40 Ibid., p. 74.
41 Phillips, Vaillant e Schnurr, "Some Physiologic Antecedents", p. 1012.
42 George Vaillant, professor da Harvard Medical School e ex-diretor do Grant Study, em entrevista com a autora, 8 de abril de 2015.
43 William Safire, "On Language; The Elision Fields", *New York Times*, 13 de agosto de 1989.
44 Ibid.
45 *Consumer Reports*, "Home Exercise Machines", agosto de 2011.
46 *Today*, NBC, 23 de junho de 2008.

CAPÍTULO 4: ATÉ ONDE VAI SUA GARRA?

1 A Escala de Garra de doze quesitos, que deu origem a esta versão com dez quesitos, foi publicada em Duckworth et al., "Grit". A correlação entre essas duas versões da escala é *r* = 0,99. Cabe notar, como visto no capítulo 9, que revisei o quesito 2, acrescentando "Não desisto com facilidade" a "Reveses não me desanimam."
2 Os dados referentes a essas normas vêm de Duckworth et al., "Grit" Study 1. Cabe observar que há limitações numerosas em qualquer mensuração, inclusive questionários como a Escala de Garra. Para uma análise detida, ver Angela L. Duckworth e David S. Yeager, "Measurement Matters: Assessing Personal Qualities Other Than Cognitive Ability for Educational Purposes", *Educational Researcher* 44 (2015): pp. 237-51.
3 Jeffrey Gettleman, chefe do escritório do *New York Times* na África oriental, em entrevista com a autora, 22 de maio de 2015.
4 Abigail Warren, "Gettleman Shares Anecdotes, Offers Advice", *Cornell Chronicle*, 2 de março de 2015, http://www.news.cornell.edu/stories/2015/03/gettleman-shares-anecdotes-offers-advice.
5 Gettleman, entrevista.
6 Max Schindler, "New York Times Reporter Jeffrey Gettleman '94 Chronicles His Time in Africas", *Cornell Daily Sun*, 6 de abril de 2011.
7 Gettleman, entrevista.
8 Pete Carroll, treinador dos Seattle Seahawks, em entrevista com a autora, 2 de junho de 2015.
9 Para mais informações sobre a perspectiva de Pete, ver Pete Carroll, *Win Forever: Live, Work, and Play Like a Champion* (Nova York: Penguin, 2010). Algumas citações deste trecho e, depois, no livro, são de entrevistas com a autora entre 2014 e 2015. Outras vêm do livro de Pete ou de palestras públicas feitas por ele.
10 Carroll, *Win Forever*, p. 73.
11 Ibid., 78.
12 Os dados sobre a estrutura hierárquica das metas, constantes deste capítulo, vêm de Angela Duckworth e James J. Gross, "Self-control and Grit: Related but Separable Determinants of Success". *Current Directions in Psychological Science* 23 (2014): pp. 319-25. Com relação a generalidades sobre hierarquias de metas, ver Arie W. Kruglanski et al., "A Theory of Goal Systems", *in Advances in Experimental Social Psychology* 34 (2002): pp. 331-78. Por fim, para uma revisão da teoria da definição de metas, ver Edwin A. Locke e Gary P. Latham, "Building a Practically Useful Theory of Goal Setting and Task Motivation: A 35-Year Odyssey", *American Psychologist* 57 (2002): pp. 705-17.

GARRA

13 Robert A. Emmons, *The Psychology of Ultimate Concerns: Motivation and Spirituality in Personality* (Nova York: Guildford Press, 1999).

14 Ira Berkow, "Sports of the Times; Farewell, Sweet Pitcher", *New York Times*, 23 de junho de 1987.

15 Pat Jordan, "Tom Terrific and His Mystic Talent", *Sports Illustrated*, 24 de julho de 1972, http://www.si.com/vault/1972/07 /24/612578/tom-terrific-and-his-mystic-talent.

16 Ibid.

17 Ibid.

18 Gabriele Oettingen, "Future Thought and Behaviour Change", *European Review of Social Psychology* 23 (2012): pp. 1-63. Para uma excelente síntese e sugestões práticas sobre planejamento e definição de metas, ver Gabriele Oettingen, *Rethinking Positive Thinking: Inside the New Science of Motivation* (Nova York: Penguin, 2014).

19 James Clear, "Warren Buffett's 'Two List' Strategy: How to Maximize Your Focus and Master Your Priorities", *Huffington Post*, postado originalmente em 24 de outubro de 2014, atualizado em 24 de dezembro de 2014, http://www.huffingtonpost.com/james--clear/warren-buffetts-two-list-strategy-how-to-maximize-your-focus-_b_6041584.html.

20 Num estudo, por exemplo, adultos jovens registraram suas metas de nível alto, médio e baixo; durante as duas semanas seguintes, informaram suas frustrações diárias. As pessoas cujas metas demonstravam uma estrutura hierárquica mais organizada mostraram posteriormente maior resiliência às frustrações diárias. Sobretudo, confrontadas com experiências frustrantes, mantiveram a convicção de que continuavam a controlar a consecução de suas metas. Num estudo associado, uma estrutura mais hierárquica de metas previu menos raiva e aborrecimentos causados pelas frustrações diárias ao longo de duas semanas. Ver Michael D. Robinson e Sara K. Moeller, "Frustrated, but Not Flustered: The Benefits of Hierarchical Approach Motivation to Weathering Daily Frustrations", *Motivation and Emotion* 38 (2014): pp. 547-59.

21 Michael Martel, *Improvise, Adapt, Overcome: Achieve the Green Beret Way* (Seattle: Amazon Digital Services, Inc., 2012).

22 Robert Mankoff, *How About Never—Is Never Good for You?: My Life in Cartoons* (Nova York: Henry Holt and Company, 2014), p. 34.

23 Syd Hoff, *Learning to Cartoon* (Nova York: Stravon Educational Press, 1966), p. vii.

24 Mankoff, *How About Never*, p. 38.

25 Bob Mankoff, editor de cartuns da *New Yorker*, em entrevista com a autora, 10 de fevereiro de 2015.

26 Mankoff, entrevista.

27 Mankoff, *How About Never*, p. 44.

28 Ibid., p. 46.

29 Mankoff, entrevista.

30 Ibid.

31 Mankoff, *How About Never*, p. 114.

32 Cox, "Early Mental Traits".

33 Ibid., p. 181. Apresentados aqui em ordem alfabética (último nome).

34 Ibid., p. 187.

NOTAS

CAPÍTULO 5: O CRESCIMENTO DA GARRA

1   Uma pesquisa realizada pelo psicólogo Steve Heine mostrou que se uma pessoa considera alguma coisa como genética, ela a vê como "natural" e, portanto, do jeito que as coisas "deveriam ser". Por exemplo, se você disser a um obeso que a obesidade tem um fundamento genético, ele diminui seus esforços dietéticos. Ver Ilan Dar-Nimrod e Steven J. Heine, "Genetic Essentialism: On the Deceptive Determinism of DNA", *Psychological Bulletin* 137 (2011): pp. 800-18. Talvez as pessoas não tivessem essa reação se entendessem melhor que a interação entre os genes e o ambiente é complexa e dinâmica. O leitor interessado poderá apreciar bastante o trabalho de Elliot Tucker-Drob sobre essa questão. Ver, por exemplo, Daniel A. Briley e Elliot M. Tucker-Drob, "Comparing the Developmental Genetics of Cognition and Personality Over the Life Span", *Journal of Personality* (2015): pp. 1-14.

2   Timothy J. Hatton e Bernice E. Bray, "Long Run Trends in the Heights of European Men, 19th-20th Centuries", *Economics and Human Biology* 8 (2010): pp. 405-13.

3   Alison Moody, "Adult Anthropometric Measures, Overweight and Obesity", *in Health Survey for England 2013*, Rachel Craig e Jennifer Mindell, orgs. (Londres: Health and Social Care Information Centre, 2014).

4   Hatton, "Long Run Trends." Yvonne Schonbeck et al., "The World's Tallest Nation Has Stopped Growing Taller: The Height of Dutch Children from 1955 to 2009", *Pediatric Research* 73 (2013): pp. 371-77.

5   Ver Eric Turkheimer, Erik Pettersson e Erin E. Horn, "A Phenotypic Null Hypothesis for the Genetics of Personality", *Annual Review of Psychology* 65 (2014): pp. 515-40.

6   Richard E. Nisbett et al., "Intelligence: New Findings and Theoretical Developments", *American Psychologist* 67 (2012): pp. 130-59. 139 enjoying the great outdoors: Niels G. Waller, David T. Lykken e Auke Tellegen, "Occupational Interests, Leisure Time Interests, and Personality: Three Domains or One? Findings from the Minnesota Twin Registry", *Assessing Individual Differences in Human Behavior: New Concepts, Methods, and Findings*, David John Lubinski e René V. Dawis, orgs. (Palo Alto, CA: Davies-Black Publishing, 1995): pp. 233-59.

7   Fiona M. Breen, Robert Plomin e Jane Wardle, "Heritability of Food Preferences in Young Children," *Physiology & Behavior* 88 (2006): pp. 443-47.

8   Gary E. Swan et al., "Smoking and Alcohol Consumption in Adult Male Twins: Genetic Heritability and Shared Environmental Influences", *Journal of Substance Abuse* 2 (1990): pp. 39-50.

9   Paul Lichtenstein et al. "Environmental and Heritable Factors in the Causation of Cancer—Analyses of Cohorts of Twins from Sweden, Denmark, and Finland", *New England Journal of Medicine* 343 (2000): pp. 78-85.

10 Elizabeth Theusch e Jane Gitschier, "Absolute Pitch Twin Study and Segregation Analysis", *Twin Research and Human Genetics* 14 (2011): pp. 173-78.

11 Lisa M. Guth e Stephen M. Roth, "Genetic Influence and Athletic Performance," *Current Opinion in Pediatrics* 25 (2013): pp. 653-58.

12 Bonamy Oliver et al., "A Twin Study of Teacher- Reported Mathematics Performance and Low Performance in 7-Year-Olds". *Journal of Educational Psychology* 96 (2004): pp. 504-17.

13 Chambliss, entrevista.

GARRA

14 Chambliss, entrevista. A enorme importância da qualidade dos mestres na trajetória de pessoas que lograram êxito acadêmico é documentada em Eric A. Hanushek, "Valuing Teachers: How Much Is a Good Teacher Worth?" *Education Next* 11 (2011), pp. 40-45.

15 Comunicação pessoal com Robert Plomin, 21 de junho de 2015. Para uma resenha da hereditariedade dos traços de personalidade, ver Turkheimer, Pettersson e Horn, "Phenotypic Null Hypothesis". Vale observar que existem estudos de genética do comportamento que não se baseiam em gêmeos idênticos e também que a hereditariedade é um tema complexo demais para ser resumido aqui. Há, em particular, interações entre diferentes genes, entre genes e o ambiente e também efeitos epigenéticos. Por outro lado, prossegue o debate a respeito da proporção da influência ambiental que pode ser atribuída aos pais. É difícil separar os efeitos da criação pelos pais e os efeitos da herança genética. A causa principal disso é a impossibilidade de se fazer aleatoriamente com que crianças sejam criadas por outros pais. Entretanto, pode-se fazer isso com filhotes de ratos e suas mães. Pode-se, por exemplo, pôr aleatoriamente filhotes de ratos para crescerem com mães muito cuidadosas ou muito negligentes. Foi exatamente isso que fez o neurobiólogo Michael Meaney, descobrindo que as ratas cuidadosas — que lambem, limpam e aleitam os filhotes mais do que a média — criam filhotes que mostram menos estresse ao lidar com situações difíceis. Esses efeitos perduram até a vida adulta, e, na verdade, as fêmeas geradas por mães que as lambem pouco, mas que dentro de 24 horas após o nascimento são transferidas para ratas que as lambem muito, se mostram elas próprias, quando adultas, mães que lambem muito. Ver Darlene Francis, Josie Diorio, Dong Liu e Michael J. Meaney, "Nongenomic Transmission Across Generations of Maternal Behavior and Stress Responses in the Rat", *Science* 286 (1999): pp. 1155-58.

16 Christopher F. Chabris et al., "The Fourth Law of Behavioral Genetics", *Current Directions in Psychological Science* 24 (2015): pp. 304-12.

17 Andrew R. Wood et al., "Defining the Role of Common Variation in the Genomic and Biological Architecture of Adult Human Height", *Nature Genetics* 46 (2014): pp. 1173-86.

18 "A Brief Guide to Genomics", National Human Genome Research Institute, modificado em 27 de agosto de 2015, http://www.genome.gov/18016863.

19 Os testes são agora publicados por Pearson's Clinical Assessment.

20 As informações sobre o efeito Flynn provêm de comunicações pessoais com James Flynn entre 2006 e 2015. Para maiores informações sobre o efeito Flynn, ver James R. Flynn, *Are We Getting Smarter?: Rising IQ in the Twenty-First Century* (Cambridge, RU: Cambridge University Press, 2012). Ver também Jakob Pietschnig e Martin Voracek, "One Century of Global IQ Gains: A Formal Meta-Analysis of the Flynn Effect (1909-2013)", *Perspectives on Psychological Science* 10 (2015): pp. 282-306. Essa análise de 271 amostras independentes, totalizando quase quatro milhões de pessoas de 31 países, produziu algumas conclusões cruciais: os ganhos em QI ocorreram em toda parte e foram positivos no século passado; os ganhos variaram em grandeza de acordo com a área da inteligência; os ganhos foram menos acentuados nos últimos anos; e, finalmente, as causas possíveis incluem, além de efeitos multiplicadores sociais, mudanças na educação, na nutrição, na higiene, na assistência médica e nos avanços ocorridos nos próprios testes.

21 William T. Dickens e James R. Flynn, "Heritability Estimates Versus Large Environmental Effects: The IQ Paradox Resolved", *Psychological Review* 108 (2001): pp. 346-69.

22 Esses dados foram apresentados originalmente em Duckworth, et al., "Grit", 1092.

NOTAS

23 Avshalom Caspi, Brent W. Roberts e Rebecca L. Shiner, "Personality Development: Stability and Change", *Annual Review of Psychology* 56 (2005): pp. 453-84.
24 Ibid., 468.
25 Shaywitz, *Overcoming Dyslexia*, p. 347.
26 Bernie Noe, diretor da escola, Lakeside School, Seattle, em entrevista com a autora, 29 de julho de 2015.
27 Ken M. Sheldon, "Becoming Oneself: The Central Role of Self-Concordant Goal Selection", *Personality and Social Psychology Review* 18 (2014): pp. 349-65. Ver o trabalho do psicólogo Ken Sheldon sobre o prazer e a importância dos dois componentes do que ele chama de metas de motivação autônoma. Ken observa que todos nós temos responsabilidades que assumimos por obrigação ou necessidade. Entretanto, por mais que julguemos que nos importamos com essas metas de motivação externa, o atendimento delas raramente nos deixa realizados da mesma forma como ocorre no caso de metas interessantes e intencionais. Muitas pessoas nos estudos de Ken têm alto nível de educação e ocupam nichos bastante confortáveis na classe média alta, porém carecem gravemente de metas autonomamente motivadas. Dizem a Ken que se sentem como passageiros em suas próprias vidas. Acompanhando essas pessoas ao longo do tempo, Ken descobriu que elas têm menos probabilidade de alcançar as próprias metas. Mesmo quando as alcançam, obtêm menos satisfação com isso. Recentemente, coletei dados referentes a adultos com idade entre 25 e 75 anos, constatando que a medida de motivação autônoma feita por Ken correlaciona-se positivamente com a garra.

CAPÍTULO 6: INTERESSE

1 Indiana University, "Will Shortz's 2008 Commencement Address", CSPAN, http://www.c-span.org/video/?205168-1/indiana-university-commencement-address.
2 Princeton University, "Jeff Bezos' 2010 Baccalaureate Remarks", TED, https://www.ted.com/talks/jeff_bezos_gifts_vs_choices.
3 Taylor Soper, "Advice from Amazon Founder Jeff Bezos: Be Proud of Your Choices, Not Your Gifts", *GeekWire*, 13 de outubro de 2013, http://www.geekwire.com/2013/advice--amazon-founder-jeff -bezos-proud-choices-gifts.
4 Hester Lacey, "The Inventory", publicado semanalmente no *Financial Times*.
5 Hester Lacey, jornalista do *Financial Times,* em entrevista concedida à autora em 2 de junho de 2015.
6 Mark Allen Morris, "A Meta-Analytic Investigation of Vocational Interest-Based Job Fit e Its Relationship to Job Satisfaction, Performance e Turnover" (dissertação de doutorado, Universidade de Houston, 2003).
7 Rong Su, Louis Tay e Qi Zhang, "Interest Fit and Life Satisfaction: A Cross-Cultural Study in Ten Countries" (manuscrito em preparação).
8 Christopher D. Nye, Rong Su, James Rounds e Fritz Drasgow, "Vocational Interests and Performance: A Quantitative Summary of over 60 Years of Research", *Perspectives on Psychological Science* 7, 2012, p. 384-403.
9 Ver Cal Newport, *So Good They Can't Ignore You: Why Skills Trump Passion in the Quest for Work You Love* (Nova York: Hachette Book Group, 2012). Cal indica que tornar-se muito bom em alguma coisa e tornar-se importante para os outros vem antes de identificar aquilo que se faz como paixão.

GARRA

10 William James, *Talks to Teachers on Psychology; and to Students on Some of Life's Ideals* (Nova York: Henry Holt and Company, 1916), p. 114.

11 Gallup, *State of the Global Workplace: Employee Engagement Insights for Business Leaders Worldwide* (Washington, DC: Gallup, Inc., 2013).

12 *Julie & Julia*, dir. Nora Ephron, Columbia Pictures, 2009.

13 Marilyn Mellowes, "About Julia Child", PBS, 15 de junho de 2005, http://www.pbs.org/wnet/americanmasters/julia-child-about-julia-child/555.

14 Rowdy Gaines, medalhista olímpico de natação, em entrevista concedida à autora em 15 de junho de 2015.

15 Marc Vetri, chef, em entrevista concedida à autora em 2 de fevereiro de 2015.

16 Julia Child e Alex Prud'homme, *My Life in France* (Nova York: Alfred A. Knopf, 2006).

17 Ibid., p. 3.

18 Mellowes, "About Julia Child".

19 "Fleeting Interest in Everything, No Career Direction", Reddit, acessado em 17 de junho de 2015, https://www.reddit.com/r/jobs/comments/1asw10/fleeting_interest_in_everything_no_career.

20 Barry Schwartz, professor de Teoria Social e Ação Aocial, titular da cátedra Dorwin Cartwright no Swarthmore College, em entrevista concedida à autora em 27 de janeiro de 2015.

21 Douglas K. S. Low, Mijung Yoon, Brent W. Roberts e James Rounds, "The Stability of Vocational Interests from Early Adolescence to Middle Adulthood: A Quantitative Review of Longitudinal Studies", *Psychological Bulletin* 131, 2005, p. 713-37.

22 Grande parte do conteúdo deste capítulo sobre o desenvolvimento do interesse originou-se de uma entrevista feita pela autora com Ann Renninger e Eugene M. Lang, professor de Estudos Educacionais no Swarthmore College, em 13 de julho de 2015. Para uma leitura mais aprofundada, o leitor interessado deve consultar K. Ann Renninger e Suzanne Hidi, *The Power of Interest for Motivation and Engagement* (Londres: Routledge, 2015).

23 Rob Walker, "25 Entrepreneurs We Love: Jeff Bezos, Amazon.com", revista *Inc.*, abril de 2004, p. 150.

24 Mike Hopkins, astronauta da NASA e coronal da Força Aérea Americana, em entrevista concedida à autora em 12 de maio de 2015.

25 Vetri, entrevista.

26 Marc Vetri, *Il Viaggio Di Vetri: A Culinary Journey* (Nova York: Ten Speed Press, 2008), p. ix.

27 Amy Chua, *Battle Hymn of the Tiger Mother* (Nova York: Penguin, 2011), p. 213.

28 Benjamin Bloom, *Developing Talent in Young People* (Nova York: Ballantine, 1985).

29 Ibid. Gostaria de dizer aqui que, embora o interesse normalmente preceda a prática dedicada que discutiremos no próximo capítulo, também já se comprovou que o investimento de esforço numa empreitada pode aumentar a paixão. Ver Michael M. Gielnik et al., "'I Put in Effort, Therefore I Am Passionate': Investigating the Path from Effort to Passion in Entrepreneurship", *Academy of Management Journal* 58, 2015, p. 1012-31.

30 Para trabalhos relacionados, ver Stacey R. Finkelstein e Ayelet Fishbach, "Tell Me What I Did Wrong: Experts Seek and Respond to Negative Feedback", *Journal of Consumer Research* 39, 2012, p. 22-38.

31 Bloom, *Developing Talent*, p. 514.

NOTAS

32 Robert Vallerand, Nathalie Houlfort e Jacques Forest, "Passion for Work: Determinants and Outcomes" in *The Oxford Handbook of Work Engagement, Motivation e Self-Determination Theory*, org. Marylène Gagné (Oxford, UK: Oxford University Press, 2014), p. 85-105.

33 Jean Côté, professor de psicologia na Queen's University, em entrevista concedida à autora em 24 de julho de 2015. Ver também Jean Côté, Karl Erickson e Bruce Abernethy, "Play and Practice During Childhood", in *Conditions of Children's Talent Development in Sport*, orgs. Jean Côté e Ronnie Lidor (Morgantown, WV: Fitness Information Technology, 2013), p. 9-20. Côté, Baker e Abernethy, "Practice and Play in the Development of Sport Exercise", in *Handbook of Sport Psychology*, orgs. Gershon Tenenbaum e Robert C. Eklund (Hoboken, NJ: John Wiley & Sons, 2007), p. 184-202.

34 Robert J. Vallerand, *The Psychology of Passion: A Dualistic Model* (Oxford, UK: Oxford University Press, 2015). Vallerand descobriu que a paixão leva à prática disciplinada e que o incentivo à autonomia oferecido por pais e professores leva à paixão.

35 Will Shortz, editor de Palavras Cruzadas do *New York Times*, em entrevista concedida à autora em 28 de fevereiro de 2015.

36 Elisabeth Andrews, "20 Questions for Will Shortz", *Bloom Magazine*, dezembro de 2007/janeiro de 2008, p. 58.

37 Shortz, entrevista.

38 Jackie Bezos, em entrevista concedida à autora em 6 de agosto de 2015. Jackie me disse ainda que a paixão precoce do filho pelo espaço nunca esmoreceu. Em seu discurso de formatura no ensino médio, ele falou sobre a colonização do espaço. Décadas depois, ele criou a Blue Origin para manter uma presença permanente no espaço: www.blueorigin.com.

39 Shortz, entrevista.

40 Jane Golden, fundadora e diretora executiva do Programa de Artes Murais, em entrevista concedida à autora em 5 de junho de 2015.

41 Paul Silvia, professor adjunto de psicologia na Universidade da Carolina do Norte em Greensboro, em entrevista concedida à autora em 22 de julho de 2015.

42 Paul J. Silvia, "Interest—the Curious Emotion", *Current Directions in Psychological Science* 17, 2008, p. 57-60.

43 Ver www.templeton.org.

44 Silvia, entrevista.

45 Will Shortz, "How to Solve The *New York Times* Crossword Puzzle", *The New York Times Magazine*, 8 de abril de 2001.

46 James, *Talks to Teachers*, p. 108.

CAPÍTULO 7: PRÁTICA

1 Duckworth et al., "Grit".

2 Lacey, entrevista.

3 Anders Ericsson e Robert Pool, *Peak: Secrets from the New Science of Expertise* (Nova York: Houghton Mifflin Harcourt, 2016). Ver também K. Anders Ericsson, "The Influence of Experience and Deliberate Practice on the Development of Superior Expert Performance", in *The Cambridge Handbook of Expertise and Expert Performance*, orgs. K. Anders Ericsson et al. (Cambridge, UK: Cambridge University Press, 2006). K. Anders Ericsson,

GARRA

Ralf Th. Krampe e Clemens Tesch-Römer, "The Role of Deliberate Practice in the Acquisition of Expert Performance", *Psychological Review* 100, 1993, p. 363-406.

4 Ver K. Anders Ericsson e Paul Ward, "Capturing the Naturally Occurring Superior Performance of Experts in the Laboratory", *Current Directions in Psychological Science* 16, 2007, p. 346-50. Ver também Allen Newell e Paul S. Rosenbloom, "Mechanisms of Skill Acquisition and the Law of Practice", in *Cognitive Skills and Their Acquisition*, org. John R. Anderson (Hillsdale, NJ: Lawrence Erlbaum Associates, 1981), p. 1-56. Modelos de garra disseram-me, nestas palavras, que se você tivesse uma lente de aumento veria que as curvas de aprendizado não são totalmente uniformes. Elas têm "minipatamares" — ficam detidas num problema durante horas, dias, semanas ou mais e, de repente, vem a superação. O poeta Irving Feldman, ganhador do prêmio MacArthur Fellows expressou-se assim: "O aprendizado não é como subir uma encosta sempre ascendente, mas uma série de saltos de patamar em patamar."

5 Ericsson et al., "The Role of Deliberate Practice".

6 Martha Graham, "I Am a Dancer", sobre *This I Believe*, de Edward R. Murrow, CBS, por volta de 1953. Republicado em NPR, "An Athlete of God", 4 de janeiro de 2006, http://www.npr.org/templates/story/story.php?storyId=5065006.

7 Bryan Lowe William e Noble Harter, "Studies on the Telegraphic Language: The Acquisition of a Hierarchy of Habits", *Psychological Review* 6,1899, p. 358. Importante também é John R. Hayes, "Cognitive Processes in Creativity", in *Handbook of Creativity*, orgs. John A. Glover, Royce R. Ronning e Cecil R. Reynolds (Nova York: Springer, 1989), p. 135-45.

8 Ver K. Anders Ericsson, "The Danger of Delegating Education to Journalists: Why the APS Observer Needs Peer Review When Summarizing New Scientific Developments" (manuscrito inédito, 2012), https://psy.fsu.edu/faculty/ericsson/ericsson.hp.html.

9 K. Anders Ericsson, professor de psicologia da Universidade Estadual da Flórida, em conversa com a autora em dezembro de 2005.

10 Ericsson et al., "The Role of Deliberate Practice".

11 Gaines, entrevista.

12 Roberto Díaz, presidente e CEO do Curtis Institute of Music, em entrevista concedida à autora em 7 de outubro de 2015.

13 Mais 15% de seu tempo, segundo ele, são dedicados a partidas em meia quadra, um contra um ou três contra três, para que os mínimos detalhes em que ele já aperfeiçoou possam ser assimilados pelo time. Finalmente, os últimos 15% são empregados em jogos organizados. "Kevin Durant", *The Film Room Project*.

14 Ulrik Juul Christensen, CEO da Area9 e membro sênior da McGraw-Hill Education, em entrevista concedida à autora em 15 de julho de 2015.

15 Herbert A. Simon e William G. Chase, "Skill in Chess: Experiments with Chess-Playing Tasks and Computer Simulation of Skilled Performance Throw Light on Some Human Perceptual and Memory Processes", *American Scientist* 61, 1973, p. 394-403. Ver também: Ericsson et al., "The Role of Deliberate Practice".

16 *The Autobiography of Benjamin Franklin: With an Introduction and Notes* (Nova York: MacMillan Company, 1921), p. 14.

17 Benjamin Franklin, "The Way to Wealth", in *Memoirs of Benjamin Franklin* (Nova York: Harper & Brothers, 1839), p. 7.

NOTAS

18 Peter F. Drucker, *The Effective Executive: The Definitive Guide to Getting the Right Things Done* (Nova York: Harper-Collins, 2006), p. ix.

19 Atul Gawande, "The Learning Curve: Like Everyone Else, Surgeons Need Practice. That's Where You Come In", *New Yorker*, 28 de janeiro de 2002.

20 David Blaine, "How I Held My Breath for 17 Minutes", palestra TED gravada em outubro de 2009, http://www.ted.com/talks/david_blaine_how_i_held_my_breath_for_17_min. Ver também Roy F. Baumeister e John Tierney, *Willpower: Rediscovering the Greatest Human Strength* (Nova York: Penguin, 2011).

21 Barrie Trinkle, Carolyn Andrews e Paige Kimble, *How to Spell Like a Champ: Roots, Lists, Rules, Games, Tricks e Bee-Winning Tips from the Pros* (Nova York: Workman Publishing Company, 2006).

22 James Maguire, *American Bee: The National Spelling Bee and the Culture of Word Nerds* (Emmaus, PA: Rodale, 2006), p. 360.

23 Angela Duckworth et al., "Deliberate Practice Spells Success: Why Grittier Competitors Triumph at the National Spelling Bee", *Social Psychological and Personality Science 2*, 2011, p. 174-81. A arguição também favorece o bom desempenho na competição, mas comparando entre si crianças que fizeram testes orais durante o mesmo tempo, descobri que as que fizeram mais prática disciplinada se saíram melhor. Em comparação, comparando entre si crianças com o mesmo tempo de prática disciplinada, um maior tempo de arguição não mostrou vantagem.

24 Henry L. Roediger e Jeffrey D. Karpicke, "The Power of Testing Memory: Basic Research and Implications for Educational Practice", *Perspectives on Psychological Science 1*, 2006, p. 181-210.

25 Duckworth et al., "Spells Success", p. 177.

26 Sobre o aprendizado sem esforço, ver também Elizabeth L. Bjork e Robert Bjork, "Making Things Hard on Yourself, but in a Good Way: Creating Desirable Difficulties to Enhance Learning" in *Psychology and the Real World: Essays Illustrating Fundamental Contributions to Society*, orgs. Morton A. Gernsbacher et al. (Nova York: Worth Publishers, 2011), p. 56-64. Ver também Sidney K. D'Mello e Arthur C. Graesser, "Confusion" in *International Handbook of Emotions in Education*, orgs. Reinhard Pekrun e Lisa Linnenbrink-Garcia (Nova York: Routledge, 2014), p. 289-310.

27 Graham, "I Am a Dancer".

28 Ericsson et al., "The Role of Deliberate Practice".

29 Judd Apatow, entrevistada por Charlie Rose, *Charlie Rose*, 31 de julho de 2009, republicada in Apatow, *Sick in the Head: Conversations About Life and Comedy* (Nova York: Random House, 2015), p. 26.

30 K. Anders Ericsson, "How Experts Attain and Maintain Superior Performance: Implications for the Enhancement of Skilled Performance in Older Individuals", *Journal of Aging and Physical Activity 8*, 2000, p. 366-72.

31 Karen Stansberry Beard, "Theoretically Speaking: An Interview with Mihaly Csikszentmihalyi on Flow Theory Development and Its Usefulness in Addressing Contemporary Challenges in Education", *Educational Psychology Review 27*, 2015, p. 358. Csikszentmihalyi enfatiza que o importante para a qualidade da experiência imediata é o nível *subjetivo* de dificuldade e o nível *subjetivo* de habilidade.

32   Mihaly Csikszentmihalyi, "Play and Intrinsic Rewards", *Journal of Humanistic Psychology* 15, 1975, p. 50.
33   Mihaly Csikszentmihalyi, "Flow: The Joy of Reading" in *Applications of Flow in Human Development: The Collected Works of Mihaly Csikszentmihalyi* (Dordrecht, Países Baixos: Springer, 2014), p. 233.
34   K. Anders Ericsson e Paul Ward, "Capturing the Naturally Occurring Superior Performance of Experts in the Laboratory", *Current Directions in Psychological Science* 16, 2007, p. 349.
35   Csikszentmihalyi, *Applications of Flow*, p. xx.
36   Ibid.
37   Ibid.
38   Mihaly Csikszentmihalyi e K. Anders Ericsson, "Passion and World-Class Performance" (apresentação, Universidade da Pensilvânia, Filadélfia PA, agosto de 2006).
39   Nesta pesquisa, o fluxo foi medido por meio de um questionário de seis itens, a cada qual se atribuiu um valor, cuja pontuação possível vai de 1 a 5. Exemplo de questão: "No trabalho ou no lazer, normalmente fico em estado de atenção concentrada e não consciente de mim mesmo". Ver Katherine R. Von Culin, Eli Tsukayama e Angela L. Duckworth, "Unpacking Grit: Motivational Correlates of Perseverance and Passion for Long-term Goals", *Journal of Positive Psychology* 9, 2014, p. 1-7.

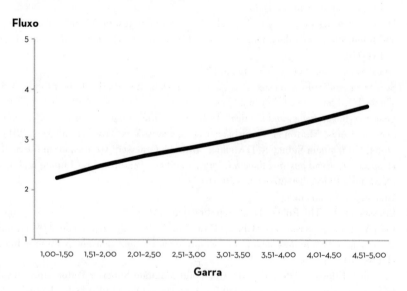

40   Gaines, entrevista.
41   Mads Rasmussen, remador dinamarquês e medalhista olímpico, em entrevista concedida à autora em 28 de junho de 2015.
42   Rod Gilmour, "Ledecky Betters Own 1500m Freestyle World Record", Reuters, 3 de agosto de 2015, http://in.reuters.com /article/2015/08/03/swimming-world-1500m-idINKCN0Q 813Y20150803.

NOTAS

43 Ashley Branca, "Katie Ledecky: 'I've Just Always Felt Comfortable in the Water from Day One'", *Guardian*, 10 de março de 2015.

44 Duckworth et al., "Spells Success".

45 Bruce Gemmell, técnico da equipe nacional americana de natação, em entrevista concedida à autora em 24 de agosto de 2015.

46 Kerry Close, campeão da Competição Nacional Scripps de Soletração de 2006, em entrevista concedida à autora em 10 de agosto de 2015.

47 K. Anders Ericsson, "The Influence of Experience and Deliberate Practice on the Development of Superior Expert Performance", in *Cambridge Handbook of Expertise and Expert Performance* orgs. K. Anders Ericsson et al. (Cambridge, UK: Cambridge University Press), p. 685-706. Para um estudo fascinante sobre a importância do treino "estratégico", ver Robert Duke, Amy Simmons e Carla Davis Cash, "It's Not How Much; It's How: Characteristics of Practice Behavior and Retention of Performance Skills", *Journal of Research in Music Education* 56, 2009, p. 310-21.

48 Rasmussen, entrevista.

49 Noa Kageyama, psicólogo de desempenho da Escola de Música The Juilliard, em entrevista concedida à autora em 21 de setembro de 2015.

50 Lauren Eskreis-Winkler et al., "Using Wise Interventions to Motivate Deliberate Practice", *Journal of Personality and Social Psychology* (no prelo).

51 Judith A. Ouellette e Wendy Wood, "Habit and Intention in Everyday Life: The Multiple Processes by Which Past Behavior Predicts Future Behavior", *Psychological Bulletin* 124, 1998, p. 54-74. Ver também Charles Duhigg, *The Power of Habit: Why We Do What We Do in Life and Business* (Nova York: Random House, 2012).

52 Mason Currey, *Daily Rituals: How Artists Work* (Nova York: Alfred A. Knopf, 2013), p. 217-18.

53 Ibid., p. 122.

54 William James, "The Laws of Habits", *The Popular Science Monthly* 30, 1887, p. 447.

55 Robert Compton, "Joyce Carol Oates Keeps Punching", *Dallas Morning News*, 17 de novembro de 1987.

56 Terry Laughlin, treinador principal e CEO otimista (não é brincadeira, esse é o nome do cargo dele) do programa Total Immersion Swimming, em entrevista concedida à autora em 24 de julho de 2015.

57 Elena Bodrova e Deborah Leong, criadoras do programa Tools of the Mind para educação infantil, em entrevista concedida à autora em 15 de julho de 2015. Ver também Adele Diamond e Kathleen Lee, "Interventions Shown to Aid Executive Function Development in Children 4 to 12 Years Old", *Science* 333, 2011, p. 959-64. Clancy Blair e C. Cybele Raver, "Closing the Achievement Gap Through Modification of Neurocognitive and Neuroendocrine Function", *PLoS ONE* 9, 2014, p. 1-13.

58 Gemmell, entrevista.

CAPÍTULO 8: PROPÓSITO

1 Quiosque de Limonada da Alex, http://www.alexslemonade.org.

2 Bloom, *Developing Talent*.

3 Bloom, *Developing Talent*, p. 527.

GARRA

4 Golden, entrevista.

5 Melissa Dribben, "Gracing the City Jane Golden Has Made Mural Arts the Nation's Top Public Arts Program", *Philadelphia Inquirer*, 27 de julho de 2008, http://articles.philly.com/2008-07-27/news /25245217_1_jane-seymour-golden-globes-philadelphia-s-mural-arts-program.

6 Ibid.

7 Golden, entrevista.

8 Antonio Galloni, crítico de vinhos e fundador da *Vinous*, em entrevista concedida à autora em 24 de julho de 2015.

9 "Liv-Ex Interview with Antonio Galloni, Part One", *Liv-Ex Blog*, 13 de dezembro de 2013, www.blog.liv-ex.com/2013/12/liv-ex-interview-with-antonio-galloni-part-one.html.

10 Galloni, entrevista.

11 Os estudiosos usam a palavra *propósito* com sentidos levemente diversos. Muitas vezes se destaca que um objetivo, para ter propósito, precisa ter significado para a própria pessoa e ao mesmo tempo beneficiar outrem. Aqui destaco o aspecto do propósito que transcende a própria pessoa, pois já falamos do interesse, uma motivação mais orientada para o sujeito, no capítulo anterior.

12 Aristóteles, *Ética a Nicômaco*, trad. Edson Bini (São Paulo: Edipro, 2014).

13 Sigmund Freud, "Formulations Regarding the Two Principles in Mental Functioning" in *The Standard Edition of the Complete Psychological Works of Sigmund Freud*, v. 12, trad. James Strachey e Anna Freud (Londres: Hogarth Press, 1958), p. 218-26.

14 Ver John T. Cacioppo e William Patrick, *Loneliness: Human Nature and the Need for Social Connection* (Nova York: W.W. Norton & Company, 2008). Ver também Roy F. Baumeister e Mark R. Leary, "The Need to Belong: Desire for Interpersonal Attachments as a Fundamental Human Motivation", *Psychological Bulletin* 117, 1995, p. 497-529. Finalmente, ver Edward L. Deci com Richard Flaste, *Why We Do What We Do: Understanding Self-Motivation* (Nova York: Penguin, 1995). Observe-se que estudos recentes com primatas mostram que a longevidade e o sucesso reprodutivo dependem da capacidade de estabelecer laços sociais fortes e duradouros. O desejo de interação é uma necessidade tão básica dos seres humanos — e mesmo dos mamíferos — quanto a necessidade de ter prazer. Ver Robert M. Seyfarth e Dorothy L. Cheney, "The Evolutionary Origins of Friendship", *Annual Review of Psychology* 63, 2012, p. 153-77.

15 Richard M. Ryan e Edward L. Deci, "On Happiness and Human Potential: A Review of Research on Hedonic and Eudaimonic Well-Being", *Annual Review of Psychology* 52, 2001, p. 141-66.

16 Amy Wrzesniewski, Clark McCauley, Paul Rozin e Barry Schwartz, "Jobs, Careers e Callings: People's Relations to Their Work", *Journal of Research in Personality* 31, 1997, p. 25.

17 Reunimos estes dados em 2015.

18 Wrzesniewski et al., "Jobs, Careers, and Callings", p. 25.

19 J. Stuart Bunderson e Jeffery A. Thompson, "The Call of the Wild: Zookeepers, Callings e the Double-Edged Sword of Deeply Meaningful Work", *Administrative Science Quarterly* 54, 2009, p.32-57.

20 Studs Terkel, *Working: People Talk About What They Do All Day and How They Feel About What They Do* (Nova York: Pantheon Books, 1974), p. xi. Observe-se que os nomes dos trabalhadores do livro de Terkel são fictícios.

NOTAS

21 Ibid., p. 521-24.

22 Ibid., p. xi.

23 Ibid., p. 103-6.

24 Wrzesniewski et al., "Jobs, Careers, and Callings".

25 Amy Wrzesniewski, professora de comportamento organizacional na Escola de Administração de Yale, em entrevista concedida à autora em 27 de janeiro de 2015.

26 Departamento Metropolitano de Trânsito, "Facts and Figures", acessado em 10 de março de 2015, http://web.mta.info/nyct/facts/ffsubway.htm.

27 Joe Leader, vice-presidente sênior do departamento de trânsito de Nova York, em entrevista concedida à autora em 26 de fevereiro de 2015.

28 Michael Baime, professor de clínica médica na Universidade da Pensilvânia e diretor do Programa de Meditação da Penn, em entrevista concedida à autora em 21 de janeiro de 2015.

29 No ano seguinte dobramos de tamanho e, para melhor atender nossos alunos, implantamos um programa extracurricular de reforço escolar. No ano seguinte, o programa ganhou o prêmio Better Government para o estado de Massachusetts. Mais ou menos nessa época, professores da Escola Kennedy de Governança de Harvard escreveram a história de Summerbridge Cambridge como um estudo de caso em empreendedorismo social.

30 Para maiores informações sobre o Breakthrough Greater Boston, ver www.breakthroughgreaterboston.org.

31 Adam Grant, professor da Escola de Administração Wharton, em entrevista concedida à autora em 15 de julho de 2015.

32 Adam Grant, *Give and Take: Why Helping Others Drives Our Success* (Nova York: Penguin, 2014).

33 Adam Grant, "Does Intrinsic Motivation Fuel the Prosocial Fire? Motivational Synergy in Predicting Persistence, Performance e Productivity", *Journal of Applied Psychology* 93, 2008, p. 48-58.

34 Ibid.

35 David S. Yeager e Matthew J. Bundick, "The Role of Purposeful Work Goals in Promoting Meaning in Life and in Schoolwork During Adolescence", *Journal of Adolescent Research* 24, 2009, p. 423-52. Correspondentemente, foi demonstrando que a afirmação de valores pode melhorar o desempenho por outras razões, sobretudo por sustentar um sentimento de adequação pessoal. Geoffrey L. Cohen e David K. Sherman, "The Psychology of Change: Self-Affirmation and Social Psychological Intervention", *Annual Review of Psychology* 65, 2014, p. 333-71.

36 Aurora e Franco Fonte, marido e mulher, fundadores e diretores da Assetlink, em entrevista concedida à autora em 13 de março de 2015.

37 Bill Damon, professor de psicologia na Escola Superior de Educação de Stanford, em entrevista concedida à autora em 20 de julho de 2015.

38 Por exemplo, detetives que tenham sido vítimas de um crime têm mais garra e são mais comprometidos com seu trabalho. Ver Lauren Eskreis-Winkler, Elizabeth P. Shulman e Angela L. Duckworth, "Survivor Mission: Do Those Who Survive Have a Drive to Thrive at Work?", *Journal of Positive Psychology* 9, 2014, p. 209-18.

39 Kat Cole, presidente da Cinnabon, em entrevista concedida à autora em 1o de fevereiro de 2015.

GARRA

40 Charlotte Alter, "How to Run a Billion Dollar Brand Before You're 35", *Time*, 2 de dezembro de 2014.

41 Jo Barsh, em entrevista concedida à autora em 31 de julho de 2015.

42 Kat Cole, "See What's Possible e Help Others Do the Same", do blog de Kat Cole, *The Difference*, 7 de agosto de 2013, http://www.katcole.net/2013/08/see-whats-possible-and-help-others-do.html.

43 David S. Yeager et al., "Boring but Important: A Self-Transcendent Purpose for Learning Fosters Academic Self-Regulation", *Attitudes and Social Cognition* 107, 2014, p. 559-80.

44 Amy Wrzesniewski e Jane E. Dutton, "Crafting a Job: Revisioning Employees as Active Crafters of Their Work", *Academy of Management Review* 26, 2001, p. 179-201. Ver também www.jobcrafting.org e Grant, *Give and Take*, p. 262-63. Essa seção contempla também correspondência pessoal entre a autora e Amy Wrzesniewski, professora de comportamento organizacional da Escola de Administração de Yale, 20 de outubro de 2015.

45 Leitores interessados podem encontrar uma lista mais completa das perguntas usadas por Bill Damon em seu livro *The Path to Purpose: How Young People Find Their Calling in Life* (Nova York: Free Press, 2008), p. 183-86.

CAPÍTULO 9: ESPERANÇA

1 Para um debate mais amplo sobre como conceitualizar a esperança, ver Kevin L. Rand, Allison D. Martin e Amanda M. Shea, "Hope, but Not Optimism, Predicts Academic Performance of Law Students Beyond Previous Academic Achievement", *Journal of Research in Personality* 45, 2011, p. 683-86. Ver também Shane J. Lopez, *Making Hope Happen: Create the Future You Want for Yourself and Others* (Nova York: Atria Books, 2013).

2 Em Harvard, até 2006, você definia sua área de "concentração" (que é o termo de Harvard para "major") na primavera de seu primeiro ano de faculdade e ao mesmo tempo escolhia disciplinas que pretendia cursar. Minha área de concentração oficial era neurobiologia dentro da biologia, já que a neurobiologia como área de concentração separada só foi criada anos mais tarde.

3 Steven F. Maier e Martin E. Seligman,"Learned Helplessness: Theory and Evidence", *Journal of Experimental Psychology* 105, 1976, p. 3-46. As pesquisas seminais sobre desamparo aprendido na verdade têm um desenho triádico, o que significa que se considera uma terceira condição: cachorros que não levam choque algum. Em geral, esses cachorros se comportavam de modo similar aos que eram submetidos a estresse com controle. Parte do material deste capítulo tem origem numa entrevista da autora com Seligman em 20 de julho de 2015. Ver também Martin E. P. Seligman, *Learned Optimism: How to Change Your Mind and Your Life* (Nova York: Pocket Books, 1990).

4 Para mais informação sobre Aaron Beck, ver www.beckinstitute.org.

5 Christopher Peterson et al., "The Attributional Style Questionnaire", *Cognitive Therapy and Research* 6, 1982, p. 287-300. Ver também Lyn Y. Abramson, Gerald I. Metalsky e Lauren B. Alloy, "Hopelessness Depression: A Theory-Based Subtype of Depression", *Psychological Review* 96, 1989, p. 358-72.

6 Peter Schulman, Camilo Castellon e Martin E. P. Seligman, "Assessing Explanatory Style: The Content Analysis of Verbatim Explanations and the Attributional Style Questionnaire", *Behavioural Research and Therapy* 27, 1989, p. 505-9.

NOTAS

7   Leslie P. Kamen e Martin E. P. Seligman, "Explanatory Style Predicts College Grade Point Average" (manuscrito inédito, 1985). Christopher Peterson e Lisa C. Barrett, "Explanatory Style and Academic Performance Among University Freshman", *Journal of Personality and Social Psychology* 53, 1987, p. 603-7.

8   Toshihiko Maruto, Robert C. Colligan, Michael Malinchoc e Kenneth P. Offord, "Optimists vs. Pessimists: Survival Rate Among Medical Patients Over a 30-Year Period", *Mayo Clinic Proceedings* 75, 2000, p. 140-43. Christopher Peterson, Martin E. P. Seligman, "Pessimistic Explanatory Style Is a Risk Factor for Physical Illness: A Thirty-Five-Year Longitudinal Study", *Journal of Personality and Social Psychology* 55, 1988, p. 23-27.

9   Karen J. Horneffer e Frank D. Fincham, "Construct of Attributional Style in Depression and Marital Distress", *Journal of Family Psychology* 9, 1995, p. 186-95. Ver também Horneffer e Fincham, "Attributional Models of Depression and Distress", *Personality and Social Psychology Bulletin* 22, 1996, p. 678-89.

10   Sobre otimismo e vendas, ver Martin E. P. Seligman e Peter Schulman, "Explanatory Style as a Predictor of Productivity and Quitting Among Life Insurance Sales Agents", *Journal of Personality and Social Psychology* 50, 1986, p. 832-38. Shulman, "Explanatory Style". Ver também Peter Schulman, "Applying Learned Optimism to Increase Sales Productivity", *Journal of Personal Selling & Sales Management* 19, 1999, p. 31-37.

11   Martin E. P. Seligman, "Explanatory Style as a Mechanism of Disappointing Athletic Performance", *Psychological Science* 1, 1990, p. 143-46.

12   Lacey, entrevista.

13   Aaron T. Beck, A. John Rush, Brian F. Shaw e Gary Emery, *Cognitive Therapy of Depression* (Nova York: Guilford Press, 1979). Observe-se que também, na mesma época, Albert Ellis desenvolveu uma teoria similar. Assim, Beck e Ellis são ambos reconhecidos como pioneiros no que hoje se conhece como terapia cognitivo- comportamental.

14   Robert J. DeRubeis et al., "Cognitive Therapy vs Medications in the Treatment of Moderate to Severe Depression", *Archives of General Psychiatry* 62, 2005, p. 409-16. Steven D. Hollon et al., "Prevention of Relapse Following Cognitive Therapy vs Medications in Moderate to Severe Depression", *Archives of General Psychiatry* 62, 2005, p. 417-22. Alguns pacientes resistem ao aspecto da TCC que tenta afastá-los do monólogo interior negativo. Esses pacientes dizem coisas como: "Na minha cabeça, sei que não é justo me chamar de fracassado. Estaria me rotulando, em obediência a um pensamento de tudo ou nada. Mas em meu coração, parte de mim ainda assim se sente como um fracassado — como se eu nunca fosse dar certo." Uma nova forma de TCC, a terapia de aceitação e compromisso (TAC), trata desses aspectos. Na TAC, o objetivo é simplesmente detectar o monólogo interior negativo e aceitar que ele existe, sem deixar que ele controle nossos atos.

15   Informação sobre a história e a missão do Teach For America pode ser encontrada em www.teachforamerica.org.

16   Claire Robertson-Kraft e Angela L. Duckworth, "True Grit: Perseverance and Passion for Long-term Goals Predicts Effectiveness and Retention Among Novice Teachers", *Teachers College Record (1970)* 116, 2014, p. 1-24.

17   Carol S. Dweck, "The Role of Expectations and Attributions in the Alleviation of Learned Helplessness", *Journal of Personality and Social Psychology* 31, 1975, p. 674-85.

GARRA

18 Essa unidade de medida foi criada por Carol Dweck, Sheri Levy, Valanne MacGyvers, C.Y. Chiu e Ying-yi Hong. Para leitores interessados, recomendo vivamente Carol Dweck, *Mindset: The New Psychology of Success* (Nova York: Ballantine Books, 2008).

19 Ver Carol S. Dweck, "Mindsets and Human Nature: Promoting Change in the Middle East, the Schoolyard, the Racial Divide e Willpower", *American Psychologist*, 2012, p. 614-22.

20 Brian Galla et al., "Intellective, Motivational e Self-Regulatory Determinants of High School Grades, SAT Scores e College Persistence" (manuscrito em revisão, 2015).

21 Para mais informação sobre o KIPP, ver www.kipp.org.

22 Esse tesauro foi criado originalmente pelo psicólogo David Yeager, a quem agradeço por essa ampla revisão. Sobre afirmações genéricas, ver Daeun Park et al., "How Do Generic Statements Impact Performance? Evidence for Entity Beliefs", *Developmental Science* (no prelo, 2015). E, finalmente, sobre a importância de uma "autêntica" mentalidade de crescimento, ver Carol S. Dweck, "Carol Dweck Revisits the 'Growth Mindset'" *Education Week*, 22 de setembro de 2015.

23 James Baldwin, *Nobody Knows My Name* (Nova York: Vintage Books, 1993), p. 61-62.

24 Daeun Park et al., "Young Children's Motivational Frameworks and Math Achievement: Relation to Teacher-Reported Instructional Practices, but Not Teacher Theory of Intelligence", *Journal of Educational Psychology* (no prelo, 2015).

25 Kyla Haimovitz e Carol S. Dweck, "What Predicts Children's Fixed and Growth Mindsets? Not Their Parent's Views of Intelligence But Their Parents' Views of Failure" (manuscrito em revisão, 2015).

26 Harvard Business Review Staff, "How Companies Can Profit from a 'Growth Mindset'" *Harvard Business Review*, novembro de 2014.

27 Bill McNabb, CEO da Vanguard, em entrevista concedida à autora em 20 de agosto de 2015.

28 Friedrich Nietzsche, *The Anti-Christ, Ecce Homo, Twilight of the Idols: and Other Writings*, org. Aaron Ridley, trad. Judith Norman (Cambridge, UK: Cambridge University Press, 2005), p. 157.

29 Kanye West, "Stronger", *Graduation*, 2007. Kelly Clarkson canta uma versão popularizada dessa frase, "O que não mata fortalece", in "Stronger (What Doesn't Kill You)", *Stronger*, 2011.

30 Na verdade, a ideia de que o sofrimento nos torna mais capazes é antiga. As principais tradições religiosas têm alguma parábola em que o sofrimento é necessário para o esclarecimento. A raiz latina da palavra *paixão* é *pati*, que significa "sofrer." *OED* Online, Oxford University Press, setembro de 2015.

31 Para mais informação sobre o Outward Bound, see www.outwardbound.org.

32 John A. Hattie, Herbert W. Marsh, James T. Neill e Garry E. Richards, "Adventure Education and Outward Bound: Out-of-Class Experiences That Make a Lasting Difference", *Review of Educational Psychology* 67, 1997, p. 43-87.

33 Maier e Seligman, "Learned Helplessness".

34 Kenneth H. Kubala et al., "Short- and Long-Term Consequences of Stressor Controllability in Adolescent Rats" *Behavioural Brain Research* 234, 2012, p. 278-84.

35 Steven F. Maier, professor de psicologia e diretor do Centro de Neurociência da Universidade do Colorado em Boulder, em entrevista concedida à autora em 2 de abril de 2015.

NOTAS

36 Não por acaso, Milton Hershey é ele mesmo um exemplo de garra que fundou diversas empresas sem sucesso antes de criar, por tentativa e erro, uma fórmula de chocolate ao leite que em pouco tempo fez de sua empresa a maior fabricante de doces do mundo. Ele e sua mulher não tiveram filhos e criaram a Hershey School, que tem o controle acionário da Hershey. Para mais informação sobre a Milton Hershey School e seu fundador, visite www.mhskids.org.

37 Se quiser ouvir a música de Kayvon, visite www.kayvonmusic.com.

38 Sue Ramsden et al., "Verbal and Non-Verbal Intelligence Changes in the Teenage Brain", *Nature* 479, 2011, p. 113-16.

39 Carol S. Dweck, "The Secret to Raising Smart Kids", *Scientific American* 23, 2015. Lisa S. Blackwell, Kali H. Trzesniewski e Carol S. Dweck, "Implicit Theories of Intelligence Predict Achievement Across an Adolescent Transition: A Longitudinal Study and in Intervention", *Child Development* 78, 2007, p. 246-63. Joshua Aronson, Carrie B. Fried e Catherine Good, "Reducing the Effects of Stereotype Threat on African American College Students by Shaping Theories of Intelligence", *Journal of Experimental Psychology* 38, 2002, p. 113-25. David Paunesku et al., "Mind-Set Interventions Are a Scalable Treatment for Academic Underachievement", *Psychological Science*, 2015, p. 1-10. Allyson P. Mackey, Kirstie J. Whitaker e Silvia A. Bunge, "Experience-Dependent Plasticity in White Matter Microstructure: Reasoning Training Alters Structural Connectivity", *Frontiers in Neuroanatomy* 6, 2012, p. 1-9. Robert J. Zatorre, R. Douglas Fields e Heidi Johansen-Berg, "Plasticity in Gray and White: Neuroimaging Changes in Brain Structure During Learning", *Nature Neuroscience* 15, 2012, p. 528-36.

40 O Programa de Resiliência da Universidade da Pensilvânia foi criado por Jane Gillham, Karen Reivich e Lisa Jaycox. Esse programa com base na escola ensina aos alunos técnicas cognitivo-comportamentais e socioemocionais por meio de jogos de interpretação, outros jogos e atividades interativas. Ver J. E. Gillham, K. J. Reivich, L.H. Jaycox e M. E. P. Seligman, "Preventing Depressive Symptoms in Schoolchildren: Two Year Follow-up", *Psychological Science* 6, 1995, p. 343-51. Martin E. P. Seligman, Peter Schulman, Robert J. DeRubeis e Steven D. Hollon, "The Prevention of Depression and Anxiety", *Prevention and Treatment* 2, 1999. Uma revisão meta-analítica mais recente confirmou os benefícios do programa doze meses após a intervenção, em comparação com nenhum tratamento, mas não tratamento ativo, condições de controle. Steven M. Brunwasser, Jane E. Gillham e Eric S. Kim, "A Meta-Analytic Review of the Penn Resiliency Program's Effect on Depressive Symptoms", *Journal of Consulting and Clinical Psychology* 77, 2009, p. 1042-54.

41 Para mais informação sobre a terapia cognitiva, ver www.beckinstitute.org.

42 Rhonda Hughes, professora emérita de matemática da cadeira Helen Herrmann do Bryn Mawr College e fundadora do programa EDGE, em conversa com a autora em 25 de maio de 2013.

43 Sylvia Bozeman, professora emérita de matemática no Spelman College, em correspondência com a autora de 14 de outubro de 2015. Sylvia fez observações semelhantes in Edna Francisco, "Changing the Culture of Math", *Science*, 16 de setembro de 2005. Devo observar que às vezes não há ninguém à disposição para dizer a você que vá em frente. A psicóloga Kristin Neff sugere pensar no que se diria a um amigo em situação semelhante e fazer esse discurso compassivo e compreensivo a si mesmo.

GARRA

CAPÍTULO 10: EDUCAR PARA A GARRA

1 John B. Watson, *Psychological Care of Infant and Child* (Londres: Unwin Brothers, 1928), p. 14.

2 Ibid., p. 73.

3 Don Amore, "Redemption for a Pure Passer?" *Hartford Courant*, 29 de janeiro de 1995.

4 *Grit: The True Story of Steve Young,* direção de Kevin Doman (Cedar Fort, KSL Television e HomeSports, 2014), DVD.

5 Ibid.

6 Steve Young com Jeff Benedict, "Ten Thousand Spirals", capítulo de livro no prelo, 2015, http://www.jeffbenedict.com/index.php/blog/389-ten-thousand-spirals.

7 Doman, *Grit: The True Story.*

8 Christopher W. Hunt, "Forever Young, Part II: Resolve in the Face of Failure", *Greenwich Time*, 2 de fevereiro de 2013.

9 Doman, *Grit: The True Story.*

10 The Pro Football Hall of Fame, "Steve Young's Enshrinement Speech Transcript" 7 de agosto de 2005.

11 Doman, *Grit: The True Story.*

12 Kevin Doman, "Grit: The True Story of Steve Young", *Deseret News*, 4 de abril de 2014.

13 Sherry e Grit Young, pais de Steve Young, em entrevista concedida à autora em 23 de agosto de 2015.

14 Steve Young, ex-*quarterback* do San Francisco 49ers, 18 de agosto de 2015.

15 *Observer*, "The A-Z of Laughter (Part Two)", *Guardian*, 7 de dezembro de 2003.

16 Francesca Martinez, comediante, em entrevista concedida à autora em 4 de agosto de 2015.

17 Francesca Martinez, *What the **** Is Normal?!* (Londres: Virgin Books, 2014), p. 185.

18 Martinez, entrevista. Em seu livro, Francesca conta algo parecido.

19 Martinez, *What the **** Is Normal?!*, p. 48.

20 Wendy S. Grolnick e Richard M. Ryan, "Parent Styles Associated with Children's Self-Regulation and Competence in School", *Journal of Educational Psychology* 81, 1989, p. 143-54. Earl S. Schaefer, "A Configurational Analysis of Children's Reports of Parent Behavior", *Journal of Consulting Psychology* 29, 1965, p. 552-57. Diana Baumrind, "Authoritative Parenting Revisited: History and Current Status", in *Authoritative Parenting: Synthesizing Nurturance and Discipline for Optimal Child Development*, orgs. Robert E. Larzelere, Amanda Sheffield Morris e Amanda W. Harrist (Washington, D.C.: American Psychological Association, 2013), p. 11-34.

21 Laurence Steinberg, "Presidential Address: We Know Some Things: Parent-Adolescent Relationships in Retrospect and Prospect", *Journal of Research on Adolescence* 11, 2001, p. 1-19.

22 Laurence Steinberg, Nina S. Mounts, Susie D. Lamborn e Sanford M. Dornbusch, "Authoritative Parenting and Adolescent Adjustment Across Varied Ecological Niches", *Journal of Research on Adolescence* 1, 1991, p. 19-36.

23 Koen Luyckx et al., "Parenting and Trajectories of Children's Maladaptive Behaviors: A 12-year Prospective Community Study", *Journal of Clinical Child & Adolescent Psychology* 40, 2011, p. 468-78.

NOTAS

24 Earl S. Schaefer, "Children's Reports of Parental Behavior: An Inventory", *Child Development* 36, 1965, p 413-24. Nancy Darling e Laurence Steinberg, "Parenting Style as Context: An Integrative Model", *Psychological Bulletin* 113, 1993, p. 487-96.

25 Adaptado com autorização de Nancy Darling e Teru Toyokawa, "Construction and Validation of the Parenting Style Inventory II (PSI-II)", (manuscrito inédito, 1997).

26 Albert Bandura, Dorothea Ross e Sheila Ross, "Imitation of Film-Mediated Aggressive Models", *Journal of Abnormal and Social Psychology* 66, 1963, p. 3-11.

27 Bloom, *Developing Talent*, p. 510.

28 Ronald S. Brandt, "On Talent Development: A Conversation with Benjamin Bloom", *Educational Leadership* 43, 1985 p. 34.

29 *Don't Quit on Me: What Young People Who Left School Say About the Power of Relationships* (Washington, D.C.: America's Promise Alliance, 2015), www.gradnation.org/report/dont-quit-me.

30 Tobi Lütke, "The Apprentice Programmer", blog de Tobi Lütke, 3 de março de 2013, http://tobi.lutke.com/blogs/news/11280301-the-apprentice-programmer.

31 Kathryn R. Wentzel, "Are Effective Teachers Like Good Parents? Teaching Styles and Student Adjustment in Early Adolescence", *Child Development* 73, 2002, p. 287-301. Douglas A. Bernstein, "Parenting and Teaching: What's the Connection in Our Classrooms?" *Psychology Teacher Network*, setembro de 2013, http://www.apa.org/ed/precollege/ptn/2013/09/parenting-teaching.aspx.

32 Ronald F. Ferguson e Charlotte Danielson, "How Framework for Teaching and Tripod 7Cs Evidence Distinguish Key Components of Effective Teaching", in *Designing Teacher Evaluation Systems: New Guidance from the Measures of Effective Teaching Project*, orgs. Thomas J. Kane, Kerri A. Kerr e Robert C. Pianta (San Francisco: Jossey-Bass, 2014, p. 98-133.

33 David Scott Yeager et al., "Breaking the Cycle of Mistrust: Wise Interventions to Provide Critical Feedback Across the Racial Divide", *Journal of Experimental Psychology* 143, 2013, p. 804-24. Para a pesquisa sobre tutores altamente eficazes que inspiraram esta intervenção, ver Mark R. Lepper e Maria Woolverton, "The Wisdom of Practice: Lessons Learned from the Study of Highly Effective Tutors", in *Improving Academic Achievement: Impact of Psychological Factors on Education*, org. Joshua Aronson (Nova York: Academic Press, 2002), p. 135-58.

34 Yeager et al., "Breaking the Cycle".

35 Cody Coleman, aluno de doutorado em ciências da computação na Universidade Stanford em conversa com a autora em 24 de maio de 2013.

36 Chantel Smith, professora de matemática na Winslow Township High School, em conversa com a autora em 15 de março de 2015.

37 Cody Coleman, entrevistado por Stephanie Renée, 900AM-WURD, 31 de outubro de 2014.

CAPÍTULO 11: AS ARENAS DA GARRA

1 Reed W. Larson e Douglas Kleiber, "Daily Experience of Adolescents", in *Handbook of Clinical Research and Practice with Adolescents*, orgs. Patrick H. Tolan e Bertram J. Cohler (Oxford, UK: John Wiley & Sons, 1993), p. 125-45. Reed W. Larson, "Positive Develop-

ment in a Disorderly World", *Journal of Research on Adolescence* 21, 2011, p. 317-34. Dados originais de Reed W. Larson, Giovanni Moneta, Maryse H. Richards e Suzanne Wilson, "Continuity, Stability, and Change in Daily Emotional Experience Across Adolescence", *Child Development* 73, 2002, p. 1.151-65.

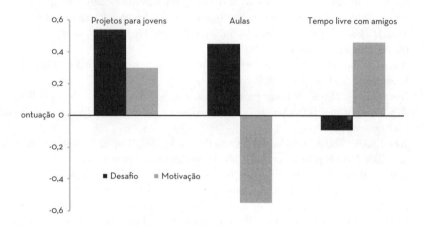

Adaptado do cartaz de Young et al. com autorização

Ver também David J. Shernoff, Mihaly Csikszentmihalyi, Barbara Schneider e Elisa Steele Shernoff, "Student Engagement in High School Classrooms from the Perspective of Flow Theory", *School Psychology Quarterly* 18, 2003, p. 158-76. David J. Shernoff e Deborah Lowe Vandell, "Engagement in After-School Program Activities: Quality of Experience from the Perspective of Participants", *Journal of Youth and Adolescence* 36, 2007, p. 891-903. Kiyoshi Asakawa e Mihaly Csikszentmihalyi, "The Quality of Experience of Asian American Adolescents in Academic Activities: An Exploration of Educational Achievement", *Journal of Research on Adolescence* 8, 1998, p. 241-62.

2   Reed W. Larson, "Toward a Psychology of Positive Youth Development", *American Psychologist* 55, 2000, p. 170-83. Ver também Robert D. Putnam, *Our Kids: The American Dream in Crisis* (Nova York: Simon & Schuster, 2015), p. 174-82.

3   Por exemplo, ver Jennifer Fredricks e Jacquelynne S. Eccles, "Extracurricular Participation Associated with Beneficial Outcomes? Concurrent and Longitudinal Relations", *Developmental Psychology* 42, 2006, p.. 698-713.

4   Bureau of Labor Statistics, "American Time Use Survey" (gráfico do tempo médio diário empregado em atividades esportivas e de lazer por populações mais jovens e mais velhas, 2013, http://www.bls.gov/TUS/CHARTS /LEISURE.HTM. Ver também Vanessa R. Wight, Joseph Price, Suzanne M. Bianchi e Bijou R. Hunt, "The Time Use of Teenagers", *Social Science Research* 38, 2009, p. 792-809.

5   Margo Gardner, Jodie Roth e Jeanne Brooks-Gunn, "Adolescents' Participation in Organized Activities and Developmental Success 2 and 8 Years After High School: Do Sponsorship, Duration, and Intensity Matter?" *Developmental Psychology* 44, 2008, p. 814-30.

NOTAS

6   Warren H. Willingham, *Success in College: The Role of Personal Qualities and Academic Ability* (Nova York: College Entrance Examination Board, 1985). Quando Warren Willingham fazia essa pesquisa, seu filho Dan entrou para a faculdade de psicologia. Dan é atualmente professor de psicologia na Universidade da Virginia e, no espírito do legado de seu pai, se dedica a ajudar crianças a tirar proveito da psicologia cognitiva. Meu livro predileto de sua autoria é *Why Don't Students Like School?* (São Francisco: Jossey-Bass, 2009).

7   A eficácia previsiva dos testes de realização padronizados aplicados a atividades acadêmicas e profissionais está bem documentada. Ver trabalhos dos psicólogos Paul Sackett e Nathan Kuncel em especial. O que quero dizer aqui não é que os testes de realização não sejam válidos em si, mas que dão uma medida incompleta e imperfeita daquilo que os estudantes sabem e podem fazer. Ver Angela L. Duckworth, Patrick D. Quinn e Eli Tsukayama, "What *No Child Left Behind* Leaves Behind: The Roles of IQ and Self-Control in Predicting Standardized Achievement Test Scores and Report Card Grades", *Journal of Educational Psychology* 104, 2012, p. 439-51. Ver também James J. Heckman, John Eric Humphries e Tim Kautz, orgs., *The Myth of Achievement Tests: The GED and the Role of Character in American Life* (Chicago: University of Chicago Press, 2014).

8   Willingham, *Success in College*, p. 213.

9   Michael Wines, "Extracurricular Work Spurs Success in College", *Los Angeles Times*, 17 de outubro de 1985.

10   Willingham, *Success in College*, p. 193. Para uma resenha sobre as vantagens e desvantagens das diversas técnicas de mensuração de qualidades como a garra, ver Duckworth e Yeager, "Measurement Matters".

11   Brian M. Galla et al., "Cognitive and Noncognitive Determinants of High School Grades, SAT Scores, and College Persistence", *Journal of Educational Psychology* (em revisão, 2015).

12   Alyssa J. Matteucci et al., "Quantifying Grit from Extracurricular Activities: A Biodata Measure of Passion and Perseverance for Long-Term Goals" (manuscrito em preparação, 2015).

13   Robertson-Kraft e Duckworth, "True Grit".

14   Brent W. Roberts e Avshalom Caspi, "The Cumulative Continuity Model of Personality Development: Striking a Balance Between Continuity and Change in Personality Traits Across the Life Course", in *Understanding Human Development: Dialogues with Lifespan Psychology*, orgs. Ursula M. Staudinger e Ulman Lindenberger (Norwell, MA: Kluwer Academic Publishers, 2003), p. 183-214.

15   William James declarou em 1890 que aos trinta anos a personalidade está "endurecida como gesso". Citado in Brent W. Roberts e Wendy F. DelVecchio, "The Rank-Order Consistency of Personality Traits from Childhood to Old Age: A Quantitative Review of Longitudinal Studies", *Psychological Bulletin* 126, 2000, p. 6.

16   Ibid. Avshalom Caspi, Brent W. Roberts e Rebecca L. Shiner, "Personality Development: Stability and Change", *Annual Review of Psychology* 56, 2005, p. 453-84. Brent W. Roberts, Kate E. Walton e Wolfgang Viechtbauer, "Patterns of Mean-Level Change in Personality Traits Across the Life Course: A Meta-Analysis of Longitudinal Studies", *Psychological Bulletin* 132, 2006, p. 1-25.

17   Brent W. Roberts, Avshalom Caspi e Terrie E. Moffitt, "Work Experiences and Personality Development in Young Adulthood", *Journal of Personality and Social Psychology* 84, 2003, p. 582-93.

GARRA

18 William R. Fitzsimmons, pró-reitor de admissões e ajuda financeira do Harvard College, em entrevista concedida à autora em 17 de fevereiro de 2015.

19 William R. Fitzsimmons, "Guidance Office: Answers from Harvard's Dean, Part 3", *New York Times*, 14 de setembro de 2009, http:// thechoice.blogs.nytimes.com/tag/harvarddean.

20 Fitzsimmons, entrevista.

21 Kaisa Snellman, Jennifer M. Silva, Carl B. Frederick e Robert D. Putnam, "The Engagement Gap: Social Mobility and Extracurricular Participation Among American Youth", *The Annals of the American Academy of Political and Social Science* 657, 2015, p. 194-207.

22 Para mais informação sobre Geoffrey Canada e a Harlem Children's Zone, visite www.hcz. org.

23 Geoffrey Canada, fundador e presidente da Harlem Children's Zone, em conversa com a autora em 14 de maio de 2012.

24 Geoffrey Canada, "Our Failing Schools. Enough Is Enough!", apresentação no das TED Talks Education, gravado em maio de 2013, https://www.ted.com talks/geoffrey_canada_our_failing_schools_enough_is_enough?language=en.

25 Para um resumo da pesquisa, ver Robert Eisenberger, "Learned Industriousness", *Psychological Review* 99, 1992, p. 248-67; e o livro de Eisenberger *Blue Monday: The Loss of the Work Ethic in America* (Nova York: Paragon House, 1989).

26 Mesmo para as pessoas que estão já bem distantes dos anos de colégio e faculdade, há muitas atividades que se pode realizar para proporcionar desafios e apoio. Por exemplo, aprendi muita coisa sobre garra com Joe De Sena, fundador do Spartan Race. Em nossa entrevista, ele me contou o seguinte caso: "Moramos em Vermont. Lá faz muito frio. Meu filho está na equipe de esqui. Um dia, ele chegou em casa uma hora antes do almoço. Disse que tinha voltado mais cedo porque estava com frio." Só que o resto da equipe continuava treinando. "Tudo bem", disse Joe, "compreendo que você esteja com frio. Mas você faz parte da equipe e ela está esquiando, então agora você está na minha equipe, e minha equipe não pega o teleférico." Pai e filho saíram, subiram a montanha a pé, o filho chateado e reclamando o tempo todo. Depois desceram esquiando. Acabou a aula. "Parece tortura", comentei, meio de brincadeira. "Não se tratava de torturá-lo", respondeu Joe. "A questão era mostrar a ele que as coisas podiam ser bem piores. Nunca mais tivemos aquele problema porque agora ele tinha uma referência, que era: 'Tudo bem, isto é desconfortável, mas poderia ser muito pior.'" Joe fez uma pausa. "Você sabe, já abandonei uma competição. E aprendi que há coisas muito piores do que lidar com o sofrimento diante de mim. Essa é uma lição que é preciso aprender. Não se nasce sabendo."

CAPÍTULO 12: UMA CULTURA DA GARRA

1 Pete Carroll, entrevistado por Eric Wayne Davis, *NFL AM*, postado pelos Seattle Seahawks, "Pete Carroll: 'We're Looking for Grit'", 3 de fevereiro de 2014, http://www.seahawks.com/video/2014/02/03/pete-carroll-were-looking-grit.

2 Pete Carroll, técnico principal dos Seattle Seahawks, em conversa telefônica com a autora em 13 de maio de 2013.

3 Chambliss, entrevista.

4 Lee Ross e Richard E. Nisbett, *The Person and the Situation: Perspectives of Social Psychology* (Londres: McGraw-Hill, 1991). Esse livro resume perfeitamente toda esta pesquisa.

NOTAS

5 James G. March, "How Decisions Happen in Organizations", *Human-Computer Interaction* 6, 1991, p. 95-117.

6 Tom Deierlein, fundador e CEO da ThunderCat Technology, em e-mail para a autora em 29 de outubro de 2011.

7 Deierlein, em e-mail para a autora em 17 de setembro de 2015.

8 *Time*, "Northern Theatre: Sisu", 8 de janeiro de 1940.

9 Hudson Strode, "Sisu: A Word That Explains Finland", *New York Times*, 14 de janeiro de 1940.

10 Emilia Lahti, "Above and Beyond Perseverance: An Exploration of Sisu" (Projeto de conclusão de curso, Universidade da Pensilvânia, 2013).

11 Betty Liu, *Work Smarts: What CEOs Say You Need to Know to Get Ahead* (Hoboken, NJ: John Wiley & Sons, 2014), p. 7.

12 Thomas II, resenha da Amazon para "Last Man Standing: The Ascent of Jamie Dimon and JP Morgan Chase", 8 de outubro de 2009, http://www.amazon.com/Last-Man-Standing--Ascent-JPMorgan/dp/B003STCKN0.

13 Ben Smith, "Master Howard Dean", *Observer*, 8 de dezembro de 2003, http://observer.com/2003/12/master-howard-dean.

14 Duff McDonald, *Last Man Standing: The Ascent of Jamie Dimon* (Nova York: Simon and Schuster, 2009), p. 5.

15 Jamie Dimon, diretor, presidente e CEO do JPMorgan Chase, em conversa com a autora em 14 de abril de 2015.

16 Dimon, entrevista.

17 Nick Summers e Max Abelson, "Why JPMorgan's Jamie Dimon is Wall Street's Indispensable Man", *Bloomberg Businessweek*, 16 de maio de 2013.

18 Dimon, entrevista.

19 Theodore Roosevelt, "The Man in the Arena. Citizenship in a Republic", discurso na Sorbonne, Paris, 1910.

20 JPMorgan Chase & Co., *How We Do Business*, 2014, http://www.jpmorganchase.com/corporate/About-JPMC/document/20140711_Website_PDF_FINAL.pdf.

21 Tim Crothers, *The Man Watching: Anson Dorrance and the University of North Carolina Women's Soccer Dynasty* (Nova York: Thomas Dunne, 2006), p. 37.

22 Ibid., p. 106.

23 Anson Dorrance, técnico do time de futebol feminino da Universidade da Carolina do Norte, em entrevista concedida à autora em 21 de agosto de 2015.

24 Luc A. Léger, D. Mercier, C. Gadoury e J. Lambert, "The Multistage 20 Metre Shuttle Run Test for Aerobic Fitness", *Journal of Sports Sciences* 6, 1988, p. 93-101.

25 Dorrance, em entrevista concedida à autora em 30 de setembro de 2015.

26 Dimon, entrevista.

27 George Bernard Shaw, *Man and Superman: A Comedy and a Philosophy* (Nova York: Penguin, 1903), p. 32. O trecho original diz: "Essa é a verdadeira alegria da vida, ser usado para um propósito que nós mesmos reconhecemos como superior. [...] Ser uma força da natureza, e não um amontoado de doenças e queixas egoístas e febris, reclamando que o mundo não se devotará a fazê-lo feliz."

28 West-Point.org, "Bugle Notes", acessado em 10 de fevereiro de 2015, http://www.west--point.org/academy/malowa/inspirations/buglenotes.html.

GARRA

29 General John M. Schofield, ex-superintendente da Academia Militar dos Estados Unidos, em discurso aos cadetes em 11 de agosto de 1879.
30 General Robert L. Caslen, superintendente da Academia Militar dos Estados Unidos, em entrevista concedida à autora em 4 de setembro de 2015.
31 Dados fornecidos pela Academia Militar dos Estados Unidos.
32 Carroll, *Win Forever*, p. 183.
33 "Pete Carroll Returns to USC, Full Interview, 2014", vídeo do YouTube, 1:57:42, postado em 20 de março de 2014, https://youtube/jSizvISegnE.
34 Earl Thomas, "Take Nothing for Granted", blog de Earl Thomas, 25 de janeiro de 2014, http://www.earlthomas.com /2014/01/25/take-nothing-granted.
35 Don Banks, "The Worst Play Call in NFL History Will Continue to Haunt Seahawks in 2015", *Sports Illustrated*, 21 de julho de 2015.
36 "The Wizard's Wisdom: 'Woodenism'", ESPN, 5 de junho de 2010.
37 Greg Bishop, "Pete Carroll, NFL's Eternal Optimist, Is Ready to Turn Heartbreak into Triumph", *Sports Illustrated*, 3 de agosto de 2015, http://www.si.com/nfl/2015/07/28/pete-carroll-seattle-seahawks-2015-season-super-bowl-xlix.

CAPÍTULO 13: CONCLUSÃO

1 Victoria Young, Yuchen Lin e Angela L. Duckworth, "Associations Between Grit and Subjective Well-Being in a Large Sample of US Adults", cartaz apresentado na XVI Convenção Anual da Sociedade da Psicologia Social e da Personalidade, Long Beach, CA, fevereiro de 2015.
2 Aristóteles, *Ética a Nicômaco*. Adam M. Grant e Barry Schwartz, "Too Much of a Good Thing: The Challenge and Opportunity of the Inverted U", *Perspectives in Psychological Science* 6, 2011, p. 61-76.
3 Dados coletados em 2015 e ainda inéditos.
4 Geoffrey P. Goodwin, Jared Piazza e Paul Rozin, "Moral Character Predominates in Person Perception and Evaluation", *Journal of Personality and Social Psychology* 106, 2014, p. 148-68.
5 Gostaria de levar o crédito pela expressão "o caráter é plural", mas não posso. Muitos outros fizeram a mesma observação, entre eles Christopher Peterson e Martin Seligman in *Character Strengths and Virtues* (Nova York: Oxford University Press, 2004), p. 10.
6 Daeun Park et al., "A Tripartite Taxonomy of Character: Evidence for Interpersonal, Intrapersonal, and Intellectual Competencies in Youth", (manuscrito em revisão, 2015). Observe-se que os mesmos três conjuntos de virtudes correspondem mais ou menos a três dos cinco grandes fatores da personalidade: escrupulosidade, afabilidade e abertura para a experiência.
7 No meu entendimento, autocontrole se relaciona à garra, mas difere dela. Você pode se controlar diante de um objetivo que não seja seu de alto nível. E o autocontrole não se relaciona diretamente a reveses e fracassos. Mas tanto a garra quanto o autocontrole têm a ver com a realização de metas. Ver Angela L. Duckworth e James J. Gross, "Self-Control and Grit: Related but Separable Determinants of Success", *Current Directions in Psychological Science* 23, 2014, p. 319-25. Acredito que o autocontrole é uma virtude extraordinariamente importante. Para saber mais sobre estratégias que propiciam o autocontrole e

NOTAS

suas vantagens, ver Walter Mischel, *The Marshmallow Test: Mastering Self-Control* (Nova York: Little, Brown, 2014), e Roy F. Baumeister e John Tierney, *Willpower: Rediscovering the Greatest Human Strength* (Nova York: Penguin, 2011).

8 David Brooks, *The Road to Character* (Nova York: Random House, 2015), p. xi.

9 Não falei em criatividade neste livro. Em muitos empreendimentos, a criatividade é absolutamente essencial. Remeto o leitor interessado a Scott Barry Kaufman e Carolyn Gregoire, *Wired to Create: Unraveling the Mysteries of the Creative Mind* (Nova York: Perigee Books, 2015).

10 Park et al., "Tripartite Taxonomy".

11 "Advice on Writing from the *Atlantic*'s Ta-Nehisi Coates", vídeo da Atlantic, 27 de setembro de 2013, http://www.theatlantic.com/video/archive/2013/09/advice-on-writing-from-i-the-atlantic-i-s-ta-nehisi-coates/280025.

12 "Journalist Ta-Nehisi Coates, 2015 MacArthur Fellows", vídeo da Fundação MacArthur, postado em 28 de setembro de 2015, https://www.mac found.org/fellows/931.

ÍNDICE REMISSIVO

Academia Militar de West Point, 15-19, 102-3
  cultura da, 251, 264-67
  Escala de Determinação aplicada em, 21-22, 66, 265
  Pontuação Integral do Candidato e, 18, 21, 22
  índice de desistência, 15-16, 265
  processo de admissão para a, 15
  trotes na, 264-65
  ver também Beast Barracks
Airborne Ranger, 254, 266
Allen, Woody, 60-61
Amazon.com, 107, 123
America's Got Talent (programa de TV), 43
amor bruto, 217
Anderson, Chris, 145
Angelou, Maya, 150
animais, experimentos com ver cachorros, experimentos com; ratos, experimentos com
"anos intermediários", 119, 154
"anos tardios", 119, 154

ansiedade, 182
Apatow, Judd, 139
Aristóteles, 156, 277-78
Artes Murais, Programa de, 124
artesanato do trabalho, 175-76
Asemani, Kayvon, 198-99
atitude parental permissiva "centrada na criança", 207, 217
atletas olímpicos, 48, 112, 126
  otimismo e, 183
  prática e, 130, 133, 143, 144, 148, 151
atribuição de causalidade, programa de, 187
atrito, modelo de, 265
autocontrole, 279-80, 320n
autoritário, estilo, 206, 209, 217-18

Bacon, Francis, 87
Baime, Michael, 164-66
Baldwin, James, 190
basquete, 967
Beast Barracks, 16-19, 21-22, 24
  características dos cadetes bem-sucedidos, 17-19

dia típico no, 16
redução do índice de desistência, 265
Beck, Aaron, 181, 183
Berg, Justin, 175
Bezos, Jeff, 107, 110, 116, 121-23, 269
bilhete, experimento do, 224-25
Blaine, David, 136
Blake, Juliet, 144-45
Bloom, Benjamin, 118-19, 154, 216, 221
Bodrova, Elena, 152
Boinas-Verdes, 23-24, 82
Bonaparte, Napoleão, 87
Bozeman, Sylvia, 202
Breakthrough Greater Boston, 168
Brodsky, Joseph, 263
Brooks, David, 280
Browning School, 259
Buffett, Warren, 78-79
"Bugle Notes", 264
Bugnard, Chef, 113
Bundick, Matt, 170
Bunsen, Christian K. J. von, 88
Burke, Edmund, 87
Bush, George H. W., 61
bússola, metáfora da, 72, 75, 79, 102

cachorros, experimentos com, 179-81, 195
Canada, Geoffrey, 243-44
caráter, 279-80
Carnegie Mellon, Universidade, 43, 45
Carroll, Pete, 86
    cultura dos Seattle Seahawks e, 249-50, 257, 267-74
    filosofia de vida de, 72-74, 76
Caslen, Robert, 264-67
Cervantes, Miguel de, 87
Chalmers, Thomas, 88
Chambliss, Daniel, 48-52, 93, 251-53

Chast, Roz, 80
Chatman, Jennifer, 191
Chatterton, Thomas, 88
Chicago, escolas públicas de, 23, 24
Child, Julia, 69, 111-13
Child Genius (programa de TV), 43
Christensen, Ulrik, 134-35
Chua, Amy, 118
Cinnabon, rede de padarias, 172, 173
Clarkson, Kelly, 194
Clinton, Bill, 47-48
Clinton, Hillary, 47-48
Close, Kerry, 137-38, 148
Coady, Chantal, 108
Coates, Ta-Nehisi, 281-83
Cobden, Richard, 88
cognitivo-comportamental, terapia (TCC), 184, 200-1, 311n
Cohen, Geoff, 224
Cole, Kat, 172-74
Coleman, Cody, 225-28
Coleridge, Samuel Taylor, 88
competição, 268-69, 271
Competição Nacional de Soletração Scripps, 25-26, 103, 142, 276
    atividades para melhorar o desempenho na, 137
    prática para a, 25, 129, 136-39, 151
    QI verbal dos participantes, 26
comunicação, 259, 262
Conservatório Peabody, 37
Copérnico, Nicolau, 87
Corresponsivo, princípio, 239-40, 252
Côté, Jean, 119
Cox, Catharine, 86-89
crescimento, mentalidade de, 188-94, 198, 199, 267
    benefícios ligados à, 188-89
    formação de mentalidade, 190-92

ÍNDICE REMISSIVO

importância da linguagem na, 189-90
qualidades ligadas à, 188
criação de filhos, 205-28
autoritária, 206, 209, 217-18
bem-sucedida, padrões de, 216-18
centrada na criança, 207, 217
emulação pelos filhos, 220-21
espectro de visões da, 205-6
estilo exigente, 207-13, 217
incentivadora/compassiva, 213-16,
217, 218
negligente, 217, 218
permissiva, 215, 217, 218, 219
por não pais, 222-28
sensata (autoritativa), 217-21
Csikszentmihalyi, Mihaly, 139-42
cultura, 249-74
definição, 250
diferenças entre gerações e, 97-98,
101
identidade e, 253-56
lealdade à, 251
organizacional, 258-62
Cuomo, Mario, 61
Currey, Mason, 150
Curso de Seleção para as Forças
Especiais, 24
cursos universitários de dois anos, 23
custo-benefício, análise de, 254, 256

Damon, Bill, 171-72, 176
Danton, Georges J., 88
Darling, Nancy, 219
Darwin, Charles, 32-34
Davey O'Brien, prêmio, 208
De Sena, Joe, 318n
Dear Abby, 200
Deierlein, Tom, 254-55, 266
Denver Broncos, 249
depressão, 181, 182, 184, 200

desamparo aprendido, 179-81, 196,
200, 246, 310n
"Descubra o que é possível e ajude os
outros a fazer o mesmo" (Cole), 174
desenvolvimento, modelo de, 265-67
desistência, taxas de:
faculdade, 23, 236-38
West Point, 15-16, 265
dez mil horas/dez anos, regra das 131-32
Dez Milhas do Exército, 255
Díaz, Roberto, 133
diligência aprendida, 246
dimensão intelectual do caráter, 279, 280
dimensão intrapessoal do caráter, 279-80
Dimon, Jamie, 258-60, 262
dislexia, 27, 57
Divine Fury: A History of Genius
(McMahon), 293-94n
Dorosin, Neil, 292n
Dorrance, Anson, 260-64, 268
Drucker, Peter, 136
Duckworth, Angela:
apresentação TED de, 144-46, 225, 250
aula de neurobiologia, 177-79
carreira docente de, 27-32, 129,
166-68, 185
diploma em neurociência, 27
Escala de Garra de, 69
filha Amanda, 145, 246, 247, 248, 277
filha Lucy, 100, 145, 229, 246-47,
248, 277
mãe de, 176
pai de, 9-11, 108-9, 110, 119, 168,
176, 283
pesquisa longitudinal feita por, 236-38
Prêmio MacArthur Fellowship
concedido a, 9-10
propósito vivenciado por, 166-68
psicologia do sucesso e, 52-54
Regra da Atividade Difícil e, 247-48

GARRA

Testes de QI, 46
trabalho na McKinsey, 27, 30, 38-41
DuPont, 98, 109, 251
Durant, Kevin, 133
Dutton, Jane, 175
Dweck, Carol, 186-89, 191, 199-200

EDGE (Enhancing Diversity in Graduate Education, Aumentar a Diversidade na Pós-Graduação), Programa, 202
educação:
  graduação, 23, 201
  índices de desistência na, 23, 236-38
  KIPP, programa e, 189-90, 251
  superior, 23, 236-38
  talento versus garra no sucesso acadêmico, 27-32
  ver também professores
educação superior, 23, 201, 236-38
Educational Testing Service (ETS), 233
Eisenberger, Robert, 245-46
empreendedorismo, 36
empresas, mil maiores dos Estados Unidos, 191
emulação (dos pais), 220-22
"Energias dos homens, As" (James), 34-35
enigmatologia, 121
Enron, 42
Enron: Os mais espertos da sala (documentário), 42
Entre o mundo e eu (Coates), 281
Ericsson, Anders, 130-33, 135, 136-42, 146, 149
erros, reações aos, 152, 191
Escala de Garra, 21-26, 66-70, 88, 89, 142, 201, 278-79
  cadetes de West Point submetidos à, 21-22, 66, 265

desenvolvimento da, 21-22
faça seu teste, 67-68
falsificar a, 235
felicidade e pontuação na, 276
gêmeos submetidos à, 94
idade e pontuação na, 96-98
idealismo e pontuação na, 157-58
interesses persistentes e, 124
professores submetidos à, 185
soletradores submetidos à, 136-37
Escala de Inteligência Wechsler para Adultos, 95
Escala de Inteligência Wechsler para Crianças, 95
Escola de Administração Wharton, 65, 98, 169, 199
Escola de Música Juilliard, 37, 149
escrever, 56-58
esforçados, 36, 43, 48, 62-63
esforço, 46, 47-63
  ambiguidade em relação ao, 35-37
  escrita e, 56-58
  KIPP e, 189
  musicalidade e, 35-36
  natação e, 48-51
  Nietzsche sobre o, 51-52
  persistência no, 62
  prática disciplinada e, 138-39
  sucesso acadêmico e, 29
  talento e técnica em interação com o, 54-56, 62-63
  teste da esteira, 58-62, 262
Eskreis-Winkler, Lauren, 149
esperança, 103-4, 177-202, 275
  controle e, 196-97
  definição, 177
  linguagem da, 190
  mentalidade e ver rígida, mentalidade; crescimento, mentalidade de

ÍNDICE REMISSIVO

neurobiologia da, 196
otimismo e ver otimismo
estatura, relação natureza-ambiente na, 91-92, 94-95
esteira ergométrica, teste da, 58-62, 262
estilo parental autoritativo ver sensato (autoritativo), estilo parental
estilo parental negligente, 217, 218
estilo parental permissivo, 215, 217, 218, 219
eudemonismo, 156-57
excesso de garra (falta de provas de), 277-79
exigente, estilo parental, 207-13, 217
experiência ver influência do ambiente/experiência
extracurriculares, atividades, 229-48
    crianças de baixa renda e, 242-44
    importância do acompanhamento, 232-42
    raridade do excesso de, 231
    transferências, para outras áreas, dos benefícios das, 244-46
    vantagens de longo prazo, 231

Fama (filme), 82
fantasia positiva, 76
Faraday, Michael87
Farhi, Nicole, 108
Feinberg, Mike, 189
felicidade:
    eudemonista versus hedonista, 156-57
    garra e, 185, 276-77
Ferguson, Ron, 223-24
Field, Colin, 108
filosofia de vida, 72-74, 76
Financial Times, 108
Finlândia, 256-58, 259

Fitzsimmons, Bill, 240-42
Fluxo, 139-43, 147-48
Flynn, efeito, 95-96, 97, 300n
Flynn, Jim, 95, 269
Flynn inverso, efeito, 97
Fonte, Aurora, 170-71
Fonte, Franco, 170-71
Forças de Operações Especiais do Exército ver Boinas-Verdes
Fortune (revista), 38, 42
frágeis perfeitos, 198
Franklin, Benjamin, 135
Freud, Sigmund, 157
Fundação Bill e Melinda Gates, 223, 236-37
futebol americano ver Carroll, Pete; Seattle Seahawks; Young, Steve

Gaines, Rowdy, 50, 112, 115, 119, 133, 143
Galloni, Antonio, 155-56
Gallup, pesquisas, 110
Galton, Francis, 32-33, 292n
Gardner, Margo, 232
Gates, Bill, 236
Gates, Fundação ver Fundação Bill e Melinda Gates
Gates, Melinda, 236
Gawande, Atul, 136
gêmeos, pesquisas sobre, 93-94
Gemmell, Bruce, 136-37, 147, 152
genética, 91-96, 300n
gênio, 9-10, 283, 294-95n
genoma humano, 94
Gervais, Mike, 271
Gettleman, Jeffrey, 70-72, 73, 82, 98
Gladwell, Malcolm, 42
Goethe, Johann Wolfgang von, 87
Golden, Jane, 123-25, 155
Google, 175-76

GARRA

Grade de Garra, 237-38, 242, 243
Graham, Martha, 131, 138, 146
Grammy, prêmio, 58
grandeza, 50, 51-52
Grant, Adam, 169, 175, 278
guerra de inverno, 256

habilidades, desenvolvimento da,
54-56, 62-63
curva de aprendizado para o, 131
três etapas do, 118
hábito, formação do, 150-51
Hall da Fama, 75, 232
Harlem Children's Zone, 243-44
Haydn, Joseph, 88
hedonista, felicidade, 156-57
Hershey, Milton, 198, 313n
Hitler, Adolf, 158
Hoff, Syd, 82-83
Hooters, restaurantes, 173
Hopkins, Mike, 116
"How to Solve the New York Times
Crossword Puzzle" (Shortz), 126-27
How to Spell Like a Champ (Kimble),
136
How We Do Business (manual do
JPMorgan Chase), 260
Hughes, Rhonda, 201-2

idade e garra, 93-101
identidade e cultura, 253-56
imitação (dos pais), 220-21
incentivo e apoio:
de interesses, 117-18, 119, 121-23
dos pais, 213-16, 217
pedido de, 200-2
incrivelmente bem-sucedidas, pessoas,
107-8, 115, 130
influência do ambiente/experiência,
91-95, 300n

in-group, 250
Instituto de Tecnologia de
Massachusetts (MIT), 225, 226-27
interesse, 107-28, 275
aprofundamento do, 115, 124-25,
127, 162
brincadeira e, 118-20
descoberta do, 115-16, 118-19, 126
desenvolvimento do, 115, 116-18,
119, 127, 162
especialistas e o, 125-26
exploração do, 112
modelo do progresso em três etapas,
118
persistência do, 122-26
pressões sobre escolhas e, 108-9, 110
principiantes e, 118-20, 125-26
vantagens de perseguir seu, 109-10
"Interesse efêmero por tudo, nenhuma
orientação profissional" (postagem no
Reddit), 113
interesse supremo, 75, 77, 79-80,
278
Irving, John, 56-58, 99
Ivy League, universitários da, 26

James, William, 34-35, 110, 128, 151
James Beard, prêmio, 112
Japão, 130
JPMorgan Chase, 258-60
Julie & Julia (filme), 111
Jürgen (mentor), 222-23

Kagan, Jerry, 17
Kageyama, Noa, 149
kaizen, 130
Kashyap, Anurag, 26
Kaufman, Scott Barry, 43-46
Kimble, Paige, 25, 136
King, Philip, 167

ÍNDICE REMISSIVO

KIPP (Knowledge Is Power Program, Programa Conhecimento é Poder), 189-90, 251
Kopp, Wendy, 184-86

La Guardia High School of Music and Art, 82
Lacey, Hester, 107-8, 115, 130, 183
Lahti, Emilia, 257
Lakeside School, 100
Lamennais, Hughes-Félicité-Robert de, 88
Lang Lang, 108
Laughlin, Terry, 151
Leach, Bernard, 117
Leader, Joe, 163
Learning to Cartoon (Hoff), 82
Ledecky, Katie, 144, 147
Lemonade Stand Foundation, 153
Leong, Deborah, 152
Levin, Dave, 189, 190
linguagem, importância da, 189, 262, 271
Lomax, Michael, 294n
longitudinais, pesquisas:
    sobre a mudança de personalidade, 98-99, 239-40
    sobre atividades extracurriculares, 230-31, 232-35, 237-38
    sobre interesses, 115-16, 118-19
    sobre o impacto dos pais, 218-19
Lowell High School, 30-32
Loyd, Sam, 120
Luong, David, 30-32
Lutero, Martinho, 87
Lütke, Tobi, 222-23
Lynch, Marshawn, 269

MacArthur, Bolsa, 9-10, 281-82
MacKenzie, Warren, 54-56, 116

Mackie, Susan, 192
Maier, Steve, 178-81, 186, 195-97, 205n, 246
Mankoff, Bob, 81-82, 85, 98
March, James, 254
Martinez, Alex, 213-15
Martínez, Francesca, 207, 213-16, 217, 221
Martinez, Raoul, 214
Martinez, Tina, 213-16
matemática, 28-32, 129, 200-2
Matthews, Mike, 18-19, 21
maturidade, princípio da, 98-101
Mazzini, Giuseppe, 88
McDonald, Duff, 41-42
McKinsey, 70
    carreira da autora na, 27, 30, 39-41
    e a ênfase no talento, 38-42
McMahon, Darrin, 293-94n
McNabb, Bill, 192-94
Meaney, Michael, 300n
meditação, 165-66
Melhor Jogador, título, 207-8
mentalidades ver rígida, mentalidade; crescimento, mentalidade de
mentores, 119, 127, 201, 222
meta ambiciosa, 133-35
metas, hierarquia de, 74-86, 297n
    abandono de metas de nível inferior, 79-86
    conflito de metas na, 77-78
    estrutura coerente na, 76-78
    finalidade comum das metas na, 79-80
    metas prioritárias na, 79-80
    níveis de metas na, 74-75
metas de motivação autônoma, 301n
MetLife, corretores de seguros da, 182
Microsoft, 236

GARRA

mielina, 200
Mill, John Stuart, 87
Milton, John, 87
Milton Hershey School, 198, 313n
modelo:
de mentalidade de crescimento,
190-92
pais como, 219-22
de propósito, 171-74, 176
monólogo interior, 183-84, 199, 200-1,
311n
Montana, Joe, 209
multiplicador social, efeito, 96, 269
Mundo segundo Garp, O (Irving), 56
Murat, Joachim, 88
música, 35-36, 38, 44-45

NASA, 116
"Nasty Nick" (corrida de obstáculos),
24
natação:
cultura da, 251-53
esforço e, 48-51
genética e experiência na, 93
otimismo e, 183
prática e, 49, 143-44
National Book Award, 56
naturais, talentos, 35-37, 43, 48, 49,
62
Nature, 200
New England Patriots, 73, 270
New York Times, 70, 72, 82, 280
New York Times, palavras cruzadas do
ver palavras cruzadas
New Yorker, cartuns da, 80, 81, 82-86
Newton, Isaac, 87
Nietzsche, Friedrich, 51-52, 194, 205
Noe, Bernie, 100-1
Nova York, departamento de trânsito
de, 163

Nova Zelândia, 239
novidade, 124, 125, 127

Oates, Joyce Carol, 151
Observer, 213
Oettingen, Gabriele, 76
Oscar, Daniel, 292n
Oscar, prêmio, 56
otimismo, 181-83, 198, 200
aprendido/adquirido, 181
mentalidade de crescimento e, 188,
199
nos professores, 184-86
otimismo aprendido, 181
Outward Bound, programa, 195

paixão, 20, 68-72, 73, 75, 267-68
genética e experiência na, 94
grandes realizadores e indicadores
de, 88
idade e, 98
identidade e, 253, 256
incremento da, 111-13
intensidade não relacionada a, 69,
72
interesse e, 103, 107-13, 115, 127,
153
medida na Escala de Garra, 21,
68-69, 94
persistência no tempo, 69-72
praticidade versus, 108-9
propósito e, 103, 153
palavras cruzadas, 107, 120-21, 123,
126-27
Palin, Michael, 108
Park, Daeun, 190
Parker, James, 24
Paunesku, Dave, 175
Peanuts (tira cômica), 150
pedreiros, parábola dos, 159-60, 162-63

ÍNDICE REMISSIVO

perseverança, 68-69, 103, 267-68
  flexibilidade e, 81-86
  genética e experiência na, 94
  grandes realizadores e indicadores
    de, 88
  idade e, 98
  identidade e, 253, 256
  medida na Escala de Determinação,
    21, 69, 94
persistência de motivação, 88
Personal Qualities Project (Projeto
  Qualidades Pessoais), 233-35, 240-41
personalidade:
  princípio corresponsivo e, 239-40,
    252
  princípio da maturidade e, 98-101
pessimismo, 181-83, 184-85, 186, 199
pessoas mais eminentes, 33
Phelps, Michael, 49, 50
Pitt, William, 87
Pontuação Integral do Candidato (West
  Point), 18, 21, 22
"Por quê?", 75-76, 102
potencial, 26, 34-35, 63, 242
Potter's Book, A (Leach), 117
prática, 103, 129-52
  disciplinada ver prática disciplinada
  modelo de progresso em três
    etapas,154
  natação, 49, 143-44
  quantidade de tempo e, 130-32
  soletração, 25, 129, 136-38, 146, 151
prática disciplinada, 132-52
  aplicação dos princípios da, 135-36
  ciência da, 148-50
  como hábito, 150-51
  e esforço, 138-39
  experiência da autora com a, 144-46
  experiência positiva da, 146-48,
    151-52

fluxo e, 139-43, 147-48
  meta ambiciosa na, 133-35
  retorno e, 133-34, 143, 145
  tirar o máximo proveito da, 148-52
pré-frontal, córtex, 196
"Primeiros anos", 118-20, 154
profecias autorrealizáveis, 38, 178
professores:
  carreira da autora, 27-32, 129,
    166-68, 185
  efeitos do retorno dado por, 223-25
  otimismo nos, 184-86
  ver também educação
propósito, 103, 153-76, 275
  caminhos imprevisíveis que levam ao,
    170-71
  cultivando uma noção de, 175-76
  de motivação coletiva, 154-59,
    169-70, 174
  de motivação individual, 169-70
  definição de, 153
  experiência da autora com, 166-68
  felicidade e, 156-57
  no modelo de progresso em três
    etapas,154
  origens do, 171-72
psicologia positiva, 52
Psychological Care of Infant and Child
  (Watson), 206
Pulitzer, prêmio, 70
Putnam, Robert, 243

QI/inteligência, 44, 45
  atualização de ideias sobre, 199-200
  aumento, 95-96, 200, 300n
  dos soletradores, 25, 26
  mentalidade e, 187-88
  de pessoas notáveis, 87-88
  pontuação da autora no teste, 46
qualidade, 279

GARRA

Quartas de Competição, 268
Quartel das Feras ver Beast Barracks

Rasmussen, Mads, 144, 148
ratos, experimentos com, 195-97,
  245-46, 300n
Reddit, 113, 115
Regra da Atividade Difícil, 247-48
Regras da vida (filme), 56
Reino Unido, 94
retorno/feedback, 133-35, 143, 145,
  224
rígida, mentalidade, 188-89, 191, 192,
  193-94, 197, 199
Roberts, Brent, 239
Roosevelt, Teddy, 260
Rushdie, Salman, 108

San Francisco 49ers, 207, 209, 249
SAT (Scholastic Aptitude Test), 15, 18,
  26, 40, 45, 56, 233, 235, 236, 238, 241
Schmidt, Roy, 161-62
Schneider, John, 249
Schofield, definição de disciplina de,
  264
Schofield, John, 264
Schulz, Charles, 150
Schwartz, Barry, 114, 278
Science, 34
Scott, Alex, 153, 155
Seattle Seahawks, 72, 249-50, 251,
  257, 258, 267-74
  chegar com força ao fim e, 272
  espírito de competição, 268-69,
    270-72
  linguagem dos, 271
Seaver, Tom, 75-76, 77
secretários, 162
Segredos dos grandes artistas, Os
  (Currey), 150

Seligman, Marty, 179-83, 186, 191
  como conselheiro da autora, 52-53
  experimentos sobre desamparo
    aprendido de, 179-81, 195, 246
  professores otimistas estudados por,
    184-85
sensato (autoritativo), estilo parental,
  217-21
Seurat, Georges, 85
Shaw, George Bernard, 263-64
Sheldon, Ken, 301n
Shopify, 223
Shortz, Will, 107, 110, 120-21, 123,
  126
Silvia, Paul, 125
sisu, 256-58, 259
"Sisu: uma palavra que explica a
  Finlândia" (artigo da Times), 257
Skilling, Jeff, 42-43
Smith, Chantel, 226, 227
Smith, Will, 58, 59, 62
Society for Research on Adolescence, 218
soletração, competições de ver
  Competição Nacional de Soletração
  Scripps
Spartan Race, 318n
Spectator (revista), 135
Spellbound (documentário), 25-26
Spitz, Mark, 50, 51
Sports Illustrated, 273
Stalin, Joseph, 158
Steinberg, Larry, 218
sucesso, 279
Summerbridge, programa, 166-68, 176
Super Bowl, 218, 249, 269-70
Swarthmore College, 32, 114

talento, 27-46, 47-56, 261
  atualização de crenças sobre o,
    199-200

nos cadetes de West Point, 21-22
diferenças de, 43
ênfase da McKinsey no, 38-42
na Enron, 42-43
esforço combinado com, 54-56,
  62-63
genética e experiência em, 92-93
mitificação do, 51
musicalidade e, 35-36
natação e, 48-51
Nietzsche sobre, 51-52
ortografia e, 26
primeiros livros sobre o, 32-35
sucesso acadêmico e, 27-32
supervalorização do, 43, 47
técnica e, 62-63
testes de, imperfeições dos, 46
nos universitários da Ivy League, 26
visão do KIPP sobre, 189
Teach For America (TFA), 184-86, 189
TED, apresentações do, 136, 144-46,
  225, 244, 250
tédio, 116, 124
televisão, 96, 216
Templeton, John, 125
Terapia de aceitação e compromisso
  (TAC), 311n
Terkel, Studs, 160-61
Teste do Bipe, 261-62
TFA ver Teach For America
Thomas, Earl, 268-69
Time (revista), 256, 281
trabalho:
  como vocação ver vocação
  empenhados no, 110
  falta de orientação no, 113-14
  mudanças de carreira e, 124
  paixão pelo, 109-10, 115
  valores essenciais no, 175-76
treinamento de resiliência, 200-1, 313n

"Trivialidade da excelência, A" (estudo),
  48
Trojans, USC, 268
trotes em West Point, 264-65
Tsay, Chia-Jung, 35-38

Universidade Brigham Young (BYU),
  208, 212, 221
Universidade Columbia, 232, 263
Universidade da Califórnia, em
  Berkeley, 239
Universidade da Califórnia, em Los
  Angeles (UCLA), 32
Universidade da Carolina do Norte,
  260-64
Universidade da Carolina do Norte, em
  Chapel Hill (UNC), 260-64
Universidade da Pensilvânia, 164, 198,
  199, 244
Universidade de Cambridge, 43
Universidade de Houston, 245
Universidade de Indiana, 107, 121
Universidade de Oxford, 27, 70, 71
Universidade de Princeton, 107
Universidade de Yale, 43, 159
Universidade do Sul da Califórnia
  (USC), 267-68
Universidade Harvard, 37, 58-59, 60,
  61, 98, 240-41, 243, 262
Universidade Stanford, 171, 220, 227,
  254
University College London, 37

Vaillant, George, 59, 61, 98
Vanguard, 192
vendas, 22-23
Vetri, Marc, 112, 115, 117
Viaggio di Vetri, Il (Vetri), 117
virtudes de currículo, 280
virtudes do obituário, 280

GARRA

vocação, 159-66
    caminhos não convencionais para,
        170-71
    desenvolver versus encontrar, 162-63
    tempo para identificar, 164-66
Voltaire, 87

War for Talent, The (Michaels,
    Hanfield-Jones e Axelrod), 38, 41-42
"War for Talent, The" (relatório), 38
Washington, George, 87
Watson, John, 206, 216, 218
Watson, Nora, 161-62
Watts, Alan, 165
West, Kanye, 194
West Point ver Academia Militar de
    West Point
What the **** Is Normal?! (Martínez),
    207
Willingham, Dan, 317n
Willingham, Warren, 232-36, 237,
    240-42, 317n
Wilson, Russell, 270
Win Forever (Carroll), 267
Wooden, John, 73, 270
Wrzesniewski, Amy, 159-60, 162-63,
    164, 175

X Factor, The (programa de TV), 43

Yeager, David, 170, 175, 224
Young, LeGrande ("Grit"), 208, 209-13
Young, Mike, 209
Young, Sherry, 209-12
Young, Steve, 207-13, 216, 217, 221,
    232

zoológicos, funcionários de, 160

www.intrinseca.com.br

1ª edição	AGOSTO DE 2016
reimpressão	JUNHO DE 2024
impressão	LIS GRÁFICA
papel de miolo	LUX CREAM 60 G/M^2
papel de capa	CARTÃO SUPREMO ALTA ALVURA 250G/M^2
tipografia	FAIRFIELD